VANDRÉ

Considerado o maior enigma da MPB, autor de clássicos como *Disparada*, *Fica mal com Deus* e *Pra não dizer que não falei das flores* (*Caminhando*), **Geraldo Vandré** finalmente ganha uma biografia à altura do seu talento e da sua trajetória musical.

Jorge Fernando dos Santos

VANDRÉ

O homem que disse não

1ª edição – Setembro de 2015

Grafia atualizada segundo o Acordo Ortográfico da Língua Portuguesa de 1990, que entrou em vigor no Brasil em 2009.

EDITOR E PUBLISHER
Luiz Fernando Emediato

DIRETORA EDITORIAL
Fernanda Emediato

PRODUTORA EDITORIAL E GRÁFICA
Priscila Hernandez

ASSISTENTE EDITORIAL
Adriana Carvalho

CAPA
Alan Maia

PROJETO GRÁFICO E DIAGRAMAÇÃO
Megaarte Design

PREPARAÇÃO DE TEXTO
Marcia Benjamim

REVISÃO
Juliana Amato
Josias A. de Andrade

Dados Internacionais de Catalogação na Publicação (CIP)
(Câmara Brasileira do Livro, SP, Brasil)

Santos, Jorge Fernando dos
Vandré : o homem que disse não / Jorge Fernando dos Santos. — São Paulo : Geração Editorial, 2015.

ISBN 978-85-8130-315-4

1. Compositores - Brasil - Biografia 2. Vandré, Geraldo, 1935- I. Título.

15-02115 CDD-780.9281

Índices para catálogo sistemático:
1. Brasil : Compositores : Vida e obra 780.9281

GERAÇÃO EDITORIAL

Rua Gomes Freire, 225 – Lapa
CEP: 05075-010 – São Paulo – SP
Telefax : (+55 11) 3256-4444
E-mail: geracaoeditorial@geracaoeditorial.com.br
www.geracaoeditorial.com.br

O biógrafo literário pertence a uma raça perversa; tem coração de detetive e anseia que o objeto do seu interesse entre em contato com o reino da ação...

Por isso sempre tende a exagerar qualquer contato que esse objeto possa ter tido com o caos externo e o público de sua época.

Ian Hamilton, *Em busca de J. D. Salinger*

Cantar é anunciar,

lembrar, convocar

dizer do amor e dos amores,

é ser livre, libertar,

ser nação e,

quando necessário,

dizer não.

Geraldo Vandré,
Cantos intermediários de Benvirá

SUMÁRIO

INTRODUÇÃO

Ele falava das flores

A geração AI-5 cresceu embalada pela canção *Pra não dizer que não falei das flores (Caminhando)*, classificada em segundo lugar na fase nacional do 3º FIC (Festival Internacional da Canção). Com apenas dois acordes ao violão e a voz embargada pela emoção do momento, Geraldo Vandré "incendiou" o Maracanãzinho. O festival nem havia terminado e a composição de melodia simples e letra forte já havia ganhado as ruas como um hino contra a ditadura.

De lá para cá tudo é história. História entremeada de boatos e lendas a respeito do famoso dublê de músico e fiscal da indústria e comércio, que pouco depois abandonaria a carreira artística, impossibilitado de cantar num país dominado pela censura e pela cultura de massa. Justamente esse personagem emblemático da MPB seria o tema do meu primeiro artigo de jornal.

Bancário em Belo Horizonte, aos vinte e três anos, tive meus primeiros poemas publicados no suplemento literário O Destaque, do *Jornal de Minas*. Num domingo, li na coluna de música que o leitor que enviasse o melhor texto sobre Vandré seria premiado com 15 LPs da gravadora Emi-Odeon, que estava relançando seu disco *Canto geral*. Como fã do artista, datilografei alguns parágrafos que, para minha alegria, foram publicados no domingo seguinte, 8 de abril de 1979. Eu havia vencido o concurso!

O colunista era Gilberto Gonçalves de Assis, conterrâneo de Vandré, funcionário do Banco do Brasil e crítico musical nas horas vagas. A seu convite, comecei a colaborar no jornal, escrevendo sobre discos e *shows*. Nascia ali uma grande amizade, e foi seguindo seu conselho que fiz vestibular para Comunicação Social na antiga FAFI-BH. Abri a calourada cantando uma canção de minha autoria, feita em homenagem àquele que havia ousado falar das flores. Em 1982, recebi o canudo de jornalista.

Na condição de fã, repórter e cronista cultural, voltei ao personagem em outras ocasiões e ouvi seus discos inúmeras vezes. Fiquei emocionado ao assistir à entrevista concedida por ele ao canal Globo News, em 12 de setembro de 2010, data do seu aniversário de setenta e cinco anos. No final de 2013, depois de participar da 9ª Feira Internacional do Livro de Foz do Iguaçu, fui informado pela jornalista Edilma Dias que o ex-cantor e compositor havia morado naquela cidade. Essa foi a senha para que eu me lançasse à tarefa de escrever este livro, levando em conta os oitenta anos do cidadão Geraldo Pedrosa de Araújo Dias, em 2015.

Adianto aos leitores que todas as minhas tentativas de falar com o biografado fracassaram. Geraldo não atende ao telefone, e os amigos mais próximos informam que ele não quer dar entrevistas. A exemplo de J. D. Salinger e Greta Garbo, que tinham obsessão pela privacidade, o compositor não aprova biografias. Tanto melhor, pois uma obra não autorizada é mais confiável do que aquelas encomendadas ou submetidas ao crivo de quem quer que seja. Como alguns de seus ex-colegas, talvez ele não compreenda que uma obra biográfica nada mais é do que uma reportagem alentada sobre a vida de alguém importante. Quando benfeita, ajuda a resgatar fatos relevantes para a identidade de um povo. Se uma vida se confunde com a memória nacional, conhecê-la melhor nos aproxima da verdade sobre nós mesmos.

Penso que ninguém é dono da própria história. Todo acontecimento permite várias interpretações. Por isso uma vida pode merecer diferentes abordagens, pois toda pesquisa biográfica resulta numa espécie de quebra-cabeça no qual sempre faltam algumas peças. Neste sentido, mesmo que Geraldo não aprove a ideia, outros livros virão para falar de sua trajetória. Afinal de contas, um artista que cria e desconstrói o próprio mito em tempos tão conturbados quanto aqueles em que ele viveu há de despertar o interesse e a admiração de seus compatriotas – independentemente de ideologias e ou de gostos estéticos.

Uma curiosidade sobre o mito – que se diz "afastado dos acontecimentos" – é que o próprio se mantém atento a tudo o que é publicado a seu respeito. Consta que ficou emocionado ao ler a dissertação de mestrado de Dalva Silveira, que analisa como a imprensa construiu sua imagem perante a opinião pública. Em meados de 2014, ele chegou a telefonar para o professor Fábio Martins, editor da publicação *Rádio em Revista*, da UFMG, solicitando cópia de um artigo publicado a seu respeito. É quase provável que leia este livro! Pode ser que goste ou que odeie. De qualquer maneira, o trabalho foi feito com honestidade e espero ter alcançado meus objetivos.

Deixo claro que as informações contidas nesta "reportagem biográfica" foram garimpadas em outras biografias, depoimentos, documentários, matérias jornalísticas, estudos e ensaios publicados nos últimos cinquenta anos. Alguns entrevistados responderam às perguntas com frases telegráficas, enquanto outros se mostraram mais interessados em colaborar, revelando boa memória e admiração pelo personagem. E tiveram ainda aqueles reticentes, que, ao serem contatados, optaram pelo "nada a declarar".

A extensa contextualização se justifica, uma vez que a trajetória do cantor e compositor se confunde com episódios históricos da sua época. Contudo, minha tarefa não teria sido possível sem as obras consultadas e sem a colaboração dos entrevistados, especialmente Darlan Ferreira, Fahid Tahan Sab, Jeane Vidal, Nilce Tranjan, Rogério Romano Bonato e Sula Kyriacos Mavrudis – aos quais agradeço de coração.

Também sou grato a todos que me ajudaram de alguma forma, indicando contatos, fotos, gravações e leituras, emprestando material de consulta, opinando sobre os originais ou apenas conversando sobre o tema. Entre esses, destaco Amilton Faria, Angelo Pinho, Carlos Alberto de Oliveira e Silva, Carlos Felipe, Cássio Tiso, Claimar Granzotto, Cláudio Martins, Cleide Fernandes, Euclides Amaral, Fernando Rabelo, Geraldo Vianna, Gutemberg Guarabyra, Hudson Brasil, Jefferson da Fonseca, Maria Alvim, Márcio Augusto Santiago, Petrônio Souza Gonçalves, Reinaldo Guimarães, Rick Udler, Roberto D'Oliveira, Rogério Leonel, Rosaly Senra, Sônia Andrade, Tadeu Franco, Theo Figueiredo, Toninho Camargos, Toninho Vaz, Valter Braga, Vitor Biglione e Vitor Nuzzi (biógrafo de Vandré).

Para Vânia de Morais,

Mário dos Santos (meu pai) e

Bárbara Luíza (minha filha).

1

QUEM SABE FAZ A HORA

Público do Maracanãzinho vaia *Sabiá*, de Tom Jobim e Chico Buarque, música vencedora do 3º FIC, e aclama *Caminhando*, de Vandré, que, mesmo ficando em segundo lugar na fase nacional, torna-se um hino contra a repressão.

RIO DE JANEIRO, domingo à noite, 29 de setembro de 1968. Quase 30 mil pessoas, a maioria jovens de classe média, acotovelam-se nas arquibancadas do Ginásio Gilberto Cardoso. O espaço foi inaugurado em 1954 no complexo do Maracanã (Estádio Mário Filho) e por isso apelidado de Maracanãzinho. Ali se realiza a finalíssima da fase nacional do 3º FIC (Festival Internacional da Canção), promovido pela TV Globo em parceria com o governo do estado da Guanabara. Oficialmente, a capacidade de público do ginásio não chega a 14 mil espectadores, mas, nesses tempos de mudança, o gosto musical dos jovens parece superar o interesse pelos esportes.

O momento político é um dos mais conturbados desde a madrugada de 1º de abril de 1964, quando os militares apearam do poder o presidente João Goulart, que se viu obrigado a deixar o país. No auge da guerra fria, associadas a setores civis reacionários, as forças armadas assumiram o governo prometendo afastar a "ameaça comunista". Toda e qualquer contestação ao novo regime é considerada subversão, estando sujeita à repressão oficial ou à violência de grupos paralelos de extrema-direita. Devido ao agravamento da crise, 1968 será lembrado como "o ano que não terminou".

Em 28 de março, o estudante Edson Luís de Lima Souto foi morto com um tiro de revólver calibre quarenta e cinco na cabeça, disparado por um oficial da PM. O crime ocorreu durante um confronto no restaurante Calabouço, no centro do Rio. Os jovens protestavam contra o aumento de preço da refeição e exigiam melhorias no restaurante, cujo nome se devia ao fato de uma prisão ter funcionado no local. A proposta da UMES (União Metropolitana dos Estudantes Secundaristas) era marchar até a Assembleia Legislativa e acender uma pira simbolizando a insatisfação diante do arbítrio.

Em meio à confusão, tiros foram disparados do edifício da Legião Brasileira de Assistência, provocando pânico entre os manifestantes. Ao todo, sete pessoas foram alvejadas, entre elas o também estudante Benedito Frazão Dutra, que morreu a caminho do hospital. No dia seguinte, o editorial do *Correio da Manhã* destacou: "Não agiu a Polícia Militar como força pública, agiu como bando de assassinos... Há um estudante morto (16), outro em estado gravíssimo (20). Um porteiro do INPS que passava pelo Calabouço também terminou morto. Um cidadão que, na rua General Justo, assistia da janela de seu escritório ao selvagem atentado, recebeu um tiro na boca".

Nascido em Belém do Pará, Edson Luís torna-se um símbolo do movimento estudantil e de todos que lutam pela redemocratização do país. Segundo Elinor Brito, que presidia a Frente Única dos Estudantes do Calabouço, "era o primeiro assassinato político claro. A classe média ficou chocada. Não é à toa que em todas as grandes cidades do Brasil iriam se encadear dezenas de manifestações". O velório teve lugar na Assembleia

Legislativa e a missa de corpo presente, celebrada na igreja da Candelária, também se transformou em ato de protesto. Repetindo a frase de um dos cartazes exibidos pelos estudantes, a manchete do *Jornal dos Sports* deu o tom da revolta: *E podia ser seu filho*. O episódio inspirou o músico Sérgio Ricardo a compor a canção *Calabouço*, que passaria a ser cantada em *shows* e manifestações contra a ditadura.

Enquanto o féretro acompanhado por quase 50 mil pessoas se dirigia ao cemitério São João Batista, um grupo mais exaltado incendiou uma viatura da aeronáutica. Ao tomar conhecimento do fato, o brigadeiro João Paulo Burnier teria ligado para a base aérea de Santa Cruz, ordenando que uma aeronave jogasse uma bomba de napalm na multidão. Seu colega Newton Rubens Shall Serpa emitiu a contraordem, evitando uma nova tragédia.

Em 12 de junho, o mesmo Burnier faz uma reunião com homens do Para-Sar (Unidade de Busca e Salvamento da Aeronáutica) na qual comunica a decisão de usá-los na repressão aos estudantes e na prática de atentados à bomba, que deveriam culminar na destruição do gasômetro de São Cristóvão e da represa de Ribeirão das Lajes. A culpa recairia sobre opositores do regime. Lideranças como o arcebispo de Olinda e Recife, dom Hélder Câmara; os políticos Carlos Lacerda, Jânio Quadros e Juscelino Kubitschek; e até o general Olympio Mourão Filho – que deu início ao golpe militar –, seriam aprisionadas e jogadas em alto-mar.

O capitão Sérgio Ribeiro Miranda de Carvalho, vulgo Sérgio Macaco, denuncia a trama a outros superiores. Em vez de investigar o caso, o ministro da Aeronáutica, Márcio de Souza e Mello, emite uma nota à corporação isentando Burnier de qualquer suspeita. Dois anos depois, o acusado terá seu nome envolvido no desaparecimento do jovem Stuart Edgart Angel Jones, líder do MR-8 (Movimento Revolucionário 8 de Outubro), cujo corpo, arrastado por um jipe militar até a morte, jamais seria encontrado.

Lirismo e protesto

Em 19 de junho, liderados pela UMES, os estudantes tentam invadir o prédio do MEC (Ministério da Educação e Cultura). Impedidos pela PM, eles erguem barricadas na avenida Rio Branco. Na sequência, ocupam a reitoria da UFRJ, na Praia Vermelha, de onde são expulsos com violência. No dia 21, atiram pedras na embaixada americana, sendo duramente reprimidos. No dia seguinte, o *Correio da Manhã* publica o saldo do confronto: quatro mortos e setenta e cinco feridos, sendo setenta civis e cinco soldados.

Todos esses eventos convergem para a Passeata dos 100 Mil, que toma conta do centro do Rio na quarta-feira, dia 26. Com um abre-alas de intelectuais e artistas famosos de braços dados, seria por muitos anos o maior ato público contra o governo militar, que no mês seguinte proibiria qualquer tipo de manifestação. Apesar das tensões, o protesto transcorre sem incidentes. No fim da tarde, antes de jantar numa churrascaria, o comandante do 1º exército, general Sizeno Sarmento, declara-se "satisfeito com a absoluta ordem observada na Guanabara durante todas as manifestações".

Tais acontecimentos evidenciam o radicalismo e contribuem para a polarização do 3º FIC. De certa forma, o público do Maracanãzinho e aqueles que acompanham o evento pela televisão veem no palco uma espécie de arena na qual as ideologias se digladiam nas letras das canções. O festival é o primeiro evento de cultura de massa promovido pela TV brasileira, mas nesse momento a maioria dos espectadores está mais interessada em política e no engajamento das artes do que propriamente em diversão. Não poderia ser diferente nos bastidores do estádio, onde compositores, instrumentistas e intérpretes de diversos estilos e tendências dividem os camarins.

"O clima era de competição mesmo", lembra Cynara de Sá Leite Faria, intérprete da canção *Sabiá*, de Tom Jobim e Chico Buarque, em duo com Cybele. Ambas são irmãs de Cyva e Cylene, com as quais integravam o Quarteto em Cy. "Os artistas estavam meio ressabiados com a possibilidade de serem eliminados. Havia um clima político-musical de fofoca, de disse que disse, meio 'terrorista', com as pessoas falando de possíveis ganhadores e eliminações", diz a cantora em 2014.

O júri da finalíssima da fase nacional é formado por Alceu Bocchino, Ary Vasconcelos, Bibi Ferreira, Billy Blanco, Carlos Lemos, Eli Halfoun, Eneida Costa Martins, Ivan Paulo da Silva, Isaac Karabtchevsky, Justino Martins, Nilo Scalzo, Paulo Mendes Campos, Ricardo Cravo Albin e Ziraldo, sendo presidido pelo diretor cultural do Itamaraty, Donatello Grieco, filho do escritor Agripino Grieco. Às vésperas do evento, uma reportagem de *O Globo* destacou as onze canções mais cotadas para vencer a primeira fase. Na opinião da jurada Eneida, "só cinco das 23 (finalistas) são boas... As restantes são resto mesmo". Curiosamente, *Pra não dizer que não falei das flores* (*Caminhando*), de Geraldo Vandré, não consta na lista das favoritas.

Segundo a *Folha de S.Paulo*, o repórter e colunista Walter Silva, apresentador do programa radiofônico *O pick-up do Pica-Pau*, "esquecera" um gravador ligado na sala de reuniões e registrou Donatello Grieco dizendo que os militares não aceitariam "músicas que fazem propaganda da guerrilha". Nas fichas de avaliação, Grieco teria escrito junto ao nome de Vandré a palavra *left* (esquerda) e na de César Roldão Vieira, autor de *América, América*, *left dangerous* (esquerda perigosa). Para seu alívio, *Sabiá* sagra-se vencedora, com 109 pontos. *Caminhando* fica em segundo lugar, com 106. Indignado com o resultado final, Walter se junta ao público e vaia os jurados.

Ao se reapresentar, Geraldo Vandré pede calma à plateia, que se mostra revoltada: "Gente, sabe o que eu acho?... Antonio Carlos Jobim e Chico Buarque de Hollanda merecem o nosso respeito... (aplausos calorosos). A nossa função é fazer canções. A função de julgar, nesse instante, é do júri que ali está (mais vaias e gritos de 'marmelada')... Olha, tem mais uma coisa só. A vida não se resume a festivais", brada o compositor ao microfone com forte sotaque nordestino.

Em meio à balbúrdia, a jornalista Clélia (Telé) Cardim, de vinte e três anos, joga um tomate no palco e acerta o representante da rainha Elizabeth II, que se encontra ao lado da atriz Bibi Ferreira. A jovem líder da torcida de Vandré só não é presa porque o diretor da Globo, José Bonifácio de Oliveira Sobrinho, o Boni, diz aos seguranças que ela não é comunista e sim uma "porra-louca". Telé tinha viajado clandestinamente de São Paulo para o Rio, disfarçada de aeromoça, para avisar ao compositor que os militares não queriam sua vitória. Ao tentar ganhar ingressos para o evento, ela teria ouvido uma estranha conversa entre o empresário Marcos Lázaro e o general Sarmento. Este chegou a dizer que o festival não poderia premiar músicas de protesto.

A notícia deixou Vandré mais nervoso do que de costume. Mesmo assim, ele se manteve firme. De calça preta e camisa de malha azul-clara de mangas compridas, acompanhado apenas pelo próprio violão, o artista emocionado quase declama a letra de *Caminhando*. "Poucos acordes e voz cansada, Vandré derrama sobre o auditório sua canção despojada, limpa, linda", escreve o maestro Júlio Medaglia para a revista *Veja* de 9 de outubro do mesmo ano. "Um refrão chama para o canto em conjunto, comunicação imediata, armada sobre dois únicos acordes, repetitivos... Há o desejo de luta." O jornalista Artur José Poerner dirá que Vandré foi o grande vencedor da noite.

A maioria dos presentes no Maracanãzinho entoa em coro os versos de protesto sem, no entanto, alcançar plenamente a essência da mensagem. Na zona sul do Rio, num ato espontâneo contra a ditadura, muitos telespectadores escancaram as janelas de seus apartamentos e aumentam o volume dos televisores enquanto Vandré se reapresenta. Logo depois, ao seu lado e ajudadas por ele, Cynara e Cybele repetem *Sabiá* sob a maior vaia da história da TV brasileira. O alarido abafa o som da orquestra regida pelo maestro Mário Tavares.

Parte da crítica também discorda do resultado. No dia seguinte, um jornal publica que a canção vencedora "teve interpretação primorosa por parte de Cinara e Cibele (*sic*), que emprestaram harmonia suplementar a uma melodia de captação difícil e servida por uma letra que não honra a sensibilidade poética de Chico Buarque". No final da nota, o crítico não identificado ressalta que "os árcades faziam melhor".

Campeã moral

Na fase nacional do FIC, Chico Buarque se encontra na Itália e seu parceiro não tem com quem dividir o peso das emoções. Na biografia *Antonio Carlos Jobim: um homem iluminado*, a escritora Helena Jobim, irmã do maestro, afirma que "Dori Caymmi carregou Tom pela saída dos fundos e tentou consolá-lo, dizendo que a vaia havia sido por motivos políticos. Sozinho no carro, atravessando o comprido túnel que liga a zona norte à zona sul da cidade, Tom chorou. 'Um pouquinho só', disse depois".

Numa entrevista a João Luís Albuquerque, repórter da revista *Manchete*, o maestro soberano diria: "Saí por baixo do palco com um rapaz da TV Globo, a quem Dori Caymmi pediu que me levasse para o carro. Fui me esgueirando pelos carros estacionados e peguei meu fusca, deixando mulher e filhos para trás. Senti uma emoção tão esquisita – eu não estava preparado almaticamente para ganhar o festival – aquele túnel comprido, eu falando com o Chico: 'Ô Chiquinho, veja o que você fez'... Aí dei uma choradinha pequena, chorei bem, mas pouco, sem saber por quê".

Um ano depois, numa entrevista publicada no jornal *O Pasquim*, edição nº 20, Tom dirá que fora convidado para integrar o corpo de jurados do 3º FIC, caso não quisesse inscrever uma de suas músicas: "Então, pra não ser do júri, eu peguei uma música que não é de festival, uma música toda complicada, cheia de modulações, nada popular, e botei lá pra me livrar. Estava certo que não chegaria à fase nacional e cheguei, apesar de meus amigos terem votado contra mim e meus inimigos terem votado a favor".

Marcos Valle também disputou o 3º FIC e ficou impressionado com o clima daquela noite. "Conheci o Vandré muito pouco, só mesmo nos bastidores dos festivais", lembra em 2014. "Quando ele ganhou o segundo lugar, eu também me classifiquei bem, com uma música que fiz com meu irmão (Paulo Sérgio Valle) sobre a Passeata dos 100 Mil e contra a ditadura. Pude sentir ali atrás do palco toda aquela tensão das vaias ao *Sabiá* e a comoção diante da música do Vandré." Marcos e outros concorrentes acharam as vaias um absurdo. "O Tom é o pai de todos nós", comentaram nos bastidores.

Também em 2014, Ricardo Cravo Albin, que ajudou na formação do júri na condição de diretor do MIS (Museu da Imagem e do Som), confirma que "Tom ficou muito triste e contrariado com aquelas vaias". E garante não ter havido "nenhuma pressão por parte do Boni ou de Donatello sobre os jurados. Prevaleceu a qualidade de *Sabiá*, que evidentemente era muito superior a *Caminhando*. Mas reconheço que a música do Vandré foi a campeã moral daquele FIC, representando sua glória e ruína".

Cravo Albin lembra que, ao deixar o Maracanãzinho em seu Volkswagen vermelho, levava a seu lado Eneida Costa Martins e, no banco de trás, Alceu Bocchino, Ary Vasconcelos e Paulo Mendes Campos: "O público estava em frente ao ginásio e, quando nos viu, alguém gritou 'olha o júri', e fomos logo cercados. Começaram a dar tapas na lataria e a sacudir o carro como se quisessem virá-lo. Soldados da PM vieram em nosso socorro e dispersaram os agressores. Eneida, que era uma comunista histórica, comentou: 'Tudo eu esperava na vida, menos ser salva pela polícia da repressão'". Ele afirma ter convidado Vandré para gravar um depoimento para os arquivos do MIS, mas o cantor – que "já era esquisito naquela época" – disse não à gentileza.

Em defesa do amigo Tom, o cronista José Carlos de Oliveira escreve no *Jornal do Brasil*: "Não há de ser nada. Sábado que vem nós vamos à forra. O Antonio's inteirinho seguirá em caravana para o Maracanãzinho, cada qual com a sua lata de cerveja dinamarquesa. Vai Vinicius, vai Manolo, vai o Rubem, Florentino não falta e Leila Diniz também não. Levaremos faixas, um bumbo e, se duvidarem, meia dúzia de granadas de mão. O pau vai quebrar". Já a cantora Eliana Pitman comenta que "o FIC é o único festival do mundo onde a música vencedora nunca é cantada pelo público".

Com arranjo de Eumir Deodato, *Sabiá* vence também a fase internacional, dessa vez com a presença dos dois compositores. "Quando eu senti a barra do Festival, e eu não quero ter um enfarte, eu pedi socorro ao Chico Buarque", diz Tom no *Pasquim*. "Ele estava em Roma, coitadinho, e veio: bebeu lá, bebeu no avião, aí bebemos no Maracanãzinho (*sic*)... Aquela passarela do Maracanãzinho é muito curva e íngreme; o sapato de verniz nunca tinha sido usado, era aquele que escorrega mesmo. Então nós nos demos as mãos e tentamos chegar lá embaixo."

Uma grande faixa na plateia anuncia: "O galo já é da sabiá". Além de dividir o prêmio de 20 mil cruzeiros novos (dinheiro da época), Tom e

Chico levam para casa o troféu Galo de Ouro, desenhado pelo cartunista Ziraldo e confeccionado pela joalheria H. Stern. Quem preside o júri dessa vez é o compositor americano Harry Warren, que aos setenta e cinco anos senta-se ao piano e toca alguns de seus sucessos. Concorrem representantes dos Estados Unidos, Itália, Bélgica, Noruega, Suécia, Inglaterra, Áustria, Grécia, Finlândia, Andorra, Japão, Mônaco, Portugal e Luxemburgo. O mais vaiado dessa vez é o canadense Paul Anka, classificado em segundo lugar com *This crazy world is coming undone* (Este mundo louco) e premiado como melhor intérprete. O favorito do público é o japonês Kyu Sakamoto, com *Sayonará*, música classificada em sétimo lugar entre as finalistas.

"Lembro bastante da pressão sofrida por nós duas, meninas ingênuas que mal sabiam que a carreira musical tem dessas coisas", afirma Cynara, acrescentando que ela e Cybele descobriram por experiência própria que "vaias e aplausos fazem parte da mesma história". Canção de exílio com letra inspirada no famoso poema de Gonçalves Dias, *Sabiá* não representou na fase nacional o que a plateia desejava expressar. Como diz a cantora, o público queria manifestar "a indignação diante da política vigente e da ditadura militar". Contudo, se na fase nacional as vaias atrapalharam as duas intérpretes, na final internacional foram os aplausos que quase encobriram suas vozes.

A exemplo de *Caminhando*, a música de Tom e Chico se tornaria um clássico da MPB. Uma das principais parcerias da dupla, *Sabiá* teria várias regravações ao longo de décadas. Além dos dois compositores, que a registraram em discos, *shows* e apresentações na TV, destacam-se entre seus principais intérpretes nomes como Clara Nunes, Elis Regina, MPB4, Quarteto em Cy, Maria Lúcia Godoy, Vânia Bastos, Itamara Koorax, Paula Santoro, Ná Ozzetti e... Frank Sinatra.

Hino perfeito

Nos dizeres de Millôr Fernandes, *Pra não dizer que não falei das flores* (*Caminhando*) "é o hino nacional perfeito; nasceu no meio da luta, foi crescendo de baixo para cima, cantado, cada vez mais espontânea e emocionalmente, por maior número de pessoas. É a nossa Marselhesa". Para alguns a letra é uma crônica poética que remete à Passeata dos 100 Mil. No encarte do CD *Nação nordestina*, de Zé Ramalho, o poeta e jornalista Francisco de Assis Angelo garante que Vandré "inspirou-se no alto de um edifício da Cinelândia quando observava o movimento". O crítico Tárik de Souza disse mais tarde que estava com o músico Paulo Cotrim no Juão Sebastião Bar, em São Paulo, quando Vandré chegou dizendo: "Acabei de fazer uma música para cantar sozinho. Não sei se vai dar pé".

No livro didático *Saber e fazer História: História geral e do Brasil*, os professores Gilberto Cotrim e Jaime Rodrigues afirmam que a famosa composição "foi uma resposta ao grande sucesso de *Revolution*, do grupo inglês The Beatles, na qual se exaltava a solução de conflitos com base no amor e não na ação política". Outra versão seria apresentada pelo jornalista Celso Lungaretti, que aderiu à luta armada como integrante da VPR (Vanguarda Popular Revolucionária). Em 24 de março de 2009, ele publica matéria no jornal *Cidade de Itapetininga* lembrando um incidente envolvendo Vandré e Abreu Sodré, governador "biônico" de São Paulo, entre 1967 e 1971.

Ao discursar num palanque armado na praça da Sé durante os festejos do 1º de Maio de 1968, o advogado e político filiado à ARENA, partido governista, havia sido vaiado e apedrejado por trabalhadores do ABC e de Osasco. Vendo-se acuado, refugiou-se na Catedral da Sé, sendo socorrido pelo amigo cantor. Vandré aguardava o momento de se apresentar e os mais radicais o chamaram de "pelego de Sodré".

Pouco mais tarde, o compositor aparece numa assembleia de estudantes na Faculdade de Filosofia, Ciências e Letras da USP, em apoio ao movimento dos trabalhadores. Como era de se esperar, é mal recebido pelos mais radicais. Lungaretti, aluno do curso secundário num colégio da zona leste de São Paulo, ajuda-o a sair ileso do local. Juntamente com alguns colegas, convida-o para beber ali perto. Na mesa do bar, Vandré exibe o rascunho da letra de *Caminhando* rabiscada em papel de pão. Em seu artigo, o jornalista garante que a canção foi escrita "para responder aos esquerdistas que o estavam hostilizando. Quis lhes dizer que continuava acreditando nos mesmos valores, que nada havia mudado". Perguntado por que socorreu Sodré, Geraldo responde: "Eu estava tão bêbado, que não me lembro de nada".

Seja qual for a fonte de inspiração, Vandré dá sua opinião de maneira objetiva, logo após a final do 3º FIC: "A posição do homem tem que ser clara, politicamente, em função de seu trabalho. É questão de opção... A estrutura vigente inventou os festivais e coloca uma nota de dinheiro no alto de um pau de sebo para os compositores ficarem se escoiceando. Eu não tenho nada a ver com isso, respeito meus companheiros e não entro em competição. Quero apenas mostrar minha canção".

Comentando a decisão dos jurados e a reação do público, o compositor acrescenta: "Minha música é pra ser cantada. O refrão, que é o forte, eu fui fazer depois, quando a canção já estava até inscrita e tudo, entende? *Sabiá* é música, mas é difícil de cantar. É linda, mas não é de imediata assimilação. Olha, sabe o que eu acho? Que o júri provocou isso, mas não sei o motivo. Eles sabiam muito bem o que as pessoas esperavam daquele resultado e fizeram a máxima questão em não corresponder à expectativa. Não tenho o direito de colocar *Sabiá* em julgamento, principalmente porque é bonita, tem qualidade. Mas tenho, como o júri, capacidade para prever uma reação como foi aquela".

Transformada em hino de protesto, *Pra não dizer que não falei das flores* (*Caminhando*) – que chegou a se chamar *Sexta coluna* – seria regravada por intérpretes dos mais variados estilos, como Luiz Gonzaga, Sergio Endrigo, Pablo Estramin, Simone, Zé Ramalho, Dean Reed, Francisco Fanhais, Ana Belém, Emicida, Fafá de Belém, Ernie Sheldon e a banda de *rock* Charlie Brown Jr. Em 23 e 24 de março de 2014, às vésperas dos cinquenta anos do golpe militar, a diva da canção de protesto americana, Joan Baez, a interpreta ao se apresentar no Teatro Bradesco, em São Paulo.

Joan conheceu *Caminhando* em 1981, na sua primeira visita ao Brasil. Na ocasião, uma ordem do então ministro da Justiça, Ibrahim Abi-Ackel, vetou o *show* que ela faria no Tuca, em São Paulo. "Mas havia lugares para encontros onde as pessoas se reuniam e cantavam as famosas canções de protesto", recorda em 2014. "No subterrâneo da resistência civil, além de Bob Dylan, John Lennon e Pete Seeger, também cantamos a canção de Geraldo Vandré. Ela deu muita coragem para todos os que a cantaram e criou um vínculo inquebrável entre mim e os brasileiros. A volta ao Brasil foi uma experiência poderosa e emocional. A memória mais pungente e preciosa que eu tenho é a de Vandré de pé ao meu lado, no palco, relutante, mas generoso, recitando um de seus poemas ao microfone – algo que se recusou a fazer por 40 anos. Foi um momento extremamente emocionante para mim e para todos que ali estavam."

No domingo, primeiro dia da curta temporada de Joan no Teatro Bradesco, Vandré ficou de pé ao seu lado, em silêncio. Usava calça *jeans* e blusão verde-oliva, segurando um boné branco na mão. Na segunda-feira, mais à vontade e elegante – de calça cinza, paletó azul, camisa clara e gravata grafite –, falou seu poema e caminhou pela plateia enquanto a cantora americana interpretava *Caminhando*. Nas duas ocasiões, o público fez coro e aplaudiu de pé, desmentindo a máxima de que os brasileiros não têm memória.

II

TEMPO DE QUEIMADA

Geraldo Pedrosa de Araújo Dias nasce em 1935, na capital da Paraíba; cinco anos antes o assassinato de João Pessoa, presidente do estado, havia deflagrado a revolução que levou Getúlio Vargas à presidência da República.

QUINTA-FEIRA,12 de setembro de 1935, aniversário do cantor carioca Vicente Celestino e do deputado mineiro Juscelino Kubitschek. Em João Pessoa, capital do estado da Parayba e uma das cidades mais prósperas do Nordeste, nasce Geraldo Pedrosa de Araújo Dias, primogênito do casal José Vandregíselo de Araújo Dias e Maria Marta Pedrosa Dias. Aos 31 anos, o pai é o primeiro otorrinolaringologista da cidade; aos 19, dona de casa, a mãe toca piano por diversão. Os avós paternos são Antônio Targino de Araújo Dias e Maria Mathilde Pereira de Araújo; os maternos, Hygino Olympio da Cunha Pedrosa e Maria Christina Gouveia Pedrosa. Consta que Hygino começou a vida vendendo carne de porco nas feiras locais e se tornou dono de imóveis, entre eles o da antiga sede do Banco da Parayba.

A pequena metrópole tem pouco mais de 80 mil habitantes, aos quais vem se somar o garoto irrequieto, que cedo demonstrará personalidade forte e talento para a música. A família mora na avenida Almirante Barroso, no centro da cidade, bem ao lado do futuro parque Sólon de Lucena, de 150 mil metros quadrados, onde um dia existiu a lagoa dos Irerês. Décadas depois, a casa seria demolida para dar lugar a um hipermercado.

Conhecida como Porta do Sol por abrigar a Ponta do Seixas, o local mais oriental das Américas – onde o sol nasce primeiro no continente –, a cidade foi fundada em 1585 com o nome de Cidade Real de Nossa Senhora das Neves, sua padroeira. É a terceira capital de estado mais antiga do Brasil e já nasceu com vocação urbana e título de cidade. Com longitude oeste de 34º47'30 e latitude sul de 7º09'28, clima intertropical com temperaturas médias anuais de 25 ºC e algumas das mais belas praias do país, o lugar tem altitude média com relação ao nível do mar de trinta e sete metros, sendo que a máxima chega a setenta e quatro metros nas proximidades do rio Mumbaba ("criação" em tupi). A cidade é considerada uma das metrópoles mais verdes do mundo.

Por volta do ano 1000, índios tapuias que habitavam a região partiram rumo ao interior do continente devido à chegada de povos tupis oriundos da Amazônia. Quinhentos anos depois, navegadores franceses visitam as novas terras em busca de riquezas e notam que estão exatamente na fronteira entre os territórios dos potiguaras e tabajaras. O primeiro grupo se mostra hostil ao homem branco e ocupa a parte norte da região. O segundo, que não demora a se aliar aos invasores, ocupa a parte sul. Pouco depois, os portugueses expulsam os franceses. Em 1574, após um sério confronto dos lusitanos com os potiguaras, o rei D. Sebastião de Portugal desmembra a Capitania de Itamaracá, surgindo assim a Capitania Real da Parahyba.

Erguida estrategicamente no alto de uma colina às margens do rio Sanhauá ("dente redondo" em tupi), afluente do Parahyba ("rio de águas rasas" ou "rio ruim"), em 1588 a cidade passa a se chamar Filipeia de Nossa Senhora das Neves. A mudança se dá em homenagem ao rei Filipe

II, que acumula os tronos de Espanha e Portugal. Em 1634, após a invasão holandesa, o nome é mudado para Fredrikstad. Duas décadas mais tarde, com a expulsão dos holandeses e o declínio do projeto da Nova Holanda, é rebatizada Cidade da Parahyba.

Em 1930, o nome definitivo prestaria homenagem a João Pessoa Cavalcanti de Albuquerque, advogado e presidente do estado, morto aos cinquenta e dois anos com dois tiros de revólver. O assassino é o também advogado e jornalista João Duarte Dantas, dez anos mais novo que ele. E aqui vale abrir um parêntese para que se tenha ideia do clima político que antecedeu o nascimento de Geraldo, futuro cantor e compositor engajado nas causas populares. O caráter contestatório de sua obra certamente sofreria influência dos graves eventos que marcaram a história de sua terra natal.

Ao assumir o governo, João Pessoa havia prometido acabar de vez com o poder dos coronéis e cangaceiros no seu estado. Por discordar de suas ideias, o aliado político de João Dantas, coronel Zé Pereira, declara guerra ao adversário e decreta a independência da cidade Princesa do Sertão. De certo modo, a rivalidade decorre do confronto de interesses entre a incipiente burguesia urbana e as oligarquias rurais.

Aliança Liberal

Na sexta-feira, 25 de outubro de 1929, *O Estado de S. Paulo* estampa em sua primeira página: "A bolsa de Nova York registrou hontem um formidável desastre financeiro... em poucas horas foram vendidos cerca de quatorze milhões de títulos, com prejuízo total de quatro bilhões de dollares" (*sic*). O *crash* econômico alcança o ápice nos dias 28 e 29, arruinando investidores e resultando no fechamento de bancos, falta de crédito, queda da produção, falências, desemprego e suicídios. Começa o período de doze anos de depressão econômica que abalará o mundo, com sérias consequências no Brasil.

Diante da crise internacional, o café – único produto brasileiro de exportação – perde os compradores à vista. Cerca de 22 milhões de sacas estocadas se perderão sem que o governo possa socorrer os produtores. Com a falta de dinheiro, o país deixa de importar diversos produtos e isso acaba impulsionando a indústria nacional, quase toda ela centralizada em São Paulo. Se durante a Grande Guerra (1914-1918) as fábricas haviam faturado com a exportação, agora aumentam a produção para atender o mercado interno. Cresce o poder dos paulistas e isso serve de combustível para a candidatura de Júlio Prestes à sucessão de Washington Luís na presidência da República.

Pelas regras da "política do café com leite", o mineiro Antônio Carlos Ribeiro de Andrada deveria ser o próximo presidente. Dos onze eleitos até aquele ano, apenas dois não eram de Minas ou São Paulo. Um deles foi justamente o tio de João Pessoa, Epitácio Pessoa, que presidiu o país entre 1919 e 1922. Ele havia substituído o paulista Rodrigues Alves, eleito pela segunda vez em 1918 e morto pela gripe espanhola pouco antes de tomar posse.

Sentindo-se traído, Antônio Carlos proclama: "Façamos a revolução antes que o povo a faça". Forma-se a Aliança Liberal, tendo Getúlio Vargas como candidato à presidência da República e João Pessoa como vice. A chapa promete anistia, voto secreto, voto feminino e jornada de oito horas de trabalho. A campanha recebe apoio dos remanescentes do Movimento Tenentista, de 1922. Contudo, somando 59% dos votos válidos, Júlio Prestes vence as eleições realizadas em pleno domingo de carnaval.

O assassinato de João Pessoa ocorre na tarde de 26 de julho de 1930, na confeitaria A Glória, no Recife (PE). O escritório de João Dantas havia sido invadido por policiais supostamente em busca de armas. Os invasores arrombaram o cofre e se apoderaram de cartas amorosas assinadas por Anayde Beiriz. Professora e poetisa, a jovem amante do advogado era malvista pela sociedade local. Com a divulgação da correspondência íntima pelo jornal oficial *A União*, o ódio subiu à cabeça do caluniado, provocando a tragédia. No lugar de João Pessoa, assume o governo o vice Álvaro Pereira de Carvalho – que será sucedido por José Américo de Almeida, autor de *A bagaceira*.

Mesmo tratando-se de um crime passional, o dono da revista *O Cruzeiro* e de seis grandes jornais na época, Assis Chateaubriand, vê na morte do conterrâneo (ele e João Pessoa nasceram em Umbuzeiro) a oportunidade de virar o jogo político. Depois do velório no Recife e na Cidade da Parahyba, onde o esquife passa de mão em mão pelas ruas, ele embarca o cadáver embalsamado no vapor Rodrigues Alves. Sete dias depois, o barco atraca no Rio e o corpo é sepultado no cemitério São João Batista.

Calculadamente, a chegada do féretro à capital federal coincide com o desembarque do presidente eleito, que retorna da Grã-Bretanha. No editorial de seus jornais, Chatô compara: "O sr. Júlio Prestes chegou palmilhando as ruas da cidade com seus próprios pés, mas chegou morto. E dentro da urna de madeira em que viaja o corpo de João Pessoa palpita um grande coração. O governador da Parahyba chega ao Rio vivo como nunca". O objetivo de insuflar os brasileiros contra as pretensões políticas dos paulistas é plenamente alcançado.

Governo provisório

Quando as tropas gaúchas comandadas por Getúlio Vargas chegam ao Rio de Janeiro, Washington Luís é deposto pelos ministros militares. Eleito em 1º de março de 1926 com 688.528 votos – até então a votação mais expressiva do país – o ex-presidente fica preso no Forte de Copacabana até se exilar. Júlio Prestes se refugia no Consulado Britânico, de onde também partirá para o exílio. Uma junta militar assume o poder e Vargas se torna chefe do governo provisório. Ao sanar os vícios da República Velha, a Revolução cumpre o papel da queimada, que renova os campos para um novo plantio.

A Assembleia Legislativa da Parahyba aprova a mudança de nome da capital para João Pessoa e endossa as novas cores da bandeira do estado: o vermelho simboliza o sangue do "mártir" e o preto, o luto por sua morte. A palavra NEGO, escrita em branco, abrevia os dizeres "Neste Estado Governo e Ordeno", pronunciadas por ele. Dantas e seu cunhado Augusto Caldas são degolados na Casa de Detenção do Recife. Aos 25 anos, Anayde morre envenenada no abrigo onde havia se refugiado.

Fatos tão contundentes contribuem para ampliar a consciência cívica dos paraibanos – inclusive do garoto Geraldo, que se tornará um artista aguerrido e indignado com as injustiças sociais. Direta ou indiretamente, outros seriam afetados. Foi o caso do escritor Ariano Suassuna, autor do *Auto da compadecida*. Seu pai, João Urbano Pessoa de Vasconcelos Suassuna – cunhado de João Dantas, ex-presidente do estado entre 1924 e 1928, deputado federal e adversário político do sobrinho João Pessoa –, foi morto a tiros por Miguel Laves de Sousa em pleno centro do Rio.

Depois de passar a infância na fazenda da família em Taperoá, região do Cariri, Ariano – primo em segundo grau de João Dantas por parte de mãe – se transfere para Recife. "Na Paraíba não tem anistia, não; tem gente que me odeia só por eu ser Suassuna", diria ele mais tarde no documentário *Princesa do sertão*, da TV Senado.

III

SEMPRE QUIS SÓ CANTAR

Nascido no ano da Intentona Comunista, o virginiano Geraldo Pedrosa cresce sob os ecos da revolta política e ao som da Rádio Nacional; seu pai é um dos suspeitos de incendiar o quartel do 15º Regimento de Infantaria.

GERALDO PEDROSA de Araújo Dias nasce cinco anos depois de sua cidade natal ter ficado no centro de acontecimentos tão cruciais para o futuro do país. A partir de 1930 o Brasil nunca mais seria o mesmo. Em 1932, o governo de Vargas resiste à Revolução Constitucionalista, quando os paulistas tentam destituí-lo para promulgar uma nova Constituição. Em novembro de 1935 – dois meses depois do nascimento de Geraldo – ocorre a Revolta Vermelha, ou Intentona Comunista. Liderados pelo "cavaleiro da esperança", Luís Carlos Prestes, civis e militares da Aliança Nacional Libertadora, órgão do PCB (Partido Comunista do Brasil, na época), tentam derrubar o governo.

Os revoltosos atacam quartéis no Rio, Recife e Natal (RN), onde chegam a implantar um governo revolucionário de curta duração. Tropas paraibanas são convocadas para reforçar o combate aos revoltosos. O quartel do 15º RI (Regimento de Infantaria) do Exército, em João Pessoa, pega fogo e o governo responsabiliza os comunistas, entre eles o dr. José

Vandregíselo, filiado ao PCB. Em 10 de novembro de 1937, esse tipo de ameaça servirá de pretexto para a implantação do Estado Novo.

Certamente tais eventos são discutidos na casa dos Dias. No entanto, nem só os temas políticos marcarão a infância de Geraldo. O rádio da família não demora a servir de ponte para que o futuro artista conheça os grandes intérpretes da canção brasileira. Como lembraria o jornalista Assis Angelo num artigo publicado em seu *blog*, em 2013, no dia em que o menino completa um ano de vida o locutor Celso Guimarães anuncia em ondas curtas para todo o país: "Alô, alô Brasil, aqui fala a Rádio Nacional do Rio de Janeiro...".

Eram exatamente 21h de sábado, 12 de setembro de 1936. "Logo depois, entrou na abertura da programação o clássico sertanejo *Luar do sertão*, de Catulo da Paixão Cearense e João Pernambuco", ressalta Assis, conterrâneo de Geraldo. Transmitindo diretamente do Distrito Federal e com audiência em praticamente todos os estados brasileiros, a Nacional seria a primeira grande emissora radiofônica do país. Sua influência só teria paralelo com a Rede Globo, décadas depois. Estatizada por Vargas em 1940, a rádio desempenha importante papel na divulgação dos valores nacionais.

Artistas como Francisco Alves, Orlando Silva, Sílvio Caldas, Nelson Gonçalves, Cauby Peixoto, João de Barro, Luiz Gonzaga, Marlene, Emilinha Borba, Angela Maria e Camélia Alves; as irmãs Linda e Dircinha Batista; e duplas caipiras como Jararaca e Ratinho e Alvarenga e Ranchinho figurariam ao longo dos anos entre as grandes atrações da emissora. Os principais arranjadores eram os maestros Guerra Peixe, Léo Peracchi e Radamés Gnatalli. Além do *cast* musical, Assis Angelo aponta a atuação de locutores famosos como o próprio Celso Guimarães, Oduvaldo Cozzi, Renato Murce, Paulo Gracindo, Manoel Barcelos, Afrânio Rodrigues e César de Alencar, em cujo programa de calouros Geraldo se apresentaria aos dezesseis anos.

Virginiano típico

O filho do dr. José Vandregíselo e de dona Maria Marta nasce sob o signo de Virgem, numa quinta-feira chuvosa. Segundo a astrologia, os virginianos têm como principais características a praticidade, a meticulosidade e uma notável noção da realidade. São exigentes, têm grande senso de justiça e honestidade, mas a postura crítica dificulta seus relacionamentos. Apesar de uma tendência para a melancolia, gostam de viajar, exercem atração sobre os outros e argumentam com facilidade, cultivando o idealismo utópico em busca do belo e do harmonioso. Cientes do seu querer, desde cedo treinam para alcançar o êxito na vida adulta. Acreditemos ou não em horóscopo, tudo isso coincide com o temperamento de Geraldo Vandré.

Querem mais? O mapa astral do personagem revela que ele não admite o fantástico, o místico ou o corrupto nas artes. Precisa se sentir seguro, gosta de romper com as tradições e é dado a cultivar ressentimentos. Já os dicionários de nomes informam que Geraldo é de origem germânica e significa "nobre pela lança" ou "aquele que governa com a lança". O violão poderia ser uma metáfora dessa arma no auge de sua carreira. O perfil de gente cujo nome começa com G – letra sagrada da Maçonaria, correspondente a Geômetra – revela seriedade, honestidade e uma incansável busca da perfeição. São pessoas que refletem antes de agir e mergulham fundo nos seus objetivos. No entanto, ficam aborrecidas quando as coisas saem de controle. Seguem normas justas, mas a impaciência pode levá-las ao estresse. Seu número de sorte é 8, símbolo do infinito e da vocação pelo poder.

Desde cedo, dona Maria Marta costuma perguntar ao filho o que ele vai ser quando crescer: "Cantor de rádio" é a reposta de sempre. Geraldo canta em casa, tendo como plateia a irmã Geise – quatro anos mais nova que ele. Além da determinação, o futuro artista mostra um temperamento forte e irritadiço.

A propósito da astrologia e dos significados de nomes e letras, consta em algumas reportagens que seu pseudônimo definitivo seria uma sugestão do pai com base no próprio segundo nome. Dr. José Vandregíselo, supostamente numerólogo, teria garantido ao filho que a combinação Geraldo + Vandré lhe traria força e sucesso. No entanto, o artista desmentiria essa versão, afirmando que a escolha foi apenas sua, para homenagear o pai.

A infância do futuro astro dos festivais da canção não tem nada de excepcional, a não ser as peraltices próprias da idade. Tratado com rédeas curtas pelos pais, o menino magro de voz vibrante se solta fora de casa, quebrando vidraças com boladas e liderando a molecada em brincadeiras de rua e assaltos a galinheiros. Os vizinhos se queixam com dona Maria Marta, que lhe aplica severos castigos. Mas sem temer as repreensões, no dia seguinte o pequeno rebelde lidera a turma em novas estripulias.

Uma das aventuras preferidas de Geraldo é observar os aviões no campo da Imbiribeira, no bairro de Tambauzinho. Ali funciona o aeroclube da Paraíba, fundado em novembro de 1940 para formar aviadores civis e reforçar a reserva técnica da Força Aérea Brasileira. O garoto costuma correr de braços abertos, imitando as aeronaves que alimentam suas fantasias. Esse hábito cultivará nele o desejo de um dia se tornar piloto. Décadas mais tarde, com a transferência do aeroclube para outro endereço, será construído no antigo campo de aviação o Espaço Cultural José Lins do Rego, em homenagem ao romancista paraibano, autor do clássico *Menino de engenho*.

O Brasil na guerra

Do outro lado do Atlântico, a situação internacional torna-se dramática. Com a invasão da Polônia pelas tropas de Adolf Hitler, em 1939, tem início a 2ª Guerra Mundial. A simpatia de Vargas pelo nazifascismo dura até 1941, quando submarinos alemães colocam a pique navios de bandeira brasileira. Em 28 de agosto do mesmo ano, entra no ar pela Rádio Nacional o *Repórter Esso*. Patrocinado pela empresa americana Standard Oil Company of Brasil, o noticioso de maior audiência do rádio brasileiro é orientado pelo DIP (Departamento de Imprensa e Propaganda) e segue os moldes do *Your Esso Reporter*. Seu objetivo é apresentar a cobertura completa da guerra.

Em 1942, o Brasil adere ao bloco dos Aliados (Reino Unido, França, Estados Unidos e União Soviética) e declara guerra ao Eixo (Alemanha, Itália e Japão). Torna-se, assim, o único país sul-americano a entrar no conflito. Vargas negocia com Washington o reaparelhamento das forças armadas e a construção da Companhia Siderúrgica Nacional, no estado do Rio de Janeiro. Em fevereiro do ano seguinte, o presidente americano Franklin Delano Roosevelt encontra com ele em Natal, cidade cujo aeroporto será colocado à disposição da força aérea americana. Por sugestão do general Eurico Dutra, ministro da Guerra, cria-se a FEB (Força Expedicionária Brasileira). Os primeiros pracinhas dos 25.334 convocados desembarcam na Itália em julho de 1944.

O estado natal do menino Geraldo desempenha importante papel na guerra. Juntamente com o Rio Grande do Norte, Pernambuco e Alagoas, a Paraíba forma o Saliente Nordestino – ponto estratégico para as forças americanas. Soldados paraibanos reforçam o contingente nacional. Um deles é o cabo Otávio da Silva Guerra, que tão logo chega à Itália é promovido a sargento. "Na guerra não há tempo de ter medo ou coragem, você tem que se desprender de tudo", diria o ex-combatente cinquenta e cinco anos depois, no cargo de presidente regional da Associação dos Veteranos da FEB. Outro combatente é o general Edson Ramalho, que se tornaria político e nome de avenida em João Pessoa.

Em setembro de 1944, depois de sangrentos combates em solo italiano, soldados alemães se rendem às tropas brasileiras. Numa segunda-feira, 8 de maio de 1945, Décio Luiz, da Rádio Tupi, noticia o fim do conflito. Após levar o "furo", o locutor do *Repórter Esso*, Heron Domingues, anuncia emocionado numa gravação pela Rádio Nacional: "A rádio de Hamburgo, depois de transmitir *O crepúsculo dos deuses* durante muitas horas, anunciou: o Füher morreu! Terminou a guerra, terminou a guerra, terminou a guerra...". (toque de sinos ao fundo)

No início de agosto, os Estados Unidos forçam a rendição japonesa com o ataque nuclear às cidades de Hiroshima e Nagasaki. Sempre no centro dos acontecimentos, a Paraíba – que fora palco de intensa espionagem nazista – relaciona-se também com esse fato. Consta que cientistas americanos estiveram no sertão do Seridó em busca de urânio para o projeto Manhattan. O saldo do conflito mundial chega a quase 60 milhões de mortos.

Vaca Loura

Quando a guerra termina, Geraldo é um pré-adolescente que já flerta com as meninas da vizinhança. Uma delas guarda suas bolinhas de gude e gosta tanto dele, que lhe envia um bilhete com uma confissão de amor um tanto inusitada: "Você é o pré-histórico que habita a caverna do meu coração". Interceptada por Geise, a mensagem romântica vira piada e acaba motivando refregas dentro de casa.

Nessa época, ele cursa o primário no Colégio Estadual da Paraíba. Devido ao gênio rebelde, que na visão dos pais precisa de freios, aos dez anos é transferido para o internato do Ginásio São José, em Nazaré da Mata. Localizada na Zona da Mata Pernambucana, a 65 quilômetros do

Recife e a 135 de João Pessoa, a pequena cidade é chamada de "terra do maracatu" em referência ao gênero musical percussivo que nasceu das congadas, cerimônias de coroação de reis e rainhas de origem africana.

O ginásio tem três dormitórios: o dos meninos menores e o dos médios (que ficam na parte baixa do prédio); e o dos rapazes maiores (no andar superior). Entre as aulas e as obrigações religiosas, o novo aluno se diverte ouvindo cantadores de feira, bandas de música e prestando atenção nos autores de cordel. Tal influência poderá ser notada mais tarde em suas composições, não apenas em algumas temáticas, mas principalmente no rigor das redondilhas e, em alguns casos, no deslocamento da sílaba tônica na pauta melódica. Como assinala o jornalista Vitor Nuzzi na biografia *Geraldo Vandré: uma canção interrompida*, certamente o futuro artista também conheceu grupos de maracatu, como o antigo Cambinda Brasileira, fundado em 1918.

Cercado de cultura popular e cânticos religiosos por todos os lados, Geraldo reforça o sonho de um dia se tornar cantor profissional. A mãe sempre lhe dissera que ele poderia ser o que bem entendesse, de jogador de futebol a cantor, desde que tirasse o diploma universitário. Afinal, viver de arte ou esporte no Brasil nunca foi garantia de sucesso financeiro. Sua primeira apresentação artística se dá justamente como aluno do internato. O diretor, padre João Mota de Albuquerque, que mais tarde seria nomeado segundo bispo de Sobral (CE), pelo papa João XXIII, promove um *show* para as missões religiosas. Geraldo e três de seus colegas são escolhidos como atrações principais da quermesse e recebem o aplauso entusiasmado da pequena plateia.

Em 2008, em depoimento concedido a Nuzzi, um ex-contemporâneo de Geraldo no internato de meninos, chamado Vanaldo Toscano Varandas, lembra que "padre Mota conduzia o colégio como um pai".

Mandar os filhos de João Pessoa para estudar lá era muito comum naquela época: "Era praxe, em virtude de o Ginásio São José ser de bom ensino... Muito rígido, sério, catolicíssimo e uma doutrina religiosa pra lá de boa. Missa diariamente, comunhão, catecismo".

As aulas eram dadas no turno da manhã e, à tarde, os alunos ficavam num salão de estudos. Geralmente, iam para cama bem cedo, pois tinham sempre de madrugar. Os de bom comportamento podiam ir ao cinema Condor nos fins de semana, ou tomar sorvete e dar uma volta pela cidade. Condor era também o nome do campo de futebol onde Geraldo e os colegas jogavam animadas peladas. "Mulher, nem sombra", diria Vanaldo – cujo apelido de estudante era Zé da Coreia. Segundo ele, o Colégio Santa Cristina, também em Nazaré, era exclusivamente para meninas.

Pelo fato de ser louro e ter olhos verdes, a garotada do internato dera a Geraldo o apelido de Vaca Loura. Mesmo inteligente, o filho de dona Maria Marta se mostra pouco esforçado nos estudos. Tira notas ruins em oito disciplinas e falta a noventa e quatro das 585 aulas do ano. Só alcança dez pontos em canto orfeônico e desenho, nos meses de março e agosto. Nos tempos do Colégio Estadual da Paraíba, num total de 244 aulas, havia faltado a cinquenta e sete. Nessa época, obtivera 9,7 em matemática; 7,0 em história; 7,0 em geografia e 5,7 em português, tendo média geral de 7,4. Em Nazaré da Mata, seu projeto musical toma força e isso o levará a se apresentar aos catorze anos na Rádio Tabajara de João Pessoa, emissora inaugurada em 1937.

Irreverente, Geraldo – que aos catorze anos mede 1,69m e pesa 57 quilos – vive no Ginásio São José um episódio que seria resgatado num artigo de Assis Angelo, em 2012: "Um de seus professores de canto e interpretação resolveu fazer uma declamação de poesia. Ao fim, recebeu aplausos de toda a classe, menos de um aluno: Geraldo. O professor quis então saber por que ele não o aplaudira. Resposta: 'Achei pouco natural a sua declamação'. O professor, um português, ligeiramente desconcertado, respondeu: 'Ora, pouco natural é um jumento, que não conhece nada da nossa língua e tampouco sabe declamar'. A classe caiu na risada e Geraldo, indiferente, ficou na dele".

Em 1971, o internato dos padres acabaria passando para o município de Nazaré da Mata, tendo o nome mudado para Escolas Reunidas Professor Aníbal Fernandes e já funcionando como externato. Duas décadas depois passaria a se chamar Colégio Municipal Dom Mota, em homenagem ao ilustre ex-diretor. Desde a inauguração do antigo Ginásio São José, em 1938, o portão de entrada sempre foi o mesmo, numa rua sem saída. O objetivo da instituição era cuidar da evangelização de jovens, mas as mensalidades caras atrapalharam o plano. Afinal, o antigo internato só ficou ao alcance de filhos de famílias abastadas ou de classe média, como era o caso do aluno Geraldo.

Fim do Estado Novo

A participação do Brasil na luta contra o nazifascismo faz crescer o anseio pela redemocratização do país. Em 1945, a oposição reivindica o fim do Estado Novo. Nos quartéis arma-se um golpe militar. O ápice da tensão ocorre quando Vargas nomeia o irmão Benjamim como chefe de polícia. Diante do quadro que se desenha, o presidente renuncia em 29 de outubro. Como a Constituição de 1937 não prevê a figura do vice, assume seu lugar o presidente do STF (Supremo Tribunal Federal), José Linhares, cujo primeiro ato é convocar eleições diretas para 2 de dezembro.

Numa coligação com o PTB (Partido Trabalhista Brasileiro), o general Dutra é eleito presidente da República pelo PSD (Partido Social

Democrático) com 3.351.507 votos. O ex-ministro da Guerra, que também combatera o Movimento Integralista de Plínio Salgado, toma posse em 31 de janeiro de 1946 como o 16º presidente do país. No mesmo dia, começam os trabalhos da Assembleia Nacional Constituinte na qual os comunistas têm assento. Um ano depois, realizam-se eleições para a escolha de vinte governadores de estado, de suplentes para a Câmara Federal e renovação de um terço do Senado. O pai de Geraldo entra na disputa pelo PCB, candidatando-se a deputado e governador da Paraíba – o que é permitido pela nova constituição. Por motivos não esclarecidos, ele acaba desistindo. Apesar disso, obtém cento e cinquenta votos para deputado e quarenta e sete para governador. O executivo estadual eleito é Oswaldo Trigueiro de Albuquerque Mello, que mais tarde alcançará o cargo de presidente do STF.

Em 1948, o PCB torna-se ilegal e seus representantes têm os mandatos cassados. Entre eles está o ex-militar pernambucano Gregório Bezerra, candidato a prefeito do Recife. Preso no centro do Rio, ele é um dos acusados de incendiar o quartel do 15º RI durante a Revolta Vermelha. Outros suspeitos são detidos em João Pessoa, entre eles o suposto líder do atentado, dr. José Vandregíselo. O médico é um dos comunistas mais atuantes da capital paraibana, ao lado de Célio di Pace, Danilo Rosas, Félix Araújo, João Batista Barbosa, João Santa Cruz e Luzia Clerot. Levado para o Recife, o respeitado otorrino é liberado pouco depois. O episódio seria lembrado pelo jornalista e ex-deputado pernambucano Paulo Cavalcanti nas suas memórias. Segundo ele, a perseguição política impulsionou a família de Geraldo a se mudar para o Sudeste.

A mudança teria sido estimulada por um capitão do exército chamado José Góes de Campos Barros. O oficial era amigo do dr. José Vandregíselo, que havia extraído as amígdalas de seu filho, José Guedes, de quatro anos.

Décadas depois, o próprio Guedes confirmaria a história numa entrevista a Vitor Nuzzi para o seu livro sobre Vandré. Pernambucano de Flores, sertão do Pajeú, Góes era comandante do quartel do 15º RI, mas colocava a amizade acima das ideologias. Tinha certeza que o médico corria perigo em João Pessoa. Afinal, como diria Ariano Suassuna, "na Paraíba não tem anistia, não".

IV

VIDA QUE DESENROLA

A transferência da família para o Rio de Janeiro aproxima Geraldo Pedrosa do meio artístico e dos bastidores do rádio, abrindo-lhe portas para a realização do sonho de se tornar um profissional da Música Popular Brasileira.

NO MELHOR momento de sua carreira, ao falar da infância, o já consagrado Geraldo Vandré confessa admiração pelo trabalho do pai: "Eu achava aquilo muito especial. Meu pai é otorrino, opera garganta e nariz. Eu ficava deslumbrado assistindo às operações e me sentia um indivíduo extremamente importante", declara à jornalista Zelia Prado, na edição de novembro de 1968 da revista *Joia*. Dr. José Vandregíselo fazia questão que o filho participasse do seu mundo. Tanto que o rapaz pensou em estudar medicina. Contudo, optou pelo curso clássico por não gostar de física nem matemática – mesmo com as boas notas nos tempos do Colégio Estadual da Paraíba.

Em 2007, a estudante de jornalismo Jeane Vidal tem Vandré como tema do seu trabalho de conclusão de curso na Universidade Cruzeiro do Sul. Numa das entrevistas feitas por ela e disponibilizadas no blog *vandretempoderepouso*, o cronista esportivo Alberto Helena Jr. – que conviveu de perto com o cantor e compositor no auge da TV Record – afirma que "ele tinha uma pinimba com o pai, os dois viviam brigando e se amando e brigando. Mas isso também pode ser coisa de pai e filho. Mas sei que o pai, eu me lembro, na época era fazendeiro, *tava* bem de vida e não sei em que deu".

Sete anos depois a ex-mulher do compositor, Nilce Tranjan, revela outra perspectiva da relação pai e filho. Segundo ela, "Geraldo era muito ligado à família. Ele admirava a postura do pai, um médico de origem popular e de esquerda, que exercia a medicina como deve ser. Tanto que criou o nome artístico Vandré com as duas primeiras sílabas do segundo nome dele. Geraldo e a irmã Geise se chamavam mutuamente de maninha e de maninho. Enfim, eram bem unidos... Dona Maria Marta cozinhava muito bem. No café da manhã tinha o famoso cuscuz nordestino, cozido no bico da chaleira e posto quente na mesa para a manteiga derreter".

Apesar do que se conta sobre a perseguição política, uma fonte garante que dr. José Vandregíselo e a família permaneceram em João Pessoa sem ser molestados. A mudança teria ocorrido mais por insistência de dona Maria Marta – cujos parentes já estavam quase todos no Rio. Primeiramente, os Dias moraram em Juiz de Fora, na Zona da Mata Mineira. Geraldo lembraria sua primeira experiência numa instituição de ensino da cidade: "Certa vez, no Colégio Marista, quase ia levando reguada nos dedos, porque segurava a caneta de modo errado". Ele tirou a mão depressa e a régua se quebrou na quina da mesa. Seu pai foi chamado pelo diretor da escola. Ao perceber que não haveria entendimento entre o aluno rebelde e o professor severo, declarou: "Fique com o seu colégio, que eu fico com a educação de meu filho".

A TV e o rádio

Distante da cena artística, o adolescente Geraldo nem desconfia que o veículo que o consagrará como cantor e compositor começa a ser implantado no país. Às 18h de uma segunda-feira, 18 de setembro de 1950, a atriz mirim Sônia Maria Dorce anuncia: "Está no ar a televisão no Brasil".

A garota está fantasiada de indiozinho, símbolo da TV Tupi (PRF-3), emissora dos *Diários Associados* de Assis Chateaubriand. Uma hora antes de se ligarem os aparelhos de transmissão sob as bênçãos de d. Paulo Amorim Loureiro, Lolita Rodrigues havia entoado o *Hino da TV*, composição de Marcelo Tupinambá e Guilherme de Almeida. A transmissão experimental fora feita em 5 de julho, durante a inauguração do MASP (Museu de Arte de São Paulo) e do edifício Guilhermina Guinle, nova sede dos *Associados*. Na ocasião, frei Mojica interpretou o bolero *Besame*.

O primeiro programa a ser exibido para os 200 aparelhos espalhados pela cidade de São Paulo chama-se *TV na taba* e é apresentado por Homero Silva. Entre os convidados destacam-se Hebe Camargo, Ivon Curi, Mazzaropi e Lima Duarte. Em novembro, o governo federal oficializa as concessões da TV Tupi e sua futura concorrente, a TV Record. Esta será uma das primeiras a realizar os festivais de música popular, que terão em Vandré uma de suas principais estrelas.

No dia 28 de fevereiro do ano seguinte, aos quinze anos de idade, Geraldo é matriculado na 2ª série ginasial, turma C, do Instituto Granbery. Considerada a melhor instituição de ensino de Juiz de Fora, o colégio fora inaugurado em 1889 por missionários metodistas norte-americanos, com o nome de High School and Seminary. Na lista de ex-alunos consta o nome do futuro prefeito da cidade, governador de Minas, senador e presidente da República, Itamar Franco, que ali estudara entre 1931 e 1948. O sistema disciplinar é rígido, com direito a uma sineta que anuncia o começo e o término das aulas. A direção não admite atrasos nem ausências injustificadas. Contudo, o jovem com fama de rebelde se enquadra às normas e tira boas notas, principalmente em história e... matemática.

Mas a permanência dos Dias na cidade mineira tem curta duração. Dr. José Vandregíselo arranja trabalho num hospital público de Engenho de Dentro, na zona norte do Rio de Janeiro. Em virtude disso, seu filho é transferido para a 3ª série ginasial do Colégio Anglo-Americano, em 5 de agosto de 1952, enquanto se submete a um tratamento nutricional sob os cuidados do clínico geral Nilton Mello Braga de Oliveira. Depois vai para o Colégio Juruena, no bairro de Botafogo, onde completará o clássico.

Antes de fechar as portas no fatídico ano de 1968, o Juruena teria entre seus alunos o futuro ator Jardel Filho, o atleta Ademar Ferreira da Silva, a atriz Maria Fernanda (filha da escritora Cecília Meireles e do pintor Fernando Correia Dias), Guilherme Dias Gomes (filho dos novelistas Janete Clair e Alfredo Dias Gomes) e a belíssima Heloísa Pinheiro, mais tarde imortalizada por Tom e Vinicius como *Garota de Ipanema*. No corpo docente se destacam quatro futuros imortais da ABL (Academia Brasileira de Letras): Antonio Houaiss, Celso Cunha, Evanildo Bechara e Geraldo França de Lima. Por sua vez, Geise é matriculada no internato de freiras Santa Marcelina, localizado no Alto da Boa Vista.

A transferência para a capital federal coloca o aspirante a cantor em contato com um ambiente propício ao desenvolvimento de sua vocação. Dedicando-se aos estudos, mas sem arredar pé do projeto musical, aos dezesseis anos, Geraldo se inscreve como calouro no *Programa César de Alencar*, representando a Paraíba. Apresentado aos sábados, sempre ao vivo, o programa de auditório tem no seu *cast* as maiores estrelas da música brasileira. Por essas e outras, havia se tornado a atração de maior prestígio da Rádio Nacional, emissora que o jovem candidato ouvia em João Pessoa desde a infância. Inicialmente com duas horas de duração, o famoso programa passou a entrar no ar às três da tarde, permanecendo até às sete da noite, sempre com grande audiência.

Mesmo com a importância que terá na memória do rádio brasileiro, a atração conta com uma ínfima equipe de montagem formada pelo próprio César de Alencar, o produtor Hélio do Soveral, a secretária Wilma Fraga do Nascimento e o jovem ator Abelardo Santos, que mais tarde será substituído por Jack Ades. Além de César, revezam-se na locução os apresentadores Afrânio Rodrigues, Hamilton Frazão e José de Assis. Os reclames dos patrocinadores são lidos ao vivo e o assanhamento da plateia feminina acaba inspirando o preconceituoso termo "macacas de auditório". Para César – que também grava discos como cantor –, seu programa tem por finalidade "divertir e entreter as pessoas, evidentemente, mas, sobretudo, emocioná-las". O tema musical é uma marchinha de Haroldo Barbosa interpretada pelo grupo 4 Ases e um Coringa.

O programa tem vários quadros que apresentam o talento de convidados famosos e realiza concursos abertos à participação do público. Uma das principais atrações é um tal Romário, cognominado "Homem Dicionário". Morador de Niterói, ele conhece o significado de uma grande quantidade de palavras e responde de cor e à queima-roupa a qualquer pergunta dos locutores e da plateia. Outro quadro de sucesso chama-se "Essa eu vou gravar", no qual um cantor ou cantora de fama interpreta uma música inédita prometendo brevemente registrá-la em disco. Já no "Sucesso de amanhã" astros e estrelas apresentam novos *hits*, que não tardarão a ganhar as ruas do país.

Em meio a tudo isso, Geraldo se enche de coragem e ataca de cantor de bolero, interpretando *Sinceridad*, do nicaraguense Rafael Gastón Pérez. De terno e gravata, ele se apresenta com o nome artístico de Carlos Dias em homenagem ao ídolo Carlos Galhardo, "o cantor que dispensa adjetivos". Ainda que ansiosa para ver o filho formado numa universidade, dona Maria Marta está na plateia em companhia da irmã, Angela Pedrosa. "Esse programa é o de menos, fácil de controlar", chega a dizer. Apesar do esforço, o jovem calouro é reprovado pelos jurados. Numa segunda tentativa, é considerado "medíocre" pelo compositor Paulo Tapajós. Mais tarde o candidato demonstraria humildade, ao reconhecer que não se saíra bem na apresentação.

Canto e boemia

Ainda que solidária com a vocação do filho, dona Maria Marta não demora a se lamentar: "Desde que ele entrou para o Colégio Juruena, não se tem mais sossego. Conheceu, sabe-se lá como, Paulo Borges, pianista da boate Tudo Azul, e desaparecem quase todas as noites. E esse ambiente artístico...". O que ela não sabe é que o jovem compositor e arranjador Antonio Carlos Brasileiro de Almeida Jobim é pianista na mesma boate, que fica em Copacabana. Algumas vezes ele é observado de longe por um assíduo frequentador chamado Vinicius de Moraes.

O "poetinha" procura alguém que possa musicar sua peça *Orfeu da Conceição* e caberá ao jornalista e pesquisador musical Lúcio Rangel apresentá-los oficialmente, num futuro encontro no bar Villarino. Depois de perguntar se vai rolar um dinheirinho nisso, Jobim aceita o convite. E assim tem início a histórica parceria que dará origem à Bossa Nova, movimento musical cuja influência será notada nas primeiras composições de Vandré e de outros compositores... A canção brasileira nunca mais seria a mesma.

Apesar do esforço para mostrar seu talento, Carlos Dias é apenas um humilde figurante do meio musical carioca. A exemplo do colega baiano João Gilberto Prado Pereira de Oliveira, ele fica pelos cantos dos bares. Pouca gente presta atenção em suas raras apresentações, realizadas principalmente nos intervalos dos *shows* de Ed Lincoln e Luiz Eça, na boate do Hotel Plaza. Antecipando a produção de discos-demo, ele convence a mãe a custear a gravação de uma bolacha na qual soltará o vozeirão bem ao estilo Orlando Silva. Com o disco na mão, consegue uma oportunidade no programa *Rapsódia 5*, na Rádio Roquete Pinto, onde ganha seu primeiro cachê interpretando um dos sucessos de Francisco Alves, "o rei da voz". Na mesma ocasião torna-se amigo do ator, cantor, pianista e compositor Sérgio Ricardo (nome artístico de João Lutfi, paulista de Marília) e também do radialista e folclorista Waldemar Henrique.

Nascido em Belém do Pará, descendente de índios e portugueses, Waldemar Henrique da Costa Pereira perdeu a mãe muito cedo e passou a infância em Portugal. Mudou-se para o Rio em 1933, onde estudou piano, composição, orquestração e regência. O folclore da Amazônia é sua principal fonte de inspiração e seu primeiro sucesso foi *Minha terra*, de 1923. Compôs também *Farinhada* e uma série intitulada *Lendas amazônicas*, entre as quais se destacam a de nº 2, *Cobra grande*, e a de nº 5, *Uirapuru*. Autor da primeira versão musical de *Morte e vida Severina*, de João Cabral de Melo Neto, mais tarde seu nome seria dado a uma praça e a um teatro em Belém.

Solidário e de mente aberta, Waldemar acolhe o neófito Carlos Dias e passa a frequentar a casa do dr. José Vandregíselo, de quem se torna amigo. Nessa época, o aspirante a cantor é dispensado de prestar o serviço militar por seus dedos racharem toda vez que fica nervoso. Pelo mesmo motivo, evita tocar violão em público. Em 1955, conhece um jovem compositor da zona sul, de quem defende a canção *Menina* num festival da TV Rio e conquista o prêmio de melhor intérprete.

"Ele começou a cantar música brasileira quando escolheu *Menina* para o festival", diria Carlos Lyra décadas mais tarde, lembrando que a mesma composição chegou a ser gravada por Sylvia Telles com o título mudado para *Menino*. Tempos depois, o intérprete reaparece em sua escola de violão, em Copacabana, dizendo se chamar Geraldo Dias: "Carlos Dias não é um nome legal para cantar bolero", justifica. Contudo, não demoraria a adotar o nome definitivo de Geraldo Vandré, numa decisão apoiada pelo amigo Waldemar Henrique.

Carlos Lyra se torna seu primeiro parceiro musical. A primeira canção que fazem juntos é *Aruanda*, inspirada no documentário homônimo dirigido por Linduarte Noronha, em 1960. O filme mostra a realidade vivida por quilombolas da Serra do Talhado, no interior da Paraíba, e servirá de inspiração para a estética do Cinema Novo. Ele compõe a melodia e conta o enredo a Geraldo, que não tarda a escrever a letra. A segunda parceria será *Quem quiser encontrar o amor*, tema musical do curta-metragem *Couro de gato*, que marcará a estreia do diretor Joaquim Pedro de Andrade. Esse filme constituiria uma das cinco histórias do longa *Cinco vezes favela*.

Em 2014, Lyra recorda o processo de criação com Vandré: "Era curioso, porque eu fazendo a música mostrava a ele, que ficava rodando em volta da minha cadeira. Enquanto eu mostrava a música com o violão, anotava a letra que ele ia dizendo enquanto se inspirava. Geraldo era rápido, não levava pra casa, não. Fazia ali mesmo, sentado do meu lado. Ele era uma pessoa extremamente emotiva. Quando se emocionava, chorava copiosamente, como os personagens de Balzac ou das *Mil e uma noites*". Em 1960, a convite do parceiro, Vandré participa de um *show* de bossa-nova no Teatro Record, em São Paulo. Além dele, o elenco reúne jovens artistas como Alaíde Costa, Baden Powell, Elza Soares, Juca Chaves, Norma Bengell, Oscar Castro Neves e seu irmão Iko.

Anos dourados

Com a posse de Juscelino Kubitschek na presidência da República, em 1956, uma onda de otimismo toma conta do país. No início da década,

Getúlio Vargas havia voltado ao Catete "nos braços do povo" – como se dizia na época. Contudo, perdera mão do seu governo. O atentado contra Carlos Lacerda no qual morrera o major Vaz, da aeronáutica, resultou na investigação e denúncias de corrupção contra o governo. Pressionado, Vargas se suicida com um tiro no peito, em 24 de agosto de 1954.

A comoção popular adia o golpe que vinha sendo tramado por militares em conluio com a UDN de Afonso Arinos e Lacerda. Em sua carta testamento Vargas afirma sair da vida para entrar na história. Seu último ato político fora a inauguração da siderúrgica Mannesmann, em Belo Horizonte, ladeado pelo governador Juscelino. Identificado com ele, JK é eleito presidente pelo PSD, trazendo de volta aos brasileiros a esperança e o orgulho nacional. O lema de sua campanha era "50 anos em 5". Diante da ameaça golpista, a posse é garantida pelo marechal Henrique Teixeira Lott.

Mineiro de Diamantina e adepto das serestas, o jovem Nonô formou-se em medicina e atuou na revolução de 1932, como oficial-médico da Força Pública do seu estado. Eleito deputado federal, foi também prefeito de Belo Horizonte nomeado pelo governador Benedito Valadares, em 1941. Cinco anos depois, elegeu-se deputado constituinte e, em 1951, governador de Minas. Carismático e liberal, Juscelino modernizou o estado. As obras empreendidas por ele revelaram o talento de Oscar Niemeyer, arquiteto responsável pelos projetos da Pampulha e do Conjunto JK – marcos da modernidade na provinciana capital mineira.

Chamado pé de valsa por frequentar salões de dança, Juscelino poderia também ser considerado um político do pé-quente. Em 1956, ano de sua posse na presidência, a literatura nacional atinge seu auge com a publicação dos livros *Corpo de baile* e *Grande sertão: veredas*, de Guimarães Rosa; *Chapadão do Bugre*, de Mário Palmério; *O encontro marcado*, de Fernando Sabino; *Morte e vida Severina*, de João Cabral de Melo Neto; e o *Auto da compadecida*, de Ariano Suassuna. Enquanto o Teatro de Arena – fundado em São Paulo, em 1953 – prossegue sua trajetória de sucesso, o Teatro Experimental do Negro estreia no Teatro Municipal do Rio de Janeiro o musical *Orfeu da Conceição*, com cenários de Niemeyer e direção de Leo Jusi. A adaptação do cineasta francês Marcel Camus para o cinema, *Orphée noir*, ganharia a Palma de Ouro em Cannes, o Globo de Ouro e o Oscar de melhor filme em língua estrangeira.

Em 1958, Elizeth Cardoso grava o disco *Canção do amor demais*, reunindo as primeiras parcerias de Tom e Vinicius. Antecipando o LP que no ano seguinte mudaria os rumos da música brasileira, João Gilberto lança pela gravadora Odeon um 78 rotações contendo o samba *Chega de saudade*, da famosa dupla – marco da bossa-nova –, e o baiãozinho *Bim-bom*, de sua autoria. Em 1959, sob o comando do técnico Vicente Feola, a Seleção Brasileira de futebol conquista na Suécia sua primeira Copa e apresenta ao mundo um jovem "rei" negro chamado Pelé.

Ainda em 1959, JK rompe com o FMI (Fundo Monetário Internacional) e os brasileiros apoiam a medida. Outras ações importantes: trazer a Volkswagen para São Paulo e abrir a rodovia Belém-Brasília. Nesse mesmo ano, a tenista Maria Esther Bueno vence o torneio individual em Wimbledon, na Inglaterra, repetindo a façanha em 1960. O pugilista Eder Jofre torna-se campeão mundial na categoria peso-galo e Juscelino inaugura Brasília, a nova parceria de Lúcio Costa e Niemeyer.

As conquistas nacionais não param por aí. Em 1962, Anselmo Duarte lança o longa-metragem *O pagador de promessas*, adaptação da peça de Dias Gomes, rodado em Salvador (BA). Com Leonardo Villar, Glória Menezes e grande elenco, o filme arrebata a Palma de Ouro em Cannes e é também premiado nos festivais de Cartagena, na Colômbia, e de San Francisco da Califórnia, nos Estados Unidos.

Na era do "presidente bossa-nova" – epíteto criado por Juca Chaves numa de suas sátiras – o Brasil é mais brasileiro, a arquitetura é moderna, a poesia é concreta, o teatro é engajado e o cinema, novo. Nunca antes na história do país as artes se viram tão estimuladas. O clima de prosperidade influenciará Geraldo na busca de uma canção participativa e, acima de tudo, nacional.

[... V ...]

SE A TRISTEZA CHEGAR

Recusando o projeto de arte engajada do CPC da UNE, Vandré transita entre a bossa-nova e o cinema novo sem abrir mão dos seus princípios estéticos; enquanto canta, ele também trabalha como fiscal de indústria e comércio.

DURANTE O governo JK, Geraldo cumpre o trato feito com a mãe. Desde 1957, frequenta a Faculdade de Direito do Distrito Federal, que se tornará da Guanabara para depois ser encampada pela UERJ (Universidade do Estado do Rio de Janeiro). Entre seus contemporâneos está o também cantor Carlos José, de quem se torna amigo. "Como ele gostava de cantar e tinha intenção de seguir carreira, nós estávamos sempre juntos. Apresentávamo-nos nos *shows* da faculdade... Tínhamos o mesmo estilo de música romântica", diria o "rei da seresta". Integra as rodas de violão a jovem Sylvia Telles, que morreria em 1966 num acidente automobilístico, aos trinta e dois anos.

Num depoimento ao jornalista e pesquisador musical Zuza Homem de Mello, Vandré dirá mais tarde que chegou a participar de um grupo teatral na faculdade. Ele lembra ter cantado *Terra seca*, do mineiro Ary Barroso, numa apresentação realizada no Teatro Maison de France: "Foi quando comecei a acreditar que podia cantar profissionalmente". Ainda nos tempos de estudante, o futuro letrista de *Disparada* conhece a cantora e compositora Alaíde Costa, inaugurando uma amizade que duraria pelo resto da vida.

"Nós nos conhecemos nos programas de calouros da Rádio Clube do Brasil, no Rio, quando Vandré ainda era Carlos Dias", diz Alaíde em 2014. Ela recorda que pouco tempo depois, na primeira metade da década de 1950, ambos perderam contato e só se reencontraram em 1960, no *show* do Teatro Record: "A bossa-nova estava bem no começo e no ano seguinte ele foi à minha casa. Mostrei duas músicas de minha autoria e ele foi logo fazendo as letras. Naquele tempo não havia os recursos de hoje e eu nem tinha gravador. Solfejava a melodia me acompanhando ao piano e Vandré escrevia os versos na hora. Outras vezes decorava a melodia e depois voltava com a letra pronta".

E assim nasceram dois clássicos da MPB: *Canção do breve amor* e *Canção do amor sem fim*, esta lançada pela própria Alaíde no LP *Joia moderna*, ainda em 1961, pela RCA Victor com arranjos de Baden Powell. Uma terceira parceria, intitulada *Hei de ser*, permaneceria inédita. A cantora quase a registra no CD *As canções de Alaíde*, de 2014, mas confessa ter dúvidas sobre a letra e não conseguiu fazer contato com o parceiro a tempo de finalizar as gravações. Nesse disco ela regravou as duas primeiras, ao lado de canções feitas com Tom Jobim, Vinicius de Moraes, Johnny Alf, João Magalhães e Paulo Alberto Ventura. O restante do repertório é todo de sua autoria – músicas e letras.

Por dentro do CPC

Num sábado chuvoso, 2 de janeiro de 1959, o *Jornal do Brasil* estampa em sua capa: "Tropas rebeldes vitoriosas entram em Havana. Fidel Castro e

Urrutia chegam hoje à capital". Na madrugada do primeiro dia do ano, os revolucionários barbudos de Sierra Maestra puseram para correr o ditador Fulgêncio Batista e seus aliados mafiosos. Diante da negativa da Casa Branca em reconhecer a legitimidade do movimento, Fidel enfatiza o caráter anticapitalista e antiamericano do novo governo. Após tentativas frustradas de contrarrevolução apoiadas pela CIA (Agência Central de Inteligência), Washington inicia o bloqueio econômico e rompe relações com a Ilha. Aliando-se ao bloco soviético, os revolucionários – entre eles o médico argentino Ernesto Che Guevara – permitem a instalação de bases de mísseis em Cuba. Essa decisão eleva ao máximo a tensão Leste-Oeste, colocando o mundo a um passo da guerra nuclear.

Estimulada pelos ventos socializantes do Caribe, a UNE (União Nacional dos Estudantes) amplia seu espaço de atuação. Em 1961, a entidade funda no Rio o CPC (Centro Popular de Cultura). A iniciativa visa "conscientizar as massas e educar politicamente a classe trabalhadora". São realizados debates e apresentações artísticas de cunho popular. Participam jovens ligados ao cinema, literatura, música, teatro e artes plásticas. Todos defendem o caráter didático e revolucionário do fazer artístico. A ideia teria partido dos atores do grupo Teatro de Arena, de São Paulo, durante a temporada carioca das peças *Eles não usam black-tie*, de Gianfrancesco Guarnieri, e *Chapetuba Futebol Clube*, de Oduvaldo Vianna Filho (o Vianinha). Este é ligado ao Partido Comunista e integra o núcleo fundador do CPC, juntamente com o cineasta Leon Hirszman.

O Manifesto do CPC é redigido pelo sociólogo Carlos Estevam Martins, em março de 1962. Segundo o documento, a arte do povo é "de ingênua consciência", sem outra função, a não ser "satisfazer necessidades lúdicas e de ornamento". Com a adequação da produção artística à "sintaxe das massas", a entidade pretende combater a alienação e a submissão política:

"A popularidade de nossa arte consiste por isso em seu poder de popularizar não a obra ou o artista que a produz, mas o indivíduo que a recebe e em torná-lo, por fim, o autor politizado da pólis". No breve tempo de existência do CPC, Estevam será sucedido pelo cineasta Cacá Diegues, e este pelo poeta Ferreira Gullar.

Autor do hino da UNE, com letra de Vinicius de Moraes, Carlos Lyra é um dos compositores mais engajados no ideário cepecista. Seu parceiro Geraldo também chega a se interessar pelo projeto. Em 2014, Lyra recorda que "ele andou por lá poucas vezes, apesar de sua definida posição política". Mesmo defendendo a música de participação, o cantor paraibano afasta-se da entidade argumentando que "arte não é panfleto". Mais tarde, numa entrevista a Arthur José Poerner, o próprio Geraldo dirá: "Todas as minhas músicas são de amor. De amor particular por uma mulher ou de amor geral por todo um povo. Além do mais, não sou profissional da política". Nas reuniões do CPC, ele estreita amizade com Lyra e se aproxima de Baden Powell.

Natural de Varre-Sai, no interior fluminense, Baden cresceu no subúrbio carioca de São Cristóvão. Filho do violonista e escoteiro Lino de Aquino, seu nome presta homenagem ao general britânico Robert Stephenson Smyth Baden-Powell, criador do escotismo. Começou a tocar violão aos sete anos, influenciado pela presença de Pixinguinha, Donga e João da Baiana nas rodas de choro que seu pai promovia em casa. Outra presença constante era o violonista Jaime Florense, o famoso Meira do Regional do Canhoto, que se tornaria seu professor.

Mundo pequeno

Geraldo Pedrosa de Araújo Dias forma-se numa terça-feira, 19 de dezembro de 1961, com direito a missa de Ação de Graças, cerimônia espírita, culto evangélico e judaico. Nada mal para quem se diz ateu! A colação de grau tem início pouco depois das 21h, no Teatro Municipal do Rio de Janeiro. O reitor da Universidade do Estado da Guanabara é Haroldo Lisboa da Cunha, o paraninfo é o professor Oscar Francisco da Cunha e o orador da turma, Noraldino Silveira. O nome de Geraldo é o 106º numa lista de 291 bacharelandos.

O curso tinha duas salas cheias de alunos, uma no turno da manhã e outra à noite, na qual Geraldo estudava. Por coincidência, entre os formandos estão outros dois nomes da música brasileira: o pianista João Roberto Kelly, que se tornaria o último grande compositor de marchinhas carnavalescas de sucesso, entre elas *Cabeleira do Zezé* e *Maria Sapatão*; e o futuro procurador da República, Gustavo Adolpho de Carvalho Baeta Neves, vulgo Didi, autor de 24 sambas-enredo para as escolas União da Ilha do Governador e Acadêmicos do Salgueiro – entre eles *O amanhã* e *É hoje*.

Também se destacam no convite os nomes de Horácio Dídimo Pereira Barbosa Vieira, poeta e futuro membro da Academia Cearense de Letras; Eduardo de Almeida Reis, fazendeiro e cronista que será eleito para a Academia Mineira de Letras; Áureo Ameno, radialista e jornalista; Francisco Benjamim Fonseca de Carvalho, que se elegerá senador pela Bahia; Paulo Angelim Ramos, autor de livros jurídicos; Hélio de Almeida Domingues, que um dia será consultor da Marinha; Marilena Soares Reis Franco, futura desembargadora que emprestará o nome ao prédio da Justiça Federal no Rio de Janeiro; Sérgio d'Andrea, que chegará ao cargo de desembargador federal; e ainda Mauro Seixas Telles, futuro juiz-auditor concursado da 4ª Região Militar de Juiz de Fora e membro do Conselho de Condenação responsável pelo julgamento da jovem guerrilheira Dilma Vana Rousseff.

Na sala de Geraldo, entre outros, estudaram o futuro diplomata Flávio Moreira Sapha; o funcionário do gabinete de JK, Milton Ferreira Santos, que se tornaria procurador da República e prefeito de Jacinto (MG); e a bancária Léa Pinheiro Loivos. Outro aluno do turno da noite era o mineiro de Teófilo Otoni, Fahid Tahan Sab, que mais tarde defenderia presos políticos – entre os quais o próprio irmão guerrilheiro, Monir Tahan Sab, e o futuro prefeito de Belo Horizonte, Márcio Lacerda.

Em 2014, Léa afirma que a frequência não era obrigatória: "Lembro-me de ver o Geraldo esporadicamente. Como era músico, ele não era muito assíduo às aulas. Além do mais, nossa turma era grande e dividida em grupos. Hoje, só tenho contato com ele quando ele quer. Geraldo é muito esquivo e reservado. No nosso encontro de cinquenta anos de formatura ele pagou a taxa estipulada e não compareceu. De outra vez, nos encontramos em Teresópolis e ele nos levou duas vezes a um restaurante chique da cidade".

Dr. Fahid se recorda de ter visto o colega com o violão em punho, sempre rodeado de moças bonitas. Uma década depois da formatura, já na condição de advogado de presos políticos, ele embarcou num ônibus de São Paulo para o Rio, onde trataria de assuntos relativos à Justiça. "Viajava do meu lado uma jovem brasileira, que morava no Chile", recorda em 2014. "Perguntei se havia deixado o Brasil por motivos políticos e ela disse que não, mas que aproveitaria a vinda ao país para saber se corria algum processo contra o cantor Geraldo Vandré. Os dois se conheceram em Santiago e ficaram amigos. Ele planejava voltar, mas queria se garantir de que não teria problemas com os militares." Conversa vai, conversa vem, só então Fahid descobre que Vandré e seu ex-colega Geraldo Pedrosa de Araújo Dias são a mesma pessoa. Ambos se reencontrariam em 2014, num jantar da turma.

Depois de se formar e pendurar o diploma no pescoço da mãe – num gesto típico de sua irreverência –, Geraldo se sente livre para finalmente se tornar artista profissional. Para sossego de dona Maria Marta e por indicação de um tio com o qual se iniciou na prática do direito, ele agora é funcionário público da COFAP (Comissão Federal de Abastecimento e Preços). Criada no Rio em 1951 pelo presidente Getúlio Vargas para garantir a "livre distribuição de produtos necessários ao consumo do povo", dez anos depois a entidade seria transferida para São Paulo com o nome de SUNAB (Superintendência Nacional de Abastecimento). Sua extinção ocorrerá em 1998, durante o governo de Fernando Henrique Cardoso.

Parcerias com Baden

Enquanto a carreira artística não decola, o cantor tem sua principal fonte de renda na atividade de inspetor de indústria e comércio. Entrevistado por Lourenço Diaféria em 1967, ele diria: "Fiscalizei chuchu em feira, quando o chuchu estava tabelado a quatro cruzeiros velhos e o chuchuzeiro o vendia a oito. Acontece que ele comprava o chuchu a seis, acima do preço da tabela, e não podia vender a quatro. Quer saber de uma coisa? Nunca mais fiscalizei chuchu nem chuchuzeiro".

Nas horas de folga em São Paulo, Geraldo convive com uma patota de cantores liderada pelo músico Paulo Cotrim. A turma se reúne numa pensão vizinha do Colégio Mackenzie, local do primeiro grande *show* bossa-novista no qual ele se apresentará. O próprio Cotrim não demora a inaugurar o Juão Sebastião Bar, na rua Major Sertório, 772, Vila Buarque. Com isso, o ponto de encontro da rapaziada muda de endereço, tendo Baden Powell entre os frequentadores mais assíduos.

Testemunhando a explosão da bossa-nova, o jovem paraibano também participa de reuniões na casa de amigos ligados ao movimento. Nesse tipo de ambiente, em vez de cantar, ele prefere falar poemas. Baden fica impressionado com sua *performance*. "Geraldo sempre falou bem, com aquela voz bonita. Ele recitava poemas de Fernando Pessoa e de Vinicius de Moraes, que ele conheceu mais tarde por mim. Depois ele surgiu com aquelas letras maravilhosas. Nós fizemos muitas parcerias", lembra o violonista na biografia *O violão vadio de Baden Powell*, escrita por Dominique Dreyfus.

A dupla compõe *Fim de tristeza*, *Nosso amor*, *Samba de mudar*, *Se a tristeza chegar* e *Rosa flor*. Em 1961, em seu primeiro disco profissional – um 78 rotações lançado pela RGE –, o letrista registra *Quem quiser encontrar o amor* (com Lyra) e *Sonho de amor e paz* (de Baden e Vinicius). A bolacha toca em várias rádios, chamando atenção para o seu trabalho. "O sucesso dessas músicas deveu-se muito à obstinação de Geraldo", dirá mais tarde sua tia Angela, artista plástica que chegou a secretariá-lo no início da carreira. Numa época inocente, em que o jabaculê praticamente não existia, "ele tinha se agarrado à ideia de ser compositor e queria vencer logo, sem esperar. Ia de rádio em rádio, pedindo aos *disc-jockeys* para tocarem *Quem quiser encontrar o amor*".

Ainda em 1961, Geraldo é contratado pela TV Tupi de São Paulo para participar de um programa produzido por Abelardo Figueiredo sob encomenda da Norton Publicidade. Na mesma ocasião, acompanha Baden Powell numa viagem a Belo Horizonte. Quem vai ao encontro deles é o compositor e pianista Pacífico Mascarenhas, que pouco depois formaria o grupo Sambacana com os jovens Milton Nascimento e Wagner Tiso. Belo-horizontino, ele costuma passar férias em Diamantina, onde o pai tem uma fábrica de tecidos. Em 1956, estava na cidade e alguém lhe falou sobre um jovem baiano que tocava um violão diferente. Era João Gilberto, hospedado na casa da irmã. Os dois não demoraram a se tornar amigos – isso aconteceu três anos antes da gravação de *Chega de saudade*.

Em 2014, Pacífico ainda se lembra do encontro que teve com Baden e Vandré na casa de uma jovem da família Vidigal, na rua Fernandes Tourinho, zona sul de BH: "Fui levar o Chiquito Braga pra conhecer o

Baden". Ele se refere a um dos maiores violonistas surgidos em Minas, antecessor e referência dos irmãos Paulo e Toninho Horta. "Baden e Vandré gostaram muito do Chiquito e depois fui levá-los no meu carro à estação ferroviária, onde pegaram o trem de volta ao Rio", diz o autor de *Pouca duração*, samba que João Gilberto gravou numa fita que jamais chegaria ao disco. "Aquela foi a primeira vez que toquei com o Baden, mas não me lembro de ter visto o Vandré", confessa Chiquito. Contudo, há que se levar em conta que já se passou mais de meio século e que Geraldo não era famoso naquela época.

Coincidentemente, a última apresentação de Baden Powell seria num *show* organizado pelo próprio Pacífico numa sexta-feira, 18 de agosto de 2000, no salão social do Minas Tênis – o clube social mais elegante da capital mineira. Também participam Chiquito e Toninho Horta, ao lado de Juarez Moreira, Renato Motha e Angela Evans. Baden passa mal nos bastidores e tem de voltar ao Rio às pressas, sendo internado no dia 22, na clínica Sorocaba, em Botafogo. Diabético, ele está com pneumonia e morre de infecção generalizada e falência múltipla dos órgãos em 26 de setembro, aos sessenta e três anos. Depois do velório na Câmara Municipal, seu corpo é sepultado no cemitério São João Batista.

VI

ESSA DOR NO CORAÇÃO

Com um grande leque de parceiros, Geraldo Vandré resolve também compor melodias e pouco a pouco vai redescobrindo ritmos e temáticas rurais do distante Nordeste de sua infância e adolescência. Nasce o "cantor de protesto".

QUEM OUVE um baião de Luiz Gonzaga e Humberto Teixeira ou lê um poema de Patativa do Assaré logo percebe a força telúrica da cultura nordestina. Esse fator se faz presente na arte popular que se desenvolveu na região mais inóspita do Brasil, sob forte influência moçárabe – cristãos ibéricos que viveram sob governo muçulmano.

No livro *Origens árabes no folclore do sertão brasileiro*, o estudioso Luis Soler desvenda esse mistério ao se debruçar sobre a vida e a espiritualidade dos árabes que dominaram a Península Ibérica durante mais de 750 anos e sobre o mundo encantado dos trovadores e jograis, cuja tradição ecoaria na voz dos cantadores de feira e nos versos dos autores de cordel do Nordeste.

Embora tenha começado a carreira artística como cantor de boleros e compositor romântico influenciado pela bossa-nova, Geraldo Vandré não demora a sentir na alma os reflexos de tudo aquilo que viu e ouviu nos tempos de internato em Nazaré da Mata. Sua primeira composição musical sem parceiro é o baião *Fica mal com Deus*, de 1962. A mensagem solidária e justiceira se dá em redondilhas ora menores, ora maiores, com nítida influência da música, da poesia e do ambiente nordestinos.

Cinco anos depois, o autor diria a Lourenço Diaféria: "Trago dentro de mim os sons do Nordeste. O Nordeste é fundamental, o maior repositório de cultura popular. O Norte é pelo menos metade mim, não só as tristezas, mas também as alegrias". Além do canto e dos ritmos nordestinos, Vandré aprecia a música de Debussy e Moacir Santos, gosta do *jazz* e também dos cantores Frank Sinatra e Johnny Mathis. Na literatura, seus preferidos são os autores ditos regionalistas, com destaque especial para Guimarães Rosa. Também lê Máximo Gorki e os poetas Fernando Pessoa e Gonçalves Dias.

Em 1962, o grande acontecimento é a conquista do bicampeonato mundial de futebol. Treinada por Aymoré Moreira, a Seleção Brasileira vence a Tchecoslováquia por 3 a 1 e conquista a Copa do Chile. Uma edição da revista *O Cruzeiro* estampa a manchete: "Brasil, Bicampeão Invicto". A foto de capa é do capitão da equipe, Mauro Ramos de Oliveira, erguendo a taça Jules Rimet.

O chefe da delegação é o mesmo de 1958: Paulo Machado de Carvalho, dono da TV Record. A maioria dos jogadores havia participado da Copa da Suécia, quatro anos antes. Dessa vez, com a contusão de Pelé depois de marcar o primeiro dos dois gols contra o México, o craque da vez é Mané Garrincha. Considerado o melhor jogador do campeonato, "o anjo das pernas tortas" é o principal responsável pela vitória brasileira. Por sinal, Vandré torce pelo Botafogo. Não o de Mané, mas o da Paraíba.

Dupla romântica

Ainda em 1962, a cantora catarinense Ana Lúcia, a quem Vandré fora apresentado dois anos antes pela namorada Dora, lhe dá um verdadeiro presente ao convidá-lo para gravarem juntos *Samba em prelúdio*. "Eu disse ao Vinicius que queria gravar essa música com você e ele topou", ela informa. Geraldo obviamente se sente honrado. Afinal, a letra é do poeta que ele tanto admira, e a melodia, do seu parceiro Baden, que se firma cada vez mais como exímio violonista e brevemente começará a fazer parcerias com o jovem Paulo César Pinheiro – um dos maiores futuros letristas da MPB.

Ana Lúcia tem pressa, pois será uma das atrações do famoso concerto de bossa-nova programado para 21 de novembro, no Carnegie Hall de Nova York. O registro é lançado no mesmo ano pelo selo Audio Fidelity, em 78 rotações e em compacto simples, tendo no lado B *Você que não vem* – música e letra do próprio Vandré. Ao voltar dos Estados Unidos, *Samba em prelúdio* é tocado diariamente em diversas rádios do país. Graças ao sucesso, a dupla é convidada para se apresentar em vários palcos e programas de TV. Em 1964, ele retribui o presente da amiga, convidando-a para regravarem juntos o samba no seu primeiro LP pela mesma gravadora.

Antes de inventar a bossa-nova com seu jeito econômico de cantar e a batida diferente ao violão, o baiano João Gilberto imitava Orlando Silva do mesmo modo que o paraibano Geraldo Dias seguia a técnica de Francisco Alves. Altas horas da noite, João passava na casa do amigo e o convidava para fazer um *tour* pelo Beco das Garrafas, reduto dos principais bares e boates do Rio onde era possível ver e ouvir Lúcio Alves, Dick Farney e outros "reis" da noite carioca. Isso obviamente desagradava dona Maria Marta e dr. José Vandregíselo. Embora gostasse de contar anedotas rimadas, o médico era um homem sério, preocupado com a educação dos filhos.

Os dois jovens cantores não demorariam a descobrir – cada um à sua maneira – um modo próprio de cantar. Enquanto Geraldo conquista seu primeiro sucesso com *Fica mal com Deus*, cujo acompanhamento exige poucos acordes, João capricha no ritmo e na longa sequência de notas dissonantes até então pouco utilizadas na MPB. Sua interpretação de *Chega de saudade* na bolacha de 78 rotações de 1958 e no LP do ano seguinte causa tanto furor no meio musical, que décadas depois compositores como Caetano Veloso, Carlos Lyra, Chico Buarque, Edu Lobo, Erasmo Carlos, Francis Hime, Gilberto Gil, Rita Lee e até o "rei" do iê-iê-iê tupiniquim, Roberto Carlos, ainda se lembrariam de onde estavam no exato momento em que o escutaram pela primeira vez.

Como diria Edu Lobo no documentário *Vinicius de Moraes*, de Miguel Faria Jr., "tudo era novo" no estilo de João Gilberto: a batida do violão, o andamento, os acordes e o modo de cantar. No mesmo filme, Chico Buarque afirma ser impossível descrever o impacto causado por *Chega de saudade* num momento em que a música brasileira tendia para o bolero e o samba-canção, com letras melancólicas e melodias em tom menor. Trata-se de um samba moderno, cuja primeira parte é sim em tom menor, mas a segunda muda para maior. Isso, por si, evidencia uma virada na canção nacional, que passa da tristeza para a alegria. A bossa-nova ilumina o país. Suas letras falam de praia, barquinho, dias de sol e mulheres bonitas.

Apesar disso, críticos conservadores como o santista José Ramos Tinhorão reagem à novidade, acusando os bossa-novistas de americanizados e reclamando até dos nomes "não brasileiros" de músicos como Tom Jobim. Isso porque não sabem que o diminutivo de Antonio é o apelido de infância dado ao compositor carioca por sua irmã, a futura escritora Helena Jobim, que antes de aprender a falar chamava-o de Tom-Tom.

No entanto, embora negada por alguns, a influência do *jazz* é patente na bossa-nova. Muitos de seus adeptos, como Dick Farney, João Donato, Johnny Alf, Luiz Carlos Vinhas e Luiz Eça, frequentam clubes de *jazz* e são fãs confessos de músicos do gênero. Numa total falta de bom senso, alguns dos antipatizantes do movimento acusam João Gilberto de desafinar e dizem que certas composições do seu repertório são tão pobres, que têm uma nota só. Tudo isso servirá de inspiração para sucessos de letras irônicas do tipo *Samba de uma nota só* e *Desafinado*, de Tom e Newton Mendonça. Por sua vez, Carlos Lyra faz *Influência do jazz* chamando atenção dos músicos que mudam o ritmo do samba e exageram nos improvisos como se fossem *jazzistas*. Do seu lado, Vandré bebe de todas as fontes, mas prefere não formar opinião.

Para americano ver

A viagem da trupe bossa-novista aos Estados Unidos é uma ideia do presidente da gravadora Audio Fidelity, o americano Sidney Frey, que aportou no Rio em setembro de 1962 para convidar artistas brasileiros a se apresentar nas terras do Tio Sam. Frey conhece o Brasil de outros carnavais. Sua primeira vinda ao país se dera na condição de marinheiro, durante a 2ª Guerra Mundial. Desde aquele tempo, ele se diz apaixonado pela cultura brasileira, sobretudo pelo samba.

"Quem ele queria? Apenas Tom e João Gilberto, com os quais (mais um contrabaixo e bateria) qualquer um faria um *show* de primeira", escreveria Ruy Castro no livro *Chega da saudade: a História e as histórias da bossa nova*. "Frey, no entanto, não estava apenas de olho na bilheteria do espetáculo ou nas vendas do disco do *show*. Tudo isto era *peanuts* comparado ao grande filé que seria a edição das canções do *show* nos Estados Unidos, por meio de suas duas editoras, a Matador e a Eleventh Avenue."

O cara certo para a empreitada é o compositor e produtor musical Aloysio de Oliveira, ex-integrante do Bando da Lua, o grupo que acompanhou Carmen Miranda nos *States*. Dono do selo Elenco e parceiro de Tom Jobim, ele é chegado a quase todos os astros da bossa-nova. Depois de pegar o fim da temporada do histórico *Encontro* de Tom, Vinicius, João Gilberto, Milton Banana e Os Cariocas na boate Al Bom Gourmet e babar na gravata ao ouvir pela primeira vez *Garota de Ipanema*, Frey chama Aloysio, convoca uma coletiva de imprensa no Copacabana Palace e põe a boca no trombone. Com apoio do Palácio do Itamaraty, que oferece vinte e duas passagens e vinte e duas estadas em hotéis, o projeto não demora a decolar.

Os cartazes colados na porta do Carnegie Hall, na rua 57 de Nova York, anunciam os nomes de Luiz Bonfá, conjunto Oscar Castro Neves, Agostinho dos Santos, Carlos Lyra, Sexteto Sérgio Mendes, Roberto Menescal, Chico Feitosa, Normando Santos, Milton Banana, Sérgio Ricardo, Antonio Carlos Jobim e João Gilberto. Além desses, constam na lista alguns convidados nada bossa-novistas como o violonista Bola Sete, a cantora Carmen Costa, o ritmista José Paulo e um pianista argentino chamado Lalo Schifrin. Também se apresentam Caetano Zama, Claudinho Miranda e a amiga de Geraldo Vandré, Ana Lúcia.

Apesar da estrutura amadorística e de alguns problemas técnicos, que quase transformam o *show* de três horas num verdadeiro fiasco, o projeto acaba se tornando um marco da música brasileira no exterior. Músicos como João Gilberto, Oscar Castro Neves, Sérgio Mendes e Tom Jobim conquistarão a América e chegarão a vários outros países. Colocado pelos norte-americanos no mesmo *hall* de Cole Porter e George Gershwin, Tom será convidado por Frank Sinatra para gravarem juntos dois álbuns exclusivamente dedicados à sua obra. Além disso, segundo o saxofonista Stan Getz, a bossa-nova contribui para revigorar o *jazz* em tempos de Beatles e Rolling Stones.

Do mesmo modo que dissera não à proposta de arte panfletária do CPC da UNE, Vandré continua na busca de um estilo próprio. Ainda que tenha recebido alguma influência da bossa-nova, o que se nota principalmente nas parcerias com Alaíde, Baden e Lyra, ele se mantém fiel às suas raízes, procurando uma forma simples e direta para se expressar musicalmente. Mais poeta que músico, e mesmo sem querer fazer panfletos, o compositor não abre mão de falar da dura realidade nacional, realidade que tende a se agravar devido aos acontecimentos políticos que em breve mudariam o curso da história.

Crise nacional

Eleito presidente da República em 3 de outubro de 1960 pela coligação PTN-PDC-UDN-PR-PL, com 5,6 milhões de votos – a maior votação até então obtida no Brasil –, o ex-governador de São Paulo, Jânio da Silva Quadros, toma posse em 31 de janeiro do ano seguinte sucedendo Juscelino Kubitschek. Mesmo com a esmagadora vitória sobre o marechal Henrique Lott, candidato do PSD, Jânio não consegue eleger o mineiro Milton Campos para o cargo de vice. Pelas regras do jogo, por maioria de votos, assume o cargo o petebista gaúcho João (Jango) Goulart, da chapa rival. O cidadão Geraldo Pedrosa de Araújo Dias dirá mais tarde ter votado pela última vez em Lott e em Jango.

Natural de Campo Grande, o novo presidente torna-se um dos políticos mais controvertidos da República. Para se manter diariamente no noticiário, lança mão dos mais polêmicos factoides, proibindo a briga de galos, o lança-perfume e o uso do biquíni. Em 19 de agosto do ano de sua posse condecora em Brasília o argentino Ernesto Che Guevara – um dos líderes da Revolução Cubana – com a Grã-Cruz da Ordem Nacional do Cruzeiro do

Sul. A medalha é uma espécie de recompensa pelo fato de o guerrilheiro ter livrado do fuzilamento 20 sacerdotes, que se exilaram na Espanha.

Mesmo aprovada pelos ministros militares, a condecoração desagrada a oposição e setores das forças armadas. Em desagravo ao que é visto pela direita como apoio ao regime cubano, o governador udenista Carlos Lacerda entrega a chave do estado da Guanabara a Manuel Verona. Trata-se do diretor da Frente Revolucionária Democrática Cubana, organização cujo projeto é derrubar Fidel Castro do poder.

Pouco depois, Jânio adota a Política Externa Independente. Ao anular autorizações ilegais outorgadas em favor da empresa americana Hanna Mining e restituir à reserva nacional as jazidas de ferro de Minas Gerais, ele exacerba a fúria das "forças ocultas". Num discurso em cadeia nacional de rádio e televisão, Lacerda denuncia uma suposta trama palaciana e acusa o ministro da Justiça, Oscar Pedroso Horta, de tê-lo convidado a participar de um golpe de Estado. Às 13h do dia 25, segunda-feira, o *Repórter Esso* anuncia em tom dramático: "E atenção, atenção, ouvintes! O senhor Jânio Quadros acaba de renunciar à presidência da República. O presidente enviou carta ao presidente do Congresso Nacional, comunicando sua decisão de deixar o governo...".

João Goulart se encontra em missão diplomática na China comunista. Os ministros militares se opõem à sua posse. Liderada por seu cunhado Leonel Brizola, governador do Rio Grande do Sul, tem início a Campanha da Legalidade, que recebe apoio do comandante do 3º exército, general José Machado Lopes. Discursando por uma cadeia de mais de 100 emissoras de rádio, Brizola conclama o povo a lutar em favor de Jango. Adota-se então o parlamentarismo como solução para o impasse. O cargo de primeiro-ministro é entregue ao ex-ministro da Justiça de Vargas, Tancredo Neves, do PSD. Jango assume o governo e, no ano seguinte, divulga o Plano

Trienal, que prevê as reformas de base (agrária, urbana, bancária, tributária e educacional), além da nacionalização de setores da economia. Tudo isso desagrada os Estados Unidos.

Um plebiscito realizado em 1963 derruba o parlamentarismo e reforça a popularidade de Jango. Ele insiste nas reformas, enquanto cabos e sargentos se rebelam em seus clubes e nos quartéis. Em 13 de março de 1964, o presidente faz o histórico Comício da Central do Brasil. De 31 de março para 1º de abril, o general mineiro Olímpio Mourão Filho desloca a IV Divisão do Exército de Juiz de Fora para o Rio. A Câmara Federal declara vaga a Presidência e Jango deixa o país para evitar "um banho de sangue". Afinal, uma frota americana está se deslocando rumo à costa brasileira.

Em 1º de abril, a UNE tem sua sede no bairro do Flamengo incendiada por militantes de direita. A redação do jornal *Última Hora*, de Samuel Wainer, também é atacada. Em Belo Horizonte, deixa de funcionar o *Binômio*, cuja redação já havia sido depredada por soldados do exército. Seu diretor, José Maria Rabelo, se exila no Chile, onde mais tarde conhecerá Geraldo Vandré. No Recife, o comunista Gregório Bezerra é preso e arrastado pelas ruas amarrado a um jipe do exército.

Arte de resistência

O setor artístico não demora a tomar posição. Alguns adotam a neutralidade, outros se dividem entre esquerda e direita. Segundo Ruy Castro, um importante aliado a ser conquistado era o jovem compositor da zona sul, Roberto Menescal. Com três discos gravados, a última coisa em que ele pensava era em política. No entanto, teria sido abordado por Geraldo Vandré: "Temos de fazer música participante. Os militares estão prendendo, torturando. A música tem de servir para alertar o povo". Desligado dos fatos, o parceiro de Ronaldo Bôscoli em clássicos da bossa-nova como *O barquinho*, teria respondido: "Em primeiro lugar, não acredito em nada disso. Em segundo lugar, música não foi feita para alertar coisa nenhuma. Quem alerta é corneta de regimento".

Em 2014, o próprio Menescal afirma não se lembrar da conversa: "Me lembro apenas de que eu estava numa casa de algum conhecido em São Paulo, onde tocávamos violão. Fiquei sentado na escada de entrada, quando chegou Vandré me dizendo que tínhamos de fazer uma música 'socialista', e não o que nós, da bossa-nova, vínhamos fazendo. Não entendi o que ele queria dizer, mas não discuti e nem tentei argumentar, justamente por não estar entendendo seu ponto de vista". De qualquer modo, caía por terra a tese defendida pelo compositor paraibano no início da década, ao dizer não à proposta panfletária do CPC. Diante da gravidade do momento político, ele agora se mostra disposto a fazer do violão uma arma contra a ditadura militar.

Devido ao sucesso do compacto feito com Ana Lúcia, a Audio Fidelity convida Vandré para gravar um LP inteiramente com ela, mas ele diz não à proposta. Mais tarde o compositor dirá a Zuza Homem de Mello: "De certa forma me indispus com eles, porque o LP teria vendido muito e faturado bem. Eles tinham razões comerciais e eu talvez tivesse ganhado algum dinheiro. Mas preferi outra canção num gênero diferente. Foi quando gravei *Fica mal com Deus*, em princípio de 1962". No ano seguinte, grava um compacto duplo pela mesma gravadora.

Em abril de 1964 chega às lojas seu primeiro LP solo, *Geraldo Vandré*. O disco tem tudo para decolar. Além do repertório bem escolhido, incluindo três parcerias de Baden Powell e Vinicius de Moraes – entre elas *Samba em prelúdio*, novamente em dueto com Ana Lúcia –, a produção traz na retaguarda músicos respeitáveis, como Baden, Erlon Chaves, Moacir Santos e

Walter Wanderley. Sete arranjadores se revezam nas 12 faixas. Contudo, a que mais chama atenção é *Fica mal com Deus*. Com arranjo de Moacir Santos, letra e música do próprio Vandré, o baião foi feito na mesma semana de *Canção nordestina*, também presente no disco. As duas melodias têm poucos acordes, num estilo modal que vai caracterizar a obra autônoma do compositor. Na entrevista a Zuza Homem de Mello, ele afirma: "Em canção popular a música deve ser uma funcionária despudorada do texto".

Por sua vez, o crítico e pesquisador José Ramos Tinhorão reconhece em Vandré "um dos primeiros da geração ligada à bossa-nova a escandalizar os jovens universitários da época com essa heresia da pesquisa de formas regionais brasileiras... Ao cantar *Canção nordestina* pela primeira vez em um *show* no Colégio Mackenzie de São Paulo, a música que inaugurava o rompimento com os esquemas do movimento foi recebida com uma exclamação por parte de jovens estudantes filhos da alta classe média paulista, que revela o seu espanto: mas isso não é bossa-nova!".

O primeiro LP também traz parcerias, entre elas *Ninguém pode mais sofrer* e *Tristeza de amar*, que já havia sido lançada por Alaíde Costa. Aluno de Carlos Lyra, o autor dessas duas melodias é Luiz Roberto. Carioca da Penha, aos 16 anos ele foi encarregado pelo mestre de acompanhar o principiante Geraldo num programa de TV. Não demoraram a ficar amigos. Décadas depois, em entrevista ao jornalista Vitor Nuzzi, Luiz recorda: "A gente estava tocando violão. Ele (Vandré) falou: 'toca aquela tua música aí'. Toquei, ele começou a escrever ali e acabou a letra na minha frente". *Tristeza de amar* marcaria época, com regravações nas vozes de Wanda Sá e Elizeth Cardoso.

Além de se tornar um profissional da canção, Geraldo Vandré quase estreia como ator. Isso quando o Teatro de Arena se apresenta no Rio. Em depoimento a Jeane Vidal, o teatrólogo Chico de Assis volta no tempo: "O Vandré procurou a mim, especificamente, porque ele queria entrar num grupo que eu estava organizando, que se chamava Teatro Jovem. Eu estava organizando um elenco pra montar uma peça do Vianinha, chamada *A mais-valia vai acabar*... O meu ensaio era aberto, então tinha sempre o pessoal da bossa-nova, porque o Carlos Lyra fazia a música da peça. Aí o Vandré começou a aparecer e depois trouxe a noiva dele pra fazer parte do grupo. E o Vandré era compositor, cantava, mas não sabia direito o que pretendia da vida. Se ele queria continuar a carreira, se ele queria... Ele era advogado. Ele não sabia o rumo que deveria tomar. Aí um dia eu falei pra ele: 'Olha, você tem que decidir, se você acha que o teu destino é ser cantor e compositor, você tem que pegar isso'... Aí ele veio pra São Paulo e começou a levar a sério esse negócio de compositor e cantor".

VII

AS VISÕES SE CLAREANDO

Apesar do conturbado momento político, a vida de Geraldo Vandré segue seu ritmo normal, com namoro e casamento com Nilce Cervone, além de novas conquistas na carreira artística, que pouco a pouco deslancha.

APRESENTADOS EM 1963 pela amiga comum Elsa Katuni, uma boliviana que viera ao Brasil acompanhando o marido adido cultural, Geraldo Vandré e Nilce Therezinha Cervone – que mais tarde adotará o nome de Nilce Tranjan – começam logo a namorar. Professora de filosofia formada pela USP, ela trabalha na Cinemateca Nacional, no Rio de Janeiro. Nessa época atua na montagem de *Deus e o diabo na terra do sol*, o clássico de Glauber Rocha a ser lançado no ano seguinte, tornando-se um marco do Cinema Novo. Graças a ela, o noivo conhece o cineasta Roberto Santos, que não demora a lhe encomendar a trilha sonora do filme *A hora e vez de Augusto Matraga*, no qual ele também seria figurante e co-produtor.

Em 1964, enquanto os militares tomam o poder, Nilce se encontra no apartamento de Vandré, na esquina da avenida Ipiranga com a rua da Consolação, próximo ao Teatro de Arena, no centro de São Paulo. Ainda que farejasse um possível golpe de direita contra o governo de João Goulart, o casal que havia se emocionado com o comício da Central do Brasil chora copiosamente ao som de buzinas e ao toque dos sinos da igreja da Consolação. Os incautos celebram a "derrota do comunismo" pelos militares, em nome da tradicional família católica e do capitalismo internacional. O apoio aos golpistas é manifestado pela Marcha da Família com Deus pela Liberdade, realizada em vários pontos do país desde março daquele ano.

Em 8 de julho, o *DOSP* (*Diário Oficial do Estado de São Paulo*) publica os reclames do casamento, que se realiza nos dias 24, no civil, e 25, na igreja de São Domingos, no bairro de Perdizes, zona oeste de São Paulo. "A cerimônia na igreja transcorreu ao som de músicas do próprio Geraldo, executadas ao órgão por um músico cego amigo dele e do qual não me recordo o nome", lembra Nilce em 2014. "Naquele tempo, Geraldo ainda não era famoso, coisa que veio a acontecer com os festivais, mas já tinha gravado *Fica mal com Deus*, *Canção nordestina* e o badalado *Samba em prelúdio*."

Segundo ela, a festa oferecida pelo chefe dos garçons do Jução Sebastião Bar – já transformado em QG de artistas e intelectuais, quase todos adeptos da bossa-nova – "foi muito comovente... o Geraldo fazia um sucesso tremendo nas noites do Jução. Era de levantar a plateia". Desde o casamento, Nilce passa a viver por conta do marido. Toda elogios, afirma que Geraldo "era muito charmoso e atraía enormemente a atenção das mulheres. Ele fumava e, em casa, gostava de comer um pedaço de goiabada antes de acender o cigarro. Gostava de se vestir bem esporte, sempre. Gostava de praia e de mar, lembrando sua infância em Tambaú, uma praia próxima de João Pessoa. Ele adorava as coisas do Nordeste, mesmo tendo se adaptado bem ao Rio e depois a São Paulo. Lembrava as chamadas dos vendedores de rua da sua infância e muitas vezes se inspirava neles pra compor. Não sossegou enquanto não me apresentou as frutas da sua infância e o maravilhoso sorvete de graviola".

Navio-prisão

Nilce garante que Vandré "era alegre e terno, apesar de o gênio forte se mostrar algumas vezes. Ele corria com muita garra atrás das coisas que queria. Como não tinha uma educação musical formal, amava ver-se cercado de músicos e admirava muito o talento deles". Sobre o fato de não terem tido filhos, ela explica: "O casamento foi logo seguido pela fama dele. Os inúmeros compromissos que surgiram fizeram a gente adiar a decisão. Acabamos não tendo tempo pra isso, pois nos separamos no primeiro semestre de 1967".

A ex-mulher do cantor revela que ele ficou preso durante alguns dias em um navio ancorado em Santos, assim que se casaram. Ela se refere ao barco a vapor Raul Soares, que já desativado fora rebocado para um banco de areia próximo à ilha Barnabé, onde funcionaria como o primeiro cárcere ilegal implantado pela ditadura militar no país. "Em 1964, os militares transformam o navio em prisão. Nunca ficou muito clara a razão pela qual o prenderam lá, mas isso mostra que antes dos festivais os militares já tinham um olho no Geraldo", Nilce admite.

Reportagem publicada em 23 de outubro de 2012 no jornal santista *Diário do Litoral* registra: "A ordem dentro do navio era uma só: tortura psicológica. À noite, os presos ouviam que um rebocador deixaria o Raul Soares durante a madrugada em alto-mar. Os presos que recebiam *habeas corpus* eram detidos novamente assim que pisavam no cais; outros eram repetidamente trocados das celas próximas às caldeiras para as junto ao frigorífico do navio – chamado choque térmico – que deixou muitos deles doentes e que pode ter levado alguns desses prisioneiros à morte".

A matéria informa que "fazia parte da tripulação o tenente da Polícia Marítima, de prenome Ariovaldo, que, pelos relatos, era o mais violento dos carcereiros. As ordens de soltura passavam por ele, mas consta que, de imediato, ele providenciava a abertura de um novo inquérito para impedir a saída do preso... O navio-prisão – que antes transportara levas de nordestinos para o sudeste do país – foi desativado em 23 de outubro de 1964. Ficou no Porto de Santos durante seis meses". Entre outros presos, lá estiveram o médico e cientista americano Thomas Maack e o sindicalista portuário Argeu Anacleto.

Nilce lembra que, ao voltar para casa, Vandré confirmou ter sido interrogado, mas não disse nada sobre tortura ou violência. Ela afirma que o compositor já fazia músicas de protesto muito antes dos festivais, o que talvez tenha motivado sua prisão: "Geraldo era uma pessoa que acreditava na esquerda e na possibilidade de a arte levar o povo a uma maior conscientização política. Não fez aquelas canções apenas porque agradavam nos festivais, mas porque acreditava nisso". Ainda em 1964, a irmã dele, Geise, casa-se com o cineasta polonês Stefan Wohl, diretor de filmes de humor como *O donzelo*, *Quatro contra o mundo* e *Aventuras de um detetive português*.

Quem conhece sua trajetória há de concordar que Vandré buscou, desde o início, um modo próprio de compor, avesso aos modismos e às tendências musicais de sua época. Numa entrevista a Vitor Nuzzi, sua ex-mulher reconhece que "a primeira pessoa que fez a inserção da música nordestina na música brasileira foi ele. Foi a transformação de uma coisa mais setorizada em algo mais amplo". Ela cita Gilberto Gil, que teria falado: "Quando ouvimos *Hora de lutar*, lá na Bahia, aquilo mudou a nossa cabeça".

Lançado em 1965 pela gravadora Continental, *Hora de lutar* é o segundo LP de Geraldo Vandré. Além de cinco canções autônomas, entre elas a do título, o novo disco traz parcerias com Carlos Castilho (*Despedida de Maria*), Moacir Santos (*Dia de festa*), Baden Powell (*Samba de mudar*), Erlon Chaves (*Canta Maria*) e Carlos Lyra (*Aruanda*). O cantor também registra *Asa Branca* (clássico de Luiz Gonzaga e Humberto Teixeira) e *Sonho de um Carnaval*, segunda composição do jovem Francisco Buarque de Hollanda a ser gravada.

Aluno da FAU (Faculdade de Arquitetura e Urbanismo), USP, Chico conhecia Vandré de nome, pois Miúcha já frequentava os meios musicais. Em 2014, escrevendo um novo livro – ou talvez por não aprovar biografias desautorizadas –, ele não concede entrevistas. Sua irmã confessa não se lembrar de ter feito qualquer indicação: "Eu morava em São Paulo e de vez em quando o Vandré aparecia lá pra fazer televisão. Ele namorava a Dora, moça muito bonita e gente fina, minha colega de colégio. Ela sempre dava força pra ele trabalhar na TV. Pouco depois fui estudar na França e morei também nos Estados Unidos. Só voltei em 1972 e fui morar no Rio. Realmente não me lembro de ter falado do Vandré para o Chico, mas pode ser que eu tenha me esquecido".

Aos vinte anos, com alguns sambas na gaveta, o irmão de Miúcha inscreve *Sonho de um carnaval* no 1º Festival Nacional da MPB, realizado na TV Excelsior. O evento é uma criação do produtor Solano Ribeiro – então namorado de Elis Regina –, inspirado no Festival de San Remo, na Itália. Com patrocínio da Rhodia, o concurso musical inclui desfiles de moda e entrará para a história da televisão brasileira. Classificada para as semifinais, a composição de Chico Buarque será interpretada por Geraldo Vandré, que também concorre com *Hora de lutar*. Autor e intérprete se reúnem na casa do maestro Erlon Chaves, onde Chico mostra o samba acompanhado do violão. Num depoimento concedido ao MIS, em novembro de 1966, o jovem artista dirá que no começo escondeu a música "porque era muito diferente".

Sonho de um Carnaval vence a eliminatória de 27 de março de 1965, realizada no antigo cassino do Guarujá, litoral de São Paulo. Contudo, na finalíssima, fica em sexto lugar. "O Chico não ganhou porque eu cantei mal", diria Vandré a Zuza Homem de Mello três anos depois, sem reportar o fato de que sua *Hora de lutar* nem fora classificada. A etapa final foi realizada no antigo Cine Astória, teatro da emissora no Rio de Janeiro. Venceu a disputa *Arrastão*, de Edu Lobo e Vinicius de Moraes, na voz eletrizante de Elis Regina, premiada como melhor intérprete do evento.

Em segundo lugar, novamente Vinicius, com *Valsa do amor que não vem*, parceria com Baden na voz da "divina" Elizeth Cardoso; em terceiro *Eu só queria ser*, de Vera Brasil e Miriam Ribeiro na voz de Claudete Soares; em quarto *Queixa*, de Sidney Miller, Zé Keti e Paulo Thiago, com Cyro Monteiro; e em quinto *Rio do meu amor*, de Billy Blanco, com a voz e o suingue de Wilson Simonal. Para Homem de Mello, *Arrastão* definiria o estilo da chamada "música de festival", tendo em Elis um dos seus trunfos para se sagrar campeã.

Novas portas

Mesmo sem ser premiado no festival da Excelsior, Vandré descobre que não precisa mais frequentar grupos ligados ao rádio ou às casas noturnas para conquistar o sucesso que tanto almeja. Os festivais se tornam um excelente espaço de promoção para os músicos que começam a desenhar novos caminhos para a canção popular. Na matéria de capa da revista *Realidade* de novembro de 1966, o jornalista Narciso Kalili aponta o surgimento da MMPB (Moderna Música Popular Brasileira), destacando nomes como Rubinho (do Zimbo Trio), Jair Rodrigues, Nara Leão, Luís Carlos Sá (futuro parceiro de Gutemberg Guarabyra), Paulinho da Viola, Baden Powell, Chico Buarque, José Carlos Capinam, Edu Lobo, Francis Hime, Sidney Miller, Adylson Godoy, Gilberto Gil,

Marcos Valle, Magro (do MPB4), Caetano Veloso e Vandré como artífices do novo momento musical.

Na reportagem de dez páginas, Kalili reconhece que esse grupo "disputa comercialmente com o iê-iê-iê o gosto da juventude esse imenso mercado que as empresas de disco descobriram recentemente, numa luta em que ainda se vê inferiorizado, mas que pode virar". Isso levando em conta o sucesso dos festivais, a gravação de quase 600 novas músicas por mês e o aparecimento de dezenas de jovens, entre dezoito e vinte e cinco anos, "que fazem música de qualidade e quantidade só comparadas à primeira fase da bossa-nova".

Devido à repercussão de *Hora de lutar*, carro-chefe do seu segundo LP, Vandré se torna parceiro dos futuros tropicalistas Gilberto Gil e Torquato Neto, compondo com eles o *Rancho da rosa encarnada*. Inscrita no 2º Festival Nacional da MPB da TV Excelsior, a música não chega a ser classificada. No entanto, uma parceria de Vandré com o baiano Fernando Lona – feita durante o Carnaval na cidade de Penápolis, interior de São Paulo – conquista o primeiro lugar e abre novas portas para o compositor paraibano. Trata-se de *Porta estandarte*, marcha-rancho defendida por Airto Moreira – do Sambalanço Trio – e pela cantora Valeniza Zagni da Silva, que se apresenta com o nome artístico de Tuca. A plateia ovaciona os vencedores.

Em 6 de junho de 1966, na hora da grande final, Geraldo prefere não acompanhar a decisão do júri. Com alguns amigos, ocupa uma das mesas do restaurante Gigetto, na rua Avanhandava, centro de São Paulo, onde a classe artística costuma se reunir. Muito aflito, ele só deixa o local quando fica sabendo que *Porta estandarte* tem chance de vencer a disputa. Para alegria geral, a marcha-rancho não só ganha o festival, como ele vê em terceiro lugar seu parceiro Luiz Roberto, com *Chora céu*, feita com Adylson Godoy e cantada por Cláudia.

Na comemoração, os compositores choram e se confraternizam. O segundo lugar fica com *Inaê*, de Maricene Costa e Vera Brasil – parceira de Vandré em *Quem é homem não chora* –, interpretada pelo cantor Nilson. Baden e Lula Freire ficam na quarta posição com *Cidade vazia*, na voz do estreante Milton Nascimento. Em quinto destaca-se *Boa palavra*, de Caetano Veloso, com Maria Odette. Após o festival, *Porta estandarte* é gravada por Vandré e Tuca num compacto pela Chantecler.

Tudo isso demonstra o bom nível dos competidores e a potencialidade dos festivais da canção na divulgação da nova música brasileira. Geraldo e Fernando Lona ganham o troféu Berimbau de Ouro e a quantia de 10 milhões de cruzeiros cada um. Nada mau, levando-se em conta que o Gordini II – carro popular da época – custa seis milhões. Numa entrevista à imprensa, o paraibano diz que pretende investir sua parte na criação de um novo selo musical. A canção vencedora será regravada em seu terceiro LP, *5 anos de canção*, pela Som Maior.

Enquanto isso, o quadro político brasileiro se agrava. Da mesma forma que o Ato Institucional número 2 já havia suspendido as eleições presidenciais, decreta-se o AI-3, que determina a escolha dos governadores de estado pelo presidente da República. No dia da finalíssima do festival da Excelsior, o presidente, marechal Humberto de Alencar Castelo Branco, cassava os direitos políticos do executivo de São Paulo, Adhemar de Barros, cujo cargo passa às mãos do empresário Laudo Natel. Para a secretaria de Fazenda, o marechal nomeia o professor de economia Delfim Netto, futuro superministro da ditadura. O comando da Força Pública é entregue ao irmão do poeta Guilherme Figueiredo, coronel João Baptista de Oliveira Figueiredo.

Ainda sob relativa baixa pressão da censura, a vida artística segue seu curso sem maiores percalços. O TUCA (grupo teatral da PUC de São Paulo) é premiado em Nancy, na França, com *Morte e vida Severina*, o poema de João Cabral de Melo Neto musicado por Chico Buarque. Com trilha sonora de Geraldo Vandré, o longa-metragem *A hora e vez de Augusto Matraga*, rodado no ano anterior por Roberto Santos, é exibido no Festival de Cannes, mas sem obter premiação. No entanto, vence merecidamente o Festival de Brasília do Cinema Brasileiro.

Baseado numa das novelas do livro *Sagarana*, de João Guimarães Rosa, o filme narra a história de Nhô Augusto, interpretado por Leonardo Villar. Fazendeiro violento, o protagonista é traído pela mulher e acaba se voltando para a religião depois de sobreviver a uma emboscada. Ao conhecer o jagunço Joãozinho Bem-Bem, ele passa a oscilar entre o temperamento agressivo e o misticismo religioso do qual não consegue mais se livrar. A trilha sonora de Vandré é um dos pontos altos da produção.

Ao fazer a pesquisa musical, Vandré descobre o universo da viola caipira no Sudeste e Centro-Oeste do país. A música que mais chama atenção nesse contexto é justamente o tema de abertura, *Réquiem para Matraga*, incluída no seu terceiro LP. Consta que a gravação da trilha levou horas de estúdio devido ao perfeccionismo do compositor. Sem dominar a escrita musical, cada hora ele cantava as melodias de um jeito, sendo informado pelo maestro que acabara de compor outro tema. Diante disso, o diretor do filme sugere que ele pare de compor, para que a gravação possa ser concluída dentro do prazo. Com os novos rumos do seu trabalho, a imprensa dirá que Vandré fora influenciado por Guimarães Rosa. Numa entrevista à revista *O Cruzeiro*, ele dirá que "se a influência advier daí eu acho válido, pois é representativa da cultura popular".

Impulsionado pela vitória no segundo festival da Excelsior, Geraldo Vandré excursiona pelo Nordeste com Airto Moreira (bateria), Heraldo do Monte (guitarra) e Théo de Barros (violão). Surgia assim o Trio Novo, formado para acompanhá-lo em suas apresentações, uma vez que já tinha consciência de sua limitação musical. O grupo entrou em cena nos *shows* promovidos pela Rhodia, empresa patrocinadora dos festivais e que também produzia LPs e lançaria a roqueira Rita Lee em carreira solo, com o *show Build Up* – nome do seu primeiro disco a ser gravado pela Philips, em 1970.

Em 2014, Heraldo do Monte lembra ter conhecido Vandré ao ser convidado para fazer fundo musical para um desfile de moda com motivos brasileiros que percorreu o país. Segundo ele, desde o início "era pra ser um quarteto, mas como ficaríamos no palco, o diretor não gostou da aparência do (albino) Hermeto". O tal diretor era na verdade o chefão de *marketing* da Rhodia, Lívio Rangan, e o desfile havia sido o *September fashion show*, apresentado na FENIT (Feira Nacional da Indústria Têxtil) em 1966, com modelos assinados pelos estilistas Dener e Clodovil. A apresentadora era a atriz Maria Della Costa e havia também um *show* intitulado *Mulher, esse super-homem*, escrito por Millôr Fernandes, com músicas de Vandré, direção de Gianni Ratto e participação dos atores Carlos Zara, Lilian Lemmertz e Walmor Chagas.

No documentário *O que sou nunca escondi*, dirigido em 2009 por Alexandre Napoli, Helena Wolfenson e William Biagioli Ferez, a ex-mulher de Vandré afirma que ele trancava o Quarteto Novo no porão da casa de um amigo, no bairro da Água Branca, em São Paulo, para que pudesse ensaiar sem distrações. "Não haveria Quarteto Novo sem o Geraldo", declara Nilce Tranjan, lembrando que o compositor era quase tirânico e que os músicos eram talentosos, mas um tanto indisciplinados.

Em 2014, Heraldo diz que "isso é absolutamente falso", lembrando que os ensaios eram de fato realizados na casa do amigo Max, mas sempre de portas abertas: "A gente podia sair quando quisesse". Naquela época, ele tinha trinta e dois anos; Hermeto Pascoal, trinta e um; Airto Moreira, vinte e seis; e Théo de Barros, o caçula do grupo, apenas vinte e quatro. Mesmo com tanto talento e perfeita harmonia, o grupo só gravaria um disco solo instrumental, lançado em 1967 pela Odeon. No total, seriam oito músicas, sendo duas de Vandré e Hermeto (*O ovo* e *Canto geral*), uma de Vandré e Airto (*Misturada*), duas só de Vandré (*Fica mal com Deus* e *Canta Maria*).

Do restante, *Síntese* é de Heraldo; *Vim de Sant'ana*, de Théo; e *Algodão*, de Luiz Gonzaga e Zé Dantas. Mais tarde Hermeto diria que *O ovo* era somente de sua autoria, tendo nascido de improviso como tantas outras. De qualquer modo, a sonoridade do grupo é arrebatadora, quase ao nível do *jazz*, como pretendia Vandré, ele próprio admirador do gênero musical americano que havia influenciado vários bossa-novistas.

Festival da Record

No livro *Geraldo Vandré: uma canção interrompida*, Vitor Nuzzi revela que foi numa viagem de carro de 400 quilômetros entre Catanduva e São Paulo que Vandré rascunhou a letra de *Disparada*, sua grande parceria com Théo de Barros. Ele havia se apresentado no Clube de Tênis, na programação da 2ª Semana Universitária, com o grupo Sambalanço e o Trio Marayá. "Quase cochilando no banco de trás do fusca que Geraldo dirigia, Hilton Acioli testemunhou o nascimento de uma das maiores canções da música brasileira", escreve o jornalista. "Ele ia pedindo, meio afobado, emocionado, até mandando... O Airto, que ia no banco do carona, anotava a letra", diz Acioli.

"Ele (Vandré) me apresentou a letra bem longa e em duas ou três noites conseguimos fazer a composição", lembraria Théo décadas depois. Carioca do Catete, o menino Theófilo começara a tocar violão aos dez anos e também tinha um pé no Rio e outro no Nordeste. Primeiro sonhou ser marinheiro e, mais tarde, diplomata. Tão logo foi residir em São Paulo, passou a levar a música mais a sério. Seu futuro parceiro havia sido o primeiro a gravar o samba *Menino das laranjas*, de sua autoria, no LP *Geraldo Vandré*. A canção se tornou um grande sucesso também na voz de Elis Regina.

Ainda em 1966, Vandré inscreve *Disparada* – com o subtítulo de *Moda para viola e laço* – no 2º Festival da MPB promovido pela TV Record. Segundo o coordenador do evento, Solano Ribeiro, um festival semelhante havia sido realizado em 1960 pela emissora, coincidentemente coordenado por Theófilo de Barros, pai de Théo. Newton Mendonça ficou em primeiro lugar com *O pescador*. "A fim de facilitar a triagem das músicas, dessa vez permitimos que fossem inscritas em fitas, além de continuar exigindo a partitura, em uma tentativa de limitar o seu número", lembra Solano no livro *Prepare seu coração: a História dos grandes festivais*.

Às vésperas da estreia do novo festival, um incêndio consome os estúdios da Record. Diante disso, por determinação do diretor, Paulo Machado de Carvalho Filho, o Paulinho, toda a programação ficaria concentrada no Teatro Record, na rua da Consolação. Sem espaço nem sossego para avaliar as 2.635 canções inscritas no concurso, os jurados se reúnem na casa de Julio Medaglia, no Alto da Lapa. Além dele, a seleção é feita pelos maestros Damiano Cozzella e Rogério Duprat, o professor de semiótica e poeta concretista Décio Pignatari, o jornalista e pesquisador Sérgio Cabral, o tecladista e arranjador César Camargo Mariano, o psicanalista e escritor Roberto Freire e o representante da emissora, Raul Duarte. Em seu livro, Solano diz que os jurados pareciam um bando de loucos. Como num programa de calouros, apitos, sinos, buzinas e chocalhos interrompiam a execução das músicas ruins "e serviam para descarregar as tensões de uma forma bem-humorada".

O evento revelaria vários talentos, entre eles o sambista Martinho da Vila e a cantora Maria Creuza, intérprete da música de um tal Antônio Carlos Marques Pinto – que mais tarde seria seu marido e formaria uma dupla de sucesso com o parceiro Jocafi. O prêmio de melhor letrista ficaria com Caetano Veloso, autor de *Um dia*... Mas, como o próprio organizador reconhece, "o que marcou de fato o festival de 1966 foi a disputa entre duas músicas de características bastante diferentes: *A banda* e *Disparada*". Por sua vez, Vandré declara ter entendido que "a viola brasileira, inteiramente esquecida na nossa moderna música popular, era um instrumento de extraordinárias possibilidades dentro de um plano de criação musical dirigido no sentido de uma cultura autenticamente popular". Contudo, raramente a viola caipira teria lugar nos festivais.

Solano havia aconselhado o compositor a olhar a música sertaneja com carinho, mas tem dificuldades em convencê-lo a abrir mão da interpretação em favor de Jair Rodrigues – que apresenta aos domingos o programa *O fino da bossa*, juntamente com Elis. "O Jair era sambista, mas nas horas vagas brincava de cantar canções sertanejas, talvez influenciado pelo seu empresário, o Corumba, que formava com Venâncio uma dupla caipira famosa", ressalta o organizador do festival. O primeiro a pensar em Jair para defender *Disparada* foi Hilton Acioli. Segundo ele, depois de ser aprovado, foi o cantor quem sugeriu a inclusão do "larala-lailaiá" no refrão.

Vandré paga pra ver e acaba convencido de que a música terá melhores chances de classificação na voz do sambista. Até porque ele já é manjado pela censura e corre o risco de ser desclassificado logo de cara. Depois do ensaio, dá um abraço "quebra-ossos" no novo amigo, mas faz uma advertência ao cantor, que tem fama de brincalhão: "Ô Cachorrão, cuidado! Não vai brincar com a minha música, porque a minha música é séria". Jair manda o compositor à merda, mas no fim os dois se entendem. Na verdade, o cantor ainda tem dúvidas sobre a canção, até pelo fato de ter uma "letra de protesto". A decisão final vem de sua mãe, dona Conceição, que acaba por convencê-lo: "Essa *musga* é muito bonita, meu filho. Se você defender, é capaz de ganhar o festival".

Aos vinte e sete anos, Jair Rodrigues se apresenta acompanhado pelo Trio Marayá – formado por Hilton Acioli, Leiros Behring e Marconi Campos da Silva – e o Trio Novo com uma formação de "reservas": Ayres na viola, Edgar Gianullo no violão e Nando Manini na percussão. Os "titulares" do time viajaram com Vandré para um *show* da Rhodia no Nordeste do país. Além da força da canção e da interpretação contagiante de Jair, *Disparada* também conta com o exotismo de uma queixada de burro, introduzida nos ensaios pelo percussionista Airto Moreira – que mais tarde faria carreira nos Estados Unidos ao lado da mulher, Flora Purin. Comumente usado por músicos cubanos e também do Mato Grosso, o exótico instrumento agrada o público e a imprensa. Quem indicou o loiro Manini para o lugar de Airton foi Chico Buarque, seu colega na FAU. Os dois costumavam tocar no porão da faculdade, com o violonista Toquinho e o futuro compositor e cantor Taiguara, jovem uruguaio radicado no Brasil.

Enquanto isso, *A banda*, de Chico, é defendida pelo próprio compositor em dupla com a jovem musa da bossa-nova, Nara Leão – "cheia de joelhos e charme", diria Solano em seu livro. Uma legítima bandinha de interior com direito a tuba e flauta daria à singela composição o toque nostálgico ideal para contagiar a plateia e os telespectadores da Record. Décadas depois, o produtor lembraria que as duas músicas não paravam de tocar nas rádios e que a disputa virou notícia em todo o país: "A brincadeira era: você é dos 'bandidos' ou dos 'disparatados'?".

O placar na final é de sete votos para *A banda* e cinco para *Disparada*. Diante disso, Chico se recusa a ganhar o prêmio e ameaça devolvê-lo. Para evitar constrangimentos, em acordo com os jurados, a direção da emissora declara empate técnico e as duas composições dividem o primeiro lugar. Talvez o jovem de olhos de ardósia tenha aproveitado a oportunidade para retribuir a atenção de Vandré, que havia se interessado por *Sonho de um Carnaval*. *A banda* teria várias gravações, uma delas na voz de Mário Reis, o precursor da bossa-nova dos tempos de Noel Rosa.

Em 2014, Heraldo do Monte afirma: "Não sei nada sobre isso, mas é a cara do Chico". Humildemente, o próprio reconheceu que *Disparada* era muito melhor que *A banda*. Curiosamente, a *Revista do Rádio* divulga uma pesquisa na ocasião, na qual 35.743 pessoas votaram em *A banda* e 17.865, na música de Théo e Vandré. Após a grande final, os dois sucessos seriam apresentados no encerramento da Semana da Liberdade, evento católico realizado no TUCA, em São Paulo.

Um raro encontro

No livro *Verdade tropical*, Caetano Veloso faria uma justa observação: "É curioso pensar que *A banda*, de Chico; e *Disparada*, de Vandré, empataram nesse concurso, quando se tem em mente que aquela canção de Chico, que o fez definitivamente popular, está muito aquém de sua grandeza como poeta e músico, enquanto a *Disparada* é muito superior ao que Vandré fez antes ou depois".

Vale notar que na mesma disputa Roberto Carlos chega à final com *Flor maior*, composição de Célio Borges Pereira. E também interpreta *Anoiteceu*, de Francis Hime e Vinicius de Moraes, numa das eliminatórias. Embora seja sua preferida, esta nem sequer se classifica. Em segundo lugar fica *De amor e paz* (de Adauto Santos e Luiz Carlos Paraná, na voz de Elza Soares); em terceiro, *Canção para Maria* (de Paulinho da Viola e José Carlos

Capinam, também defendida por Jair Rodrigues); em quarto, *Canção de não cantar* (de Sérgio Bittencourt, com o MPB4); e em quinto, *Ensaio geral* (de Gilberto Gil, na voz de Elis Regina). Os autores das duas campeãs dividem o prêmio de 30 milhões de cruzeiros (dinheiro da época).

Após o anúncio das campeãs, Roberto, Maria Odette e Elis abraçam Nara, Chico e Jair, que por sua vez levanta Chico nos braços num gesto de alegria ou – quem sabe? – gratidão. Na primeira fila da plateia, Maria Lúcia de Carvalho, esposa do dono da emissora, escolhe entre dois papeizinhos estendidos pelo apresentador Randal Juliano qual das duas vencedoras será a primeira a ser reapresentada. Enquanto isso, Jair Rodrigues aperta a mão de fãs emocionados, sendo repetidamente aplaudido.

Randal cumprimenta a mãe de Théo de Barros, dona Lourdes, que se encontra no palco. A apresentadora Cidinha Campos chama ao microfone dona Conceição, mãe de Jair, e dona Maria Amélia, mãe de Chico, que vem da plateia sem esconder a emoção. Curiosamente, ninguém representa Geraldo Vandré, cujo nome é raramente citado. Por sorteio, *A banda* é a primeira a ser reapresentada, mas *Disparada* é novamente a mais aplaudida. Jair Rodrigues leva para casa a Viola de Prata, prêmio de melhor intérprete do festival.

Com tanta fera no páreo, em sua edição nº 764 a revista *Manchete* publica um inusitado bate-papo entre Chico, Roberto e Vandré. Intitulada *A frente ampla jovem guarda*, a matéria ilustrada com uma raríssima foto dos três, feita pelo fotógrafo polonês Zygmunt Haar, será resgatada décadas depois pelo historiador Paulo Cesar de Araújo, biógrafo não autorizado do "rei". Em certo ponto da conversa, Vandré pergunta a Roberto se ele não acha que seu grande prestígio, colocado a serviço da MPB, traria um grande benefício pra ela. Roberto diz se alegrar com a pergunta: "Mas fazer música, para mim, embora viva disso, não é um negócio", ressalta.

"A música é a música. Ela não deve ser feita para servir a outros interesses. Ao menos a minha, eu só faço quando tenho vontade e do jeito que tenho vontade." A declaração lembra o discurso do compositor paraibano ao dizer não à receita de arte engajada do CPC.

Num depoimento a Vitor Nuzzi, Alberto Helena Jr. – que era assessor de imprensa da Record – diz ter ficado arrepiado ao ouvir *Disparada* pela primeira vez. Vandré dirigia o próprio fusca em São Paulo, com ele, Solano Ribeiro e o publicitário Luiz Vergueiro a bordo. De repente, parou em frente ao Juão Sebastião Bar e avisou: "Eu vou cantar para vocês a música que vai ganhar o festival. É a maior revolução, porque é o sertanejo moderno com Guimarães Rosa. Vocês não têm a menor ideia do que vai ser". Para o jornalista, "foi um choque... *Disparada* talvez seja a música mais perfeita que o Brasil já produziu".

Ainda na conversa com Nuzzi, Helena Jr. ressalta o ambiente da época: "Foi a única vez na vida que eu vi o Brasil discutir cultura. Nas ruas, nos botequins, nos táxis, nos ônibus, nos escritórios, nas oficinas mecânicas, bancas de jornal... E discutiam mesmo: sou *Banda* porque remete às marchinhas, a um Brasil mais ingênuo, mais cordial; sou *Disparada* porque é uma nova forma de criar música, a letra é mais complicada... Discutiam estética e cultura, e brigavam, saía porrada, como se fosse uma disputa de campeonato de futebol. E àquela altura a bossa-nova já estava ultrapassada. Havia uma música de raiz e outra olhando para a frente".

Em entrevista à revista *O Cruzeiro*, em novembro do mesmo ano, Vandré declara: "Música, para mim, é trabalho artesanal, e eu a moldo à minha feição, trabalhando-a como o marceneiro trabalha a madeira. *Disparada* foi feita intencionalmente moda de viola e quando pedi ao Théo para fazer a música, eu tinha em mente duas coisas: a fabulosa musicalidade desse moço, ao qual expliquei o espírito que eu pensava imprimir à letra, e que ele transformou na música espetacular da *Disparada*, e ao mesmo tempo provar que a moda de viola, trabalhada assim, não é pobre em harmonia, o que está sobejamente demonstrado". O compositor também afirma que a instrumentação com viola e queixada de burro foi sugestão sua.

Devido ao grande sucesso no festival, Jair Rodrigues é contratado pela Philips para lançar um compacto simples com *Disparada* no lado A e *Canção para Maria*, no B. Como o disco não chega às lojas, ele procura a gravadora para saber o motivo do atraso e fica sabendo que, para liberar sua composição, Vandré havia exigido que o lado B tivesse outra música de sua autoria. No final, para decepção de Paulinho da Viola, no lugar de sua parceria com Capinam, Jair regrava *Fica mal com Deus*.

Disparada também seria o nome de um poema inédito no Brasil, que seria apresentado num *show* em Goiânia, em 12 de dezembro 1968. O texto foi dividido em *Prólogo*, *O campo*, *A boiada* e *O caipira*, que termina dizendo:

Na mente tenho somente
uma fé e uma razão:
Libertar todo esse campo,
correndo todo sertão.
Numa mão, laço e chicote,
na outra, os marcos do chão.

Na primeira foto de terno e gravata, o garoto Geraldo tem o mesmo olhar penetrante que será uma de suas características depois de adulto.

M. E. S. — D. N. E. — D. E. F. CICLO SECUNDARIO (1º. GRAU) FICHA Nº

ALUNO Geraldo Pedrosa de Araujo Dias Sexo M Nasc. 12-9-935 Curso ginasial Série 2ª

Ginásio São José Municipio Nazaré Estado Pernambuco

NOME DO ESTABELECIMENTO

ANO DE 1950

EXAME BIOMETRICO	1º. 950	2º. 950
DATAS	23-3	7-11
IDADE	14	15
Perimetro torácico (Xifóideo (sexo masculino) / Axilar (sexo feminino)) — Repouso 1		
Inspiração 2		
Expiração 3		
Elasticidade torácica 4		
Pêso 5	57	58
Estatura 6	169	171
Capacidade vital 7		

EXAME CLÍNICO

Data

Exercícios indicados

Exercícios contraindicados

Aproveitamento do exercício

Observações

Escola Salesiana de Artes Gráficas — Recife

a) Dr. Andrade Lima Junior
MÉDICO

Exame biométrico da 2ª série ginasial mostra que o aluno crescia feito uma vara-pau.

D. E. F. — Modelo 10

MINISTÉRIO DA EDUCAÇÃO E SAÚDE
S. E. — DEPARTAMENTO NACIONAL DE EDUCAÇÃO

CERTIFICADO DE EDUCAÇÃO FISICA

GINASIO SÃO JOSE'

CICLO Secundário 1º GRAU N.

Certificamos que Geraldo Pedrosa de Araujo Dias (505 pontos)
filho de José Vandregísclo de Araujo Dias
e de Maria Marta Pedrosa Dias
natural de João Pessôa Estado d a Paraíba
nascido em 12 de Setembro de 1935
satisfez todas as provas do exame prático do primeiro
grau do ciclo Secundário realizadas
nos dias 9 e 10 de Novembro de 1950

Nazaré da Mata, 4 de Dezembro de 1950

O Inspetor Federal

Armando Valois

Professor

Diretor
Padre João Mota

Isento de sêlo, ex-vi do Decreto Lei 8.029 de 2-10-1945

Certificado de Educação Física e documento de transferência para o Ginásio São José; em destaque, as notas do aluno.

Geraldo Pedrosa de Araujo Dias
Nome do Aluno
12 de setembro de 1935
Data do nascimento
Colégio Estadual da Paraíba
Estabelecimento que expediu o certificado do exame de admissão
João Pessoa Paraíba
Local Estado
João Pessoa Paraíba
Cidade Estado
José Vandregiselo de Araujo Dias
Nome do Pai
Maria Marta Pedrosa Dias
Nome da Mãe

RESULTADOS
Português: 5,7 Matemática: 9,7
Geografia: 7,0 História: 7,0
Média Geral: 7,4 Data: 21-2-1948

Observações: Este aluno se transfere de acôrdo com o artigo 20 da Portaria 193-13-1-50

ASSINATURA DO DIRETOR
ASSINATURA DO INSPETOR

[Reservado para o reconhecimento]

Escola Salesiana de Artes Gráficas — Mod. 156 — 18

Geraldo formou-se em direito, em 1961, pela antiga Universidade do Estado da Guanabara.

(Arte: Adriano Alves)

Na edição nº 754, a revista Manchete promoveu um encontro entre Vandré, Roberto Carlos e Chico Buarque, fotografados por Zygmunt Haar.

A mesma revista trouxe na capa uma chamada que mistura *A Banda* e *Disparada*, mas sem a foto de Vandré.

Em fevereiro de 1967, a edição nº 132 da Sétimo Céu reuniu Chico e Vandré, vencedores do Festival da Record.

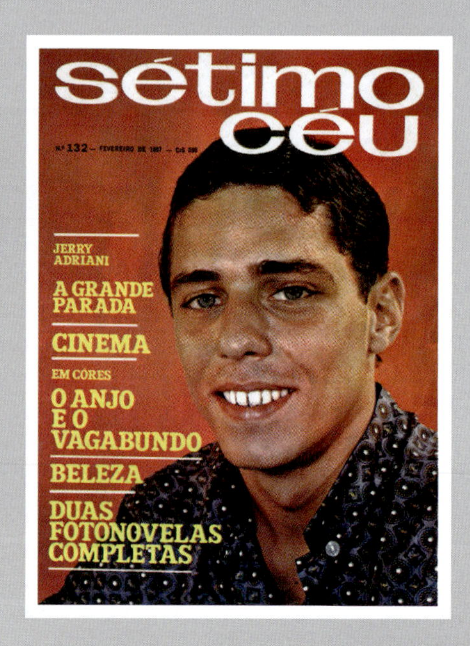

A capa da mesma edição trouxe apenas o jovem autor de *A Banda*, com sorriso de bom moço.

Anúncio da revista Intervalo destaca atrações do Festival da Música Brasileira e deixa Vandré de fora.

A Vitória de Cada um

CHICO BUARQUE DE HOLANDA — Filho de Sérgio Buarque de Holanda, sobrinho de Aurélio Buarque de Holanda — filólogo e membro da Academia Brasileira de Letras —, o autor de "A Banda" tem 22 anos de idade, é paulista e, no momento, apresenta-se tôdas as noites com o espetáculo "Meu Refrão", na boate Arpège. Toca violão e compõe desde menino, mas seu primeiro sucesso foi o samba "Carnaval", crescendo com "Pedro Pedreiro" e "Olê-Olá". Estudante de Arquitetura, às vêzes passa semanas e meses sem compor nada, mas, com inspiração, logo apresenta cinco ou seis músicas novas de uma vez.

Consta que Antônio Carlos Jobim, certa vez, recebeu à queima-roupa uma pergunta, num bar de Ipanema:

— O que há de nôvo, Tom?

Ele respondeu apenas:

— Chico Buarque de Holanda.

GERALDO VANDRÉ — O outro ganhador da "Viola de Ouro", Geraldo Vandré, é paraibano mas também mora em São Paulo, já tendo vencido um festival com a marcha-rancho "Porta-Estandarte". Projetando-se no programa "O Fino da Bossa", foi parceiro de Carlos Lira, outro dos grandes da moderna música popular. Em "Disparada", fêz a letra para a melodia do paulista Teófilo de Barros Filho, "Téo", autor de "Menino das Laranjas", música que projetou Ellis Regina, no início da sua carreira.

"Disparada" é uma autêntica moda de viola, eminentemente regional, e, para sua apresentação no Festival, foram necessários três violões, duas violas e uma queixada de burro, que marcava o ritmo binário.

LUIS CARLOS PARANÁ — O segundo colocado constituiu a grande surprêsa do Festival: dono de uma boate em São Paulo, entregou a Elsa Soares o samba "De Amor ou de Paz", em parceria com Adauto Santos, cuja letra é considerada um verdadeiro achado — utilizando apenas duas palavras, amor e paz, muito gastas nas chamadas composições "engajadas", obteve um jôgo de resultado até então inédito, pelo sentido alcançado. A música não vinha sendo apontada como favorita, nas prévias realizadas junto ao público, mas chegou a entusiasmar alguns membros do júri.

PAULINHO DA VIOLA — Muito môço ainda, já no ano passado Paulinho da Viola consagrava-se como autor do samba-enrêdo da Portela, "Memórias de um Sargento de Milícias". Filho do violonista Benedito César, integrante, há 25 anos, do regional de Jacó do Bandolim, fêz parte do conjunto "A Voz do Morro" durante o espetáculo "Rosa de Ouro", que lançou Clementina de Jesus e trouxe de volta a sambista Araci Côrtes. Paulinho obteve a terceira colocação com o samba "Canção para Maria", defendido por Jair Rodrigues, que tem versos do baiano Capinam.

SÉRGIO BITTENCOURT — Jornalista há seis anos — começou como repórter do "Jornal do Brasil", passou pela "A Noite" e pelo "Correio da Manhã" —, o responsável por "Rio à Noite", que O GLOBO publica às sextas-feiras, não é apenas um dos mais discutidos críticos musicais, mas também compositor desde menino, com seis músicas gravadas e 83 canções infantis. Sua "Canção de não Cantar", que obteve o quarto lugar, surgiu — música e letra — uma hora antes de ser inscrita, na sala de produção da TV GLOBO, e entregue ao conjunto MPB-4, que a defendeu. Sérgio, com 25 anos, é filho de Jacó Bittencourt, o famoso Jacó do Bandolim.

GILBERTO GIL — Baiano, casado, formado em Economia, em Salvador, Gilberto Gil confiou o samba "Ensaio Geral" a Ellis Regina, que obteve para êle o quinto lugar no I Festival da Canção Popular. Integrante do discutido Grupo Baiano, que começa a se fixar no Rio, toca violão, mas, invariàvelmente, compõe em parceria — embora o "Ensaio Geral" tenha letra e música suas. — Já trabalhou com Vinícius de Morais, resultando da dupla o "show" que a filha do compositor-diplomata produziu, "Pois É".

CAETANO VELOSO — Mesmo sem se classificar entre as cinco vencedoras, a música de Caetano Veloso, "Um Dia", ganhou um dos prêmios mais valiosos do Festival, o troféu O GLOBO, para a melhor letra, que lhe dará direito a ir à Itália, numa viagem que a Polvani oferece pela Alitalia. Caetano é irmão de Maria Bethânia, famosa pela sua interpretação do "Carcará", de João do Vale. "Um Dia" foi defendido pela jovem Maria Odete, de São Paulo, e confirma o êxito obtido por "É de Manhã", gravado por Leni de Andrade.

Matéria publicada na revista Manchete logo após o Festival da Record de 1966 apresenta os vencedores.

Considerado o maior de todos os festivais da canção, 3º FIC foi capa da Manchete, destacando Vandré, Cynara e Cybele.

No miolo da mesma edição, a foto do momento mais emocionante do festival foi espelhada em duas páginas.

Geraldo Vandré diz que os soldados da sua música não estão apenas nos quartéis. Somos todos soldados

CANTANDO E SEGUINDO A CANÇÃO

As gravações de Pra não dizer que não falei de flôres estão sendo apreendidas em Niterói por agentes do DOPS. Na Guanabara, o secretário de Segurança não gosta das intenções da canção e teme que ela seja usada como arma de subversão. Mas o autor e intérprete da música no III Festival Internacional da Canção diz que vencer o canhão é, de alguma forma, aprender a amar. Soldado por soldado, também é um dêles.

Entrevista a CARLOS CRUZ
Fotos de ROBSON DE FREITAS

PRA NÃO DIZER QUE NÃO FALOU DE CANÇÕES

PRA NÃO DIZER QUE NÃO FALOU DE SUA MÚSICA

Na edição de 26 de outubro de 1968, O Cruzeiro publicou matéria de Carlos Cruz e Robson de Freitas, em que Vandré analisa *Caminhando*.

A revista de maior circulação nacional naquela época deu 18 páginas de reportagem sobre o 3º FIC.

Em 09 de outubro de 1968 a capa da Veja destacou o conturbado momento político que o país atravessava.

AS COMBATIDAS FLÔRES DE GERALDO VANDRÉ

Só, com um violão e uma canção de dois acordes, Vandré fêz 20 mil pessoas cantarem "Pra Não Dizer que Não Falei de Flôres". O Govêrno da Guanabara não gosta dessas flôres.

"Essa música é atentatória à soberania do País, um achincalhe às Fôrças Armadas e não deveria nem mesmo ser inscrita", declarou o Secretário de Segurança da Guanabara, General Luís de França Oliveira, que vai pedir ao Ministério da Justiça a proibição de "Pra Não Dizer que Não Falei de Flôres", a canção que 20 mil pessoas aplaudiram no Maracanãzinho. Em São Paulo, na semana passada, Vandré lia e relia um bilhete: "Venha cantar para mim. Tenho saudades da liberdade". Catarina Meloni, líder estudantil prêsa numa das últimas passeatas, era quem fazia o pedido. Vandré não sabe, como diz na sua música, se "faz a hora" ou "espera acontecer": Catarina teria mesmo escrito o bilhete ou seria uma cilada? As coisas estão acontecendo para Geraldo Vandré. Na saída do Maracanãzinho, seu carro foi cercado, pediram-lhe que cantasse, êle cantou. Cansado, dirigiu-se aos fãs: "Isso está virando comício. Por favor, me deixem ir embora". Êle foi embora, com a roupa intacta, mas a esta altura as flôres que êle plantara em sua canção já não lhe pertenciam.

Liberdade, liberdade — Geraldo Pedroso de Araújo Dias Vandregísilo, 34 anos, de João Pessoa, Paraíba, já entrou e saiu de festival, já foi aclamado e esquecido, já foi atacado e defendido — geralmente com violência. Descobriu cedo — foi expulso de dois colégios — que "a liberdade é a coisa que mais importa na vida do homem". Na Faculdade de Direito do Rio de Janeiro havia o CPC — Centro Popular de Cultura, da UNE — que fazia "shows" onde a palavra "liberdade" sempre aparecia. Vandré entrou para o CPC, depois irritou-se e saiu: "Arte não é panfleto". Êle chegou a São Paulo em 1961, "por causa de uma namorada", cantou em programa de auditório, foi corretor de imóveis. Apareceu como cantor de festival, pela primeira vez, em 1965 (ano de "Arrastão"), cantando — e desclassificado "por cantar mal", segundo diz — a música de Chico Buarque "Sonho de Carnaval". Em 1966, ano de "Disparada", vendeu 230 mil discos. Em 1967, no mesmo festival, nem foi classificado com "De Como um Homem Perdeu um Cavalo e Continuou Andando". Marginalizado "nos programas de 'smoking' que dão fama ao artista", Vandré resolveu arregaçar as mangas. Em agôsto ganhou a Medalha de Ouro, como intérprete, no Festival da Canção de Protesto da Bulgária — o mesmo que premiou "Che Guevara Não Morreu", de Sérgio Ricardo — e, sòzinho, lançou "Pra Não Dizer que Não Falei de Flôres".

Jardim de guerra — "A música de Vandré é uma guarânia, ótima para representar o Paraguai, não o Brasil", diz o Maestro Gaya, enquanto Vandré ri: "Minha música é uma mistura de rasqueado de beira de praia com canção latino-americana". Quando 20 mil pessoas aplaudem — incluindo personalidades como Christian Barnard e Françoise Hardy, que vai gravar a canção de Vandré — os protestos sempre aparecem. Vandré reconhece que o tom político da sua música ajudou-o na consagração, mas, quando tirou o segundo lugar, disse que "a vida não se resume em festivais". Que é um festival para Geraldo Vandré? "É uma vitrina onde os compositores expõem suas músicas. E há muito poucas vitrinas hoje em dia, por isso compareço." Compara os festivais a "um pau de sebo onde os artistas brigam para subir, deixando a música em segundo lugar". Quinze mil discos de "Pra Não Dizer que Não Falei de Flôres" foram vendidos no lançamento. Para Vandré, isso quer dizer que as portas da televisão se abrem para êle.

"Festivo!" — A gravadora Vogue, internacional, vai lançar um LP seu na França, e três músicas já estão gravadas: "Che", "Porta-Estandarte" e "Modinha". Vandré seria compreendido lá fora? Êle acha que sim: "O compositor deve ser fiel ao seu país, pois é a partir dêle que será universalmente compreendido". Mas, no próprio Brasil, Vandré está sendo compreendido de maneiras diferentes. Na noite de segunda-feira, de volta a São Paulo, êle se apresentou no Teatro Municipal no programa em memória do poeta espanhol Garcia Lorca. Foi uma noite desorganizada, a platéia se irritou. Vandré cantou sua música campeã mas, quando ia bisá-la, alguém gritou da platéia: "Festivo!" Vandré respondeu: "Querem que eu vista fantasia de proletário, não visto não!" Na noite seguinte foi ao Festival de Música Universitária da TV-Tupi e defendeu a canção de um estudante que lembrava muito a sua "Disparada". Êste festival foi uma verdadeira consagração da música de Caetano Veloso, dos Mutantes, do Maestro Rogério Duprat e de todos os tropicalistas. Estas manifestações, como a opinião do Maestro Gaya, são protestos musicais a Vandré. A do General França e a do Presidente do júri do Festival, Donatelo Griecco (que teria escrito na ficha, junto ao nome de Vandré, "left", esquerda, e na de César Roldão Vieira "left dangerous", esquerda perigosa), puxam a música de Vandré para outras áreas. "Sabe, eu confio nisso aqui", diz Vandré, "acho que a fôrça de nossa música popular decorre da fôrça interna do País.

Texto sem assinatura publicado na mesma edição diz que o governo da Guanabara não gosta das flores de Vandré.

Numa das poucas imagens que restaram dele na televisão, Vandré canta *Arueira* na TV Record.

Logo após a consagração de *Caminhando* no 3º FIC, a canção teve sua partitura editada.

Com melodia simples, *Pra não dizer que não falei das flores* (*Caminhando*) tem seu ponto forte na letra.

Enquanto viajava pela Europa, Vandré foi tema de documentário na TV alemã, hoje disponível no Youtube.

PHOTO DOCUMENT

La statue du Christ torturée à l'électricité pour la Passion brésilienne de Saint-Germain-des-Prés

La Passion brésilienne à Saint-Germain-des-Prés, c'est une vingtaine de jeunes venus du Brésil qui l'ont réalisée dimanche soir dans une église archi-pleine où, pendant deux heures, ont résonné rythmes et chants endiablés soutenus avec guitares, orgue et percussion.

Cette Passion est un long poème racontant l'histoire d'un pêcheur brésilien qui à travers la pauvreté, l'injustice, la torture et la mort actualise les souffrances et la crucifixion du Christ. La représentation d'un Jésus crucifié avait d'ailleurs été portée en procession au début de la célébration. Mais au lieu des clous, c'est d'un côté des électrodes et de l'autre un étau qui lui écrasait les mains, tandis qu'un tuyau évoquant la torture par l'eau descendait dans sa bouche.

« Si Jésus était crucifié aujourd'hui, nous pensons qu'il aurait été mis à mort ainsi », précisaient MM. Salvy-Guide et [illegible], jeunes étudiants des Beaux-Arts, auteurs de la sculpture.

Quant à Geraldo Vandré, le chanteur principal de cette Passion, sa chanson « Caminhando », reprise en chœur dimanche soir par la foule dans l'église, a été interdite au Brésil après avoir battu cependant en quinze jours tous les records de vente de la chanson populaire brésilienne.

(Photo [illegible])

Encenação de *A paixão segundo Cristino* na igreja de Saint-Germain-des-Près foi reportagem na imprensa parisiense.

SECRETARIA DE ESTADO DOS NEGOCIOS DA SEGURANÇA PUBLICA

POLICIA CIVIL DE SÃO PAULO

DIVISÃO DE INFORMAÇÕES - CPI - DOPS

folha -4-

O jornal DIARIO DE SÃO PAULO, em sua edição de 9-6-1970, cita o arquivamento do IPM, contra Geraldo Vandré.

50-Z-9-13005/170/13170/13005

Consta-nos entrevista do jornal MARCHA de Montevidéo, publicada em 20-11-1970, onde Vinícius de Morais, refere-se a Geraldo Vandré, como pessoa que tivera deixado o Brasil por questões políticas.

50-D-26-3085)(50-C-22-3213

O jornal DIARIO POPULAR, de 6-3-1971 noticiou o seguinte: "Vandré não esteve na França", referindo-se ao epigrafado, desmentindo comentários sobre processo do narcótico, do qual dizem que o mesmo foi indiciado naquele país.

50-G-2-330/330-A

Consta-nos informação nº 2081/71 de 23-11-1971 da Coordenação e Informações e Operações- Assessoria Especial, onde aparece o nome do marginado como promotor da Peça PAIXÃO BRASILEIRA, na Igreja de S. Germain des Pres, em Paris (Ópera em rítmo de Rock).

50-Z-9-23950/14123

Informe nº 116/72 - Coordenação de Informações e Operações, nos informou que o MOVIMENTO ESTUDANTIL, iniciou-se com programas congêneres de Geraldo Vandré, que foi o idealizador desse movimento (2-6-1972).

50-D-18-2014)(50-Z-138-491

Consta-nos panfleto, que se refere a reunião - de 6.000 estudantes na Catedral de São Paulo, em protesto à morte de Alexandre Vanucchi Leme, referem-se também a música que deverá ser cantada na saida da igreja: CAMINHANDO, de Geraldo Vandré (17-7-1972).

50-E-30-157)(50-C-22-7011

A CIOp, em 30-7-1973, nos enviou cópia xerox - do jornal intitulado O DIÁRIO, de Ribeirão Preto/SP, que comunicou a prisão do marginado pelo DOPS, quando desembarcou proveniente do Chile.

50-Z-298-3024/3025 RD

Consta nesta Divisão uma entrevista efetuada - pelo Jornal Nacional da Rede Globo de Televisão, em 18-8-73, com Geraldo Vandré.

50-Z-0-13203 RD

- s e g u e -

No auge da ditadura militar, os órgãos de repressão mantiveram Geraldo Vandré sob estreita vigilância.

Na edição nº 79, de 1970, Veja trouxe reportagem de capa sobre a repercussão da MPB no exterior. Vandré aparece de barba.

Em setembro de 1978, Vandré quebra o silêncio numa entrevista a Assis Angelo, publicada no caderno Folhetim, da Folha de S. Paulo.

"Quem dera viver sem fracassos
São laços à espera da gente
Na esquina do lado
No ás do baralho
Na esquina do dado, no céu"
(*Geraldo Vandré*, Leonor, Moreninha do Cabelo Curto, Meu Fracasso)

por Assis Angelo

GERALDO VANDRÉ
o desaparecido

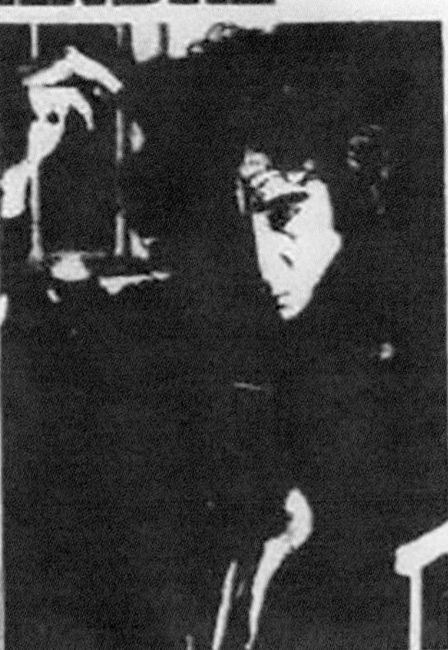

Na fronteira, Vandré vai cantar para brasileiros

FOZ DO IGUAÇU (Sucursal) — O cantor e compositor Geraldo Vandré se apresenta amanhã, às 21 horas, no Salón Social da Área Residencial 2, da Itaipu Binacional, na cidade de Puerto Stroessner, no Paraguai. O show está sendo organizado pelo próprio artista, assessorado por Michel Kelly, assistente do maestro Eliasar de Carvalho, da orquestra Sinfônica de São Paulo. Polêmico como sempre, Vandré não dá qualquer explicação para o fato de não querer cantar em território brasileiro, desmentindo, apenas, que esteja proibido.

Geraldo Vandré chegou a Foz do Iguaçu no mês de abril, com intenção de seguir viagem até Assunção, no Paraguai, onde pretendia fazer o show que marcaria a sua volta aos palcos. Foi o gerente do Hotel Ilha de Capri, onde o cantor ficou hospedado, que o convenceu a apresentar-se em Puerto Stroessner. "Já que ele não quer cantar no Brasil, que cante ao menos na fronteira, o mais próximo possível de seus fãs", justificou Maurício Cordeiro, gerente do hotel.

ITAIPU NÃO CONFIRMA

De fato, a maior parte das pessoas que compraram ingressos para este espetáculo será composta de brasileiros, já que algumas agências de turismo, como a Copenhagen, de São Paulo, se lançaram à venda de "pacotes" turísticos, tendo como atrativo o show do autor da antológica composição "Pra não dizer que não falei das flores".

Até ontem, contudo, enquanto os promotores do espetáculo espalhavam pelas duas cidades fronteiriças centenas de cartazes anunciando o show "Das Terras de Benvirá", ninguém sabia de nada na assessoria de Relações Públicas da Itaipu Binacional. Segundo uma funcionária, não havia nada confirmado no clube, onde o cantor vai se apresentar.

A Televisão Tarobá de Foz do Iguaçu, emissora ligada à Rede Bandeirantes, também está correndo riscos de perder os Cr$ 600 mil que está investindo na gravação do show, já que de acordo com o contrato elaborado pelo advogado Geraldo Vandré, qualquer transmissão ou reapresentação do show dependerá de sua prévia autorização. Em troca da gravação, a emissora está colaborando na divulgação do espetáculo.

Vandré, agora no Paraguai.

Em 17 de julho de 1982, o jornal Estado do Paraná publicou reportagem sobre o *show* de Vandré no Paraguai.

O *show* seria no salão social área 2 da usina de Itaipu, mas foi transferido para um cinema empoeirado.

F A B I A N A (Geraldo Vandré)

DESDE OS TEMPOS DISTANTES DE CRIANÇA
NUMA FORÇA, SEM PAR, DO PENSAMENTO,
TEU SENTIDO INFINITO E RESULTANTE
DO QUE SEMPRE SERÁ MEU SENTIMENTO;
TODO TEU, TODO AMOR E ENCANTAMENTO,
VERTENTE, RESPLENDOR E FIRMAMENTO.

COMO A FLOR DO MELHOR ENTENDIMENTO,
A CERTEZA QUE NUNCA ME FALTOU,
NA FIRMEZA DO TEU QUERER BASTANTE,
SEJA PERTO OU DISTANTE É MEU SUSTENTO;
DE LAMENTOS NÃO VIVE O QUE É QUERENTE
DO TEU SER, NO PASSADO OU NO PRESENTE.

DO FUTURO DIREI QUE SABEM GENTES,
DE TODOS OS RINCÕES E CONTINENTES,
QUE SÓ TU SABES DO MEU QUERER SILENTE;
PORQUE SÓ TU SOUBESTE, ENQUANTO INFANTE,
ÀS LUZES DO LUZIR MAIS RELUZENTE,
PERTENCER AO MEU SER MAIS PERMANENTE.

Refrão/

VIVE EM TUAS ASAS, TODO MEU VIVER;
MEU SONHAR MARINHO, TODO AMANHECER.

HASP - São Paulo, 23 de outubro de 1985.

26.4.1993
SP/SP

Num papel com o símbolo da FAB, Vandré divulga a letra de *Fabiana*, feita em homenagem ao "exército azul".

A volta de Vandré ao noticiário pipocou ao longo dos anos, desde seu sumiço dos palcos e da mídia.

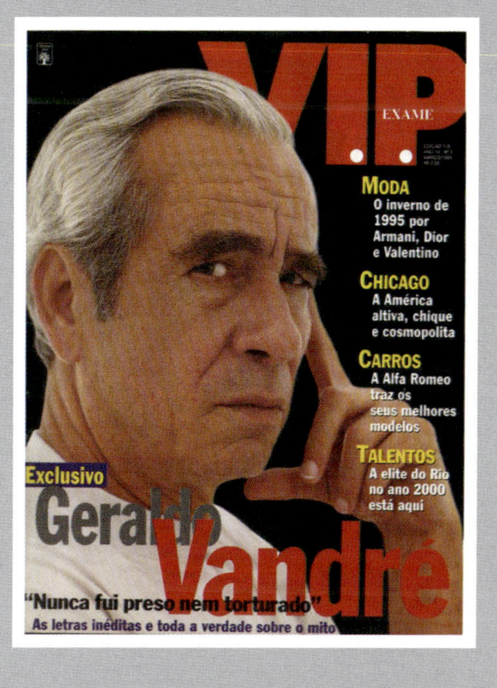

Em março de 1995, o repórter Thales Guaracy fez reportagem de capa com o compositor, na revista Vip Exame.

Chico Buarque (da esq. para dir.), Geraldo Vandré, Gilberto Gil e Elis Regina, na época dos festivais

Record exibe as melhores cenas de seus três festivais da MPB

Da Redação

FESTIVAL DA MPB - Especial com os festivais de música da Record. Hoje, às 20h, na TV Record.

Só a cena inesquecível do cantor Sérgio Ricardo, quebrando seu violão e atirando-o na platéia que o vaiava, já valeria todo o programa. Mas o "Festival da MPB" de hoje, às 20h na Record, tem muito mais. Mostra quase todas aquelas imagens e canções que transformaram o período 66-68 no mais polêmico da música popular brasileira.

Seguindo o rodízio desta série de especiais, quem introduz os teipes desta vez é Blota Júnior. Seu jeito empolado, em tom de mestre-de-cerimônias, acaba criando um forte contraste com a maior agilidade (a possível para apenas duas câmeras, na televisão dos 60) destas cenas. Felizmente, as imagens o ofuscam.

O tímido Caetano Veloso canta "Alegria, Alegria", com os Beat Boys. A ingenuidade vanguardista dos Mutantes, acompanhando Gilberto Gil, em "Domingo no Parque". O "rei" Roberto Carlos leva a maior vaia de sua carreira, ao cantar a cafona "Maria Carnaval e Cinzas". E ainda toda a empatia de Chico Buarque com o "sexo frágil", cantando a "Banda" e "Roda Viva".

Também não faltam as surpresas. Como a rechonchuda Gal Costa, vestida de faiscantes brocados tropicalistas, em "Divino Maravilhoso". Uma irreconhecível e magérrima Nana Caymmi canta "Bom Dia", ao lado do marido, Gilberto Gil. Ou a vaia pesada contra o tímido Paulinho da Viola, que tentava ser ouvido com "Sinal Fechado".

Em boa parte desse material, aparecem os cortes para a platéia do teatro Record, mostrando as vaias, o agito e o frege do público. Mais do que ouvir, o que eles queriam mesmo era cantar e se manifestar. Um sinal daquele tempo. **(Carlos Calado)**

Em outubro de 1990, reportagem de Carlos Calado na Folha de S. Paulo resgata foto de Vandré com Chico, Elis e Gil

'Consegui ser mais inútil do que qualquer artista'

Geraldo Vandré quebra o silêncio em que mergulhou desde 1973

Geneton Moraes Neto

Especial para O GLOBO

• Desde que voltou do exílio, em 1973, Geraldo Vandré mergulhou no silêncio. Num fim de tarde, no Clube da Aeronáutica, no Rio, quebrou o jejum, em entrevista que foi ao ar ontem na Globonews e será reprisada hoje, às 13h05m. Era 12 de setembro, dia do seu aniversário de 75 anos.

Divulgação

VANDRÉ dá entrevista ao completar 75 anos: "Estou exilado até hoje"

O GLOBO: *O que aconteceu com Geraldo Vandré?*
GERALDO VANDRÉ: Ficou fora dos acontecimentos. Melhor para ele. Quando terminei o curso de Direito e fui me dedicar à carreira artística, já sabia que a arte é inútil. Mas eu consegui ser mais inútil do que qualquer artista. Sou advogado num tempo sem lei.

• *Você faria uma temporada comercial?*
O que quero fazer é terminar uma série de estudos para piano, para compor um poema sinfônico. Nada mais subversivo do que um subdesenvolvido erudito.

• *O que o faria voltar?*
O único projeto é a canção da Força Aérea, "Fabiana". Nasceu na FAB, em sua honra e em seu louvor. Nunca fui antimilitarista.

• *O que você acha do fato de "Caminhando" ter se tornado um hino de protesto?*
Não fiz canção de protesto. Fazia música brasileira.

• *O Brasil de 40 anos atrás era melhor?*
Eu fazia música para aquele país. Hoje o Brasil é outro. O que existe é cultura de massa. Não é arte.

• *Nada chama a sua atenção?*
Tiririca *(risos)*. Eu estou exilado até hoje. Ainda não voltei.

• *O que sente quando se lembra do Maracanãzinho cantando "Caminhando"?*
Foi bonito. Pena que sumiram com o VT.

• *Recebe direitos autorais?*
Nunca dependi de música para viver. Sou servidor público aposentado.

• *E os direitos autorais?*
Pagam o que querem.

• *Duas músicas que você compôs são conhecidas até hoje: "Disparada" e "Caminhando". Qual é melhor?*
"Disparada" é mais brasileira, moda de viola. "Caminhando" era uma crônica da realidade. Deu no que deu.

• *Se fosse escrever um verbete numa enciclopédia sobre você, qual seria?*
Criminoso. Anistia é para criminoso. Fui demitido do serviço público por causa das canções. Briguei, briguei.

• *Você foi constrangido a gravar, em 73, o depoimento em que negava a militância?*
Nunca fui constrangido a declarar nada. Nunca tive militância político-partidária. Nunca fui engajado.

• *Gravar o depoimento era parte do acordo para voltar ao Brasil?*
Queriam que eu fizesse uma declaração. Eu disse coisas que poderia dizer, a verdade. A Globo deve ter o VT.

• *Não encontramos.*
Pois é: sumiram com tudo. Veja se acha o VT do Maracanãzinho? É o que tem o Tom Jobim. A minha parte sumiu. Fizeram uma retrospectiva do festival: Tom, Chico, todo mundo. Mas, na hora de botar o Geraldo Vandré, usaram um filme feito na Alemanha.

• *O que aconteceu depois da volta do exílio? Você foi maltratado fisicamente?*
Não. Não.

• *Por que se afastou?*
Falta de razão para cantar. ■

Depois de 37 anos fora do ar, Geraldo reaparece num programa da Globo News, em 12 de setembro de 2010, data do seu 75º aniversário; o repórter Geneton de Moraes Neto reproduziu os principais tópicos no jornal O Globo.

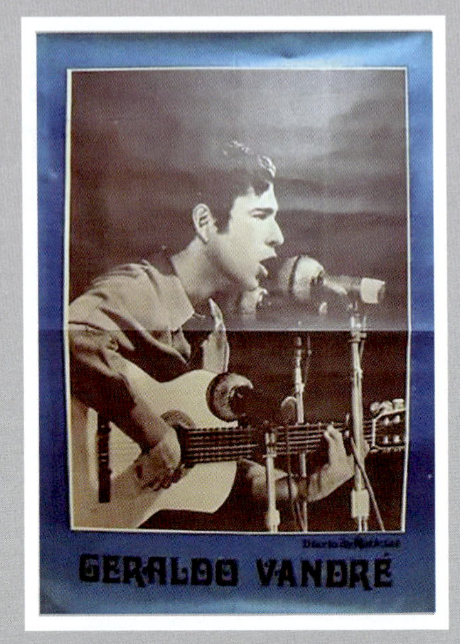

Logo depois de ficar em segundo lugar no 3º FIC, Vandré ganhou um cartaz encartado no Diário de Notícias.

Em setembro de 2010, uma semana de eventos culturais em João Pessoa homenageou o ilustre filho da cidade.

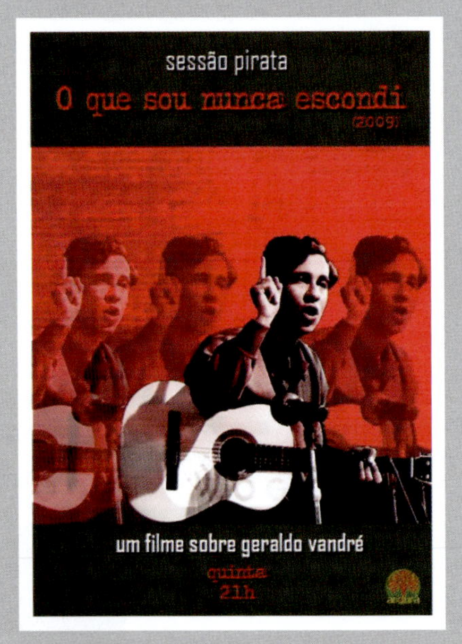

Em 2009, três diretores uniram esforços para produzir um documentário sobre a trajetória do compositor.

Publicado em Santiago do Chile, o poema *Cantos intermediários de Benvirá* permanece inédito no Brasil.

Jeane Vidal entrevistou o compositor para seu trabalho de conclusão do curso de jornalismo na Universidade Cruzeiro do Sul.

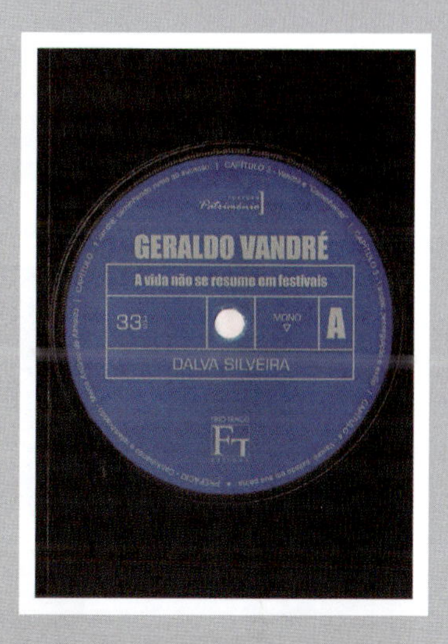

A historiadora Dalva Silveira publicou sua dissertação de mestrado sobre Vandré e a imprensa.

Vitor Nuzzi levou mais de uma década pesquisando para escrever uma biografia do compositor que tanto admira.

3º FIC teve diversas peças de divulgação, inclusive cartaz colorido com a imagem do Maracanãzinho lotado.

Em 2011, a revista do Departamento de Comunicação da UFMG publicou um artigo sobre Vandré.

Foto no site de Catolé do Rocha, interior da Paraíba, mostra o centro estudantil que homenageia o compositor

Entre as muitas peças de divulgação do 3º FIC, chamaram atenção o selo editado pelos Correios e o cartaz com o galo em destaque.

Além de uma revista trazendo as letras das 46 canções classificadas, o festival lançou um LP com as finalistas.

Disparada, de Théo de Barros e Vandré, entrou no compacto duplo do Festival da Record de 1966.

A Philips lançou LP com as finalistas do 1º FIC, no qual Vandré e Tuca ficaram em 2º lugar com *O Cavaleiro*.

A mesma gravadora lançou três volumes em LP com os grandes sucessos do 3º FIC, entre os quais *Caminhando*.

Outro disco também reuniu as finalistas do mesmo festival, considerado o mais importante de todos os tempos.

Também pela holandesa Philips, um LP reuniu as dez finalistas da fase internacional do 3º FIC.

Ventania, de Vandré, entrou no LP que reuniu as finalistas do 3º Festival da MPB realizado pela TV Record.

A Rozenblit reuniu em LP as finalistas do 2º Festival da Record, no qual *A Banda* e *Disparada* foram campeãs.

A Odeon também entrou na onda festivalesca e lançou três volumes com as finalistas do 3º FIC da TV Globo.

Com apenas oito faixas, o único disco do Quarteto Novo tem cinco músicas de Vandré, duas com Hermeto Pascoal.

Em 1967, Os Versáteis lançam álbum com alguns clássicos do festival no qual Vandré classificou *Ventania*.

Consolidando o sucesso de Vandré na Itália, Ornella Vanoni gravou *Disparada*, renomeada *Tempi Duri*.

Pra não dizer que não falei das flores (*Caminhando*) mereceu um belo registro na voz de Sergio Endrigo.

A Orquestra Imperial não perdeu tempo ao regravar e lançar os clássicos do 3º Festival da TV Record.

Coletânea em LP com as finalistas do 3º Festival traz na capa a fachada do antigo Teatro Record.

Outro LP foi o *Festival dos festivais*, que reuniu canções de vários festivais, entre elas *Disparada*.

Coube ao Trio Marayá interpretar *Ventania* no LP *14 Sucessos do III Festival da Música Popular Brasileira*.

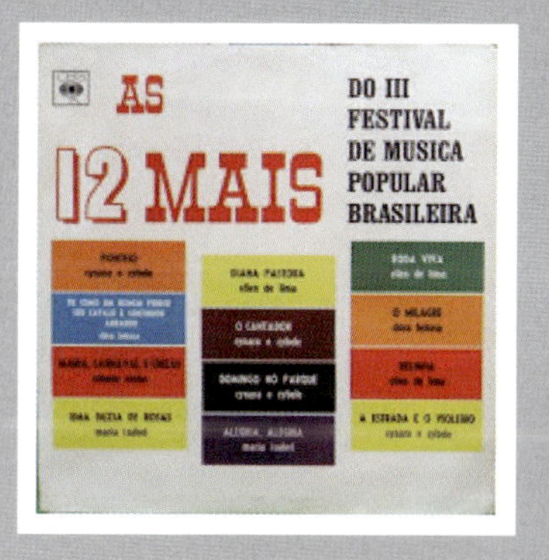

Chico Feitosa cantou *Ventania* no disco *As 12 mais*, que reuniu regravações de sucessos do 3º Festival da Record.

Grandes sucessos dos festivais da Globo foram remasterizados e relançados em duas caixas de CDs.

Em compacto simples, Os Titulares do Ritmo gravaram *Disparada*, Os Paulistas registraram *Ventania* e Eliana Pitman, *Caminhando*.

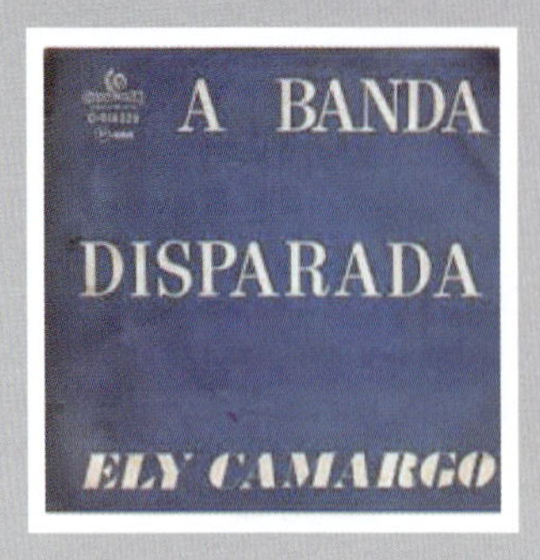

A cantora Ely Camargo registrou em compacto simples as vencedoras do 2º festival da Record.

Maria Odette gravou num mesmo compacto as canções *Um dia*, de Caetano Veloso, e *Levante*, de Vandré.

Pocho e sua Orquestra lançaram na Itália um LP com as finalistas do 3º FIC, promovido pela TV Globo.

Jair Rodrigues lançou compacto simples com *Disparada* e *Fica mal com Deus*, ambas de Vandré.

Geraldo Vandré disse certa vez que sua maior glória foi ouvir *Disparada* nas vozes de Tonico e Tinoco.

Tuca gravou em compacto sua parceria com Vandré, *O cavaleiro*, classificada em segundo lugar no 2º FIC.

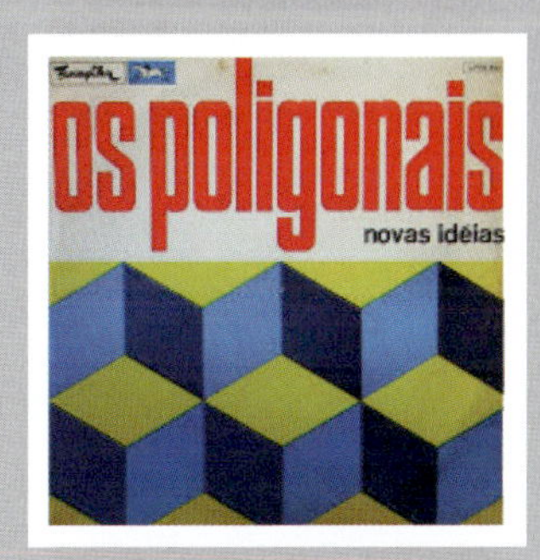

Defendida por Tuca e Airto Moreira, *Porta estandarte*, de Fernando Lona e Vandré, foi regravada por Os Poligonais.

A cantora Dalva de Oliveira também incluiu o sucesso *Porta estandarte* em seu repertório.

Em ritmo de carnaval, Helena de Lima deu um tom nostálgico à marcha-rancho de Lona e Vandré.

Hebe Camargo, que iniciou carreira artística como cantora, gravou *Pequeno concerto que ficou canção.*

O rei do baião gravou dois sucessos de Geraldo Vandré: *Fica mal com Deus* e *Caminhando*.

Amigo de Vandré, que o visitaria no leito de morte, Wilson Simonal emprestou seu suingue a *Disparada*.

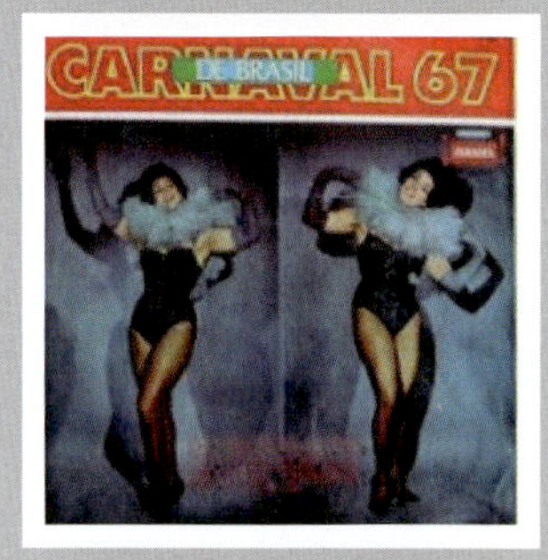

O cantor Roberto Amaral incluiu *Porta estandarte* num disco gravado para o carnaval de 1967.

Parceiro de Vandré no clássico *Disparada*, Théo de Barros cantou o *hit* num dos seus discos solo.

Théo também valorizou a melodia de *Disparada* num CD de violão lançado pelo selo da Paulus Editora.

Primeira a gravar *Caminhando* depois que a censura a liberou, Simone foi criticada pelo compositor.

A musa das Diretas-Já, Fafá de Belém, fez um registro de *Caminhando* que muito agradou a Vandré.

Um belo registro do clássico *Disparada* foi feito pela cantora Zizi Pozzi, no álbum Puro prazer.

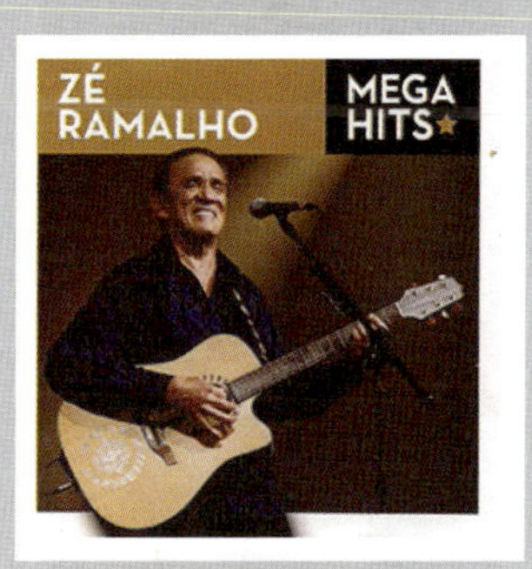

Grande amigo de Vandré, que participou de um dos seus *shows*, Zé Ramalho também gravou *Caminhando*.

Uma das gravações mais inusitadas de *Caminhando* foi feita pela banda de *rock* Charles Brown Jr.

Outro que se apaixonou por *Disparada* foi o cantor sertanejo Daniel, que a incluiu em disco solo.

O próprio Daniel registrou *Disparada* na trilha sonora do *remaker* do filme *O menino da porteira.*

Não resistindo ao apelo caipira da parceria de Théo e Vandré, Sérgio Reis a registrou com orquestra de cordas.

Entre os registros instrumentais da parceria de Théo e Vandré chama especialmente atenção a do Duofel.

Com sua voz privilegiada, Renato Braz incluiu o sucesso *Disparada* num dos seus primeiros CDs.

VIII

NÃO HÁ POR QUE MENTIR

Disparada coloca Geraldo Vandré entre os principais astros da MPB e reafirma sua convicção em fazer músicas que retratem a dura realidade nacional, embora não goste de ser chamado de cantor e compositor de protesto.

CAMPEÃO DE festivais nas TVs Excelsior e Record, Geraldo Vandré se torna quase unanimidade junto ao público, sobretudo estudantes de classe média que se mobilizam contra a ditadura militar. Logo após a vitória na voz de Jair Rodrigues, ele apresenta o *show Vandré canta e conta Disparada*, na FAAP (Fundação Armando Álvares Penteado), no bairro de Higienópolis, em São Paulo. A canção é imediatamente gravada por Tonico e Tinoco, uma das mais autênticas duplas caipiras do país. Na verdade, a ideia é uma imposição da gravadora Chantecler. "A música era bonita, mas a gente teve que ficar oito horas no estúdio para aprender a cantar", dirá Tinoco anos depois a Rosa Nepomuceno, autora do livro *Música caipira: da roça ao rodeio*.

No encontro com Roberto Carlos e Chico Buarque promovido pela revista *Manchete*, Vandré declara: "Uma das minhas maiores alegrias foi saber que Tonico e Tinoco gravaram a *Disparada*. Essa é a minha grande oportunidade de chegar direto ao homem do sertão". Décadas mais tarde, seria a vez de Pena Branca e Xavantinho fazerem o mesmo. Com o tempo, a parceria com Théo de Barros iria se tornar a música mais gravada do seu repertório, recebendo registros dos mais variados.

Disparada seria gravada pelos violeiros Adauto Santos, Adelmo Arcoverde e João Lyra; pelos violonistas Paulinho Nogueira, Nonato Luiz, Yamandu Costa, Juarez Moreira, Maurício Carrilho e Duofel; pelos cantores Wilson Simonal, Sérgio Reis, Daniel, Renato Braz e Ornella Vanoni; pelas duplas sertanejas Leandro e Leonardo, Carlos Cezar e Cristiano, Chitãozinho e Xororó, Zezé Di Camargo e Luciano; pelo trio formado por Elba Ramalho, Geraldo Azevedo e Zé Ramalho no 2º *show O grande encontro*; pelos grupos Titulares do Ritmo, Raíces de América, Garganta Profunda, Quinteto Violado e o chileno Ameríndios. Ganharia até uma versão eletrônica com o *rapper* Rappin'Hood e outra *rock'n'roll*, com Frejat e Arismar do Espírito Santo. Hamilton de Hollanda faria uma instigante gravação com seu bandolim. O próprio Vandré só deixaria um registro feito em compacto simples. Théo de Barros a incluiria em dois CDs de sua carreira solo.

Aproveitando o bafejar da sorte, ainda em 1966, Vandré participa do 1º FIC, promovido pela TV Globo. Criado por Augusto José Marzagão, apresentado pelo locutor Hilton Gonçalves, tendo como tema de abertura uma composição do maestro Erlon Chaves, o festival terá sete edições, entre 1966 e 1972. A música de Vandré é uma parceria com a intérprete Tuca, intitulada *O cavaleiro*, que acaba ficando em segundo lugar. Nada mal, levando-se em conta que a vencedora é *Saveiros*, de Dori Caymmi e Nelson Motta, na voz privilegiada da jovem Nana Caymmi. Em terceiro lugar, *Dia das rosas*, de Luiz Bonfá e Maria Helena Toledo, interpretada por Maysa.

No âmbito político, os militares dão mais um passo para garantir o controle absoluto do país. No final do ano, publicam o projeto de constituição redigido a quatro mãos pelo ministro da Justiça, Carlos Medeiros

Silva, e o jurista Francisco Campos. Como há protestos por parte do MDB (Movimento Democrático Brasileiro), de oposição, e também da Arena (Aliança Renovadora Nacional), partido que dá sustentação ao regime, o governo edita o AI-4, convocando o Congresso Nacional para discutir e votar uma nova constituição em tempo recorde.

Em 24 de janeiro de 1967 é promulgada a nova Carta Magna, que incorpora as medidas estabelecidas pelos atos institucionais e complementares e entra em vigor em 15 de março. O país, outrora conhecido como Estados Unidos do Brasil, passa a se chamar República Federativa do Brasil. Nesse mesmo dia, o marechal Artur da Costa e Silva substitui Castelo Branco na presidência da República. Seu primeiro ato é divulgar o Decreto-Lei 314, que estabelece a famigerada Lei de Segurança Nacional. Desse modo fica institucionalizado o regime militar que apeara Jango do poder.

Frente Ampla

Por enquanto, mais interessado em música do que em política, o público da TV Record – dona da maior audiência nesse período – está radicalmente dividido em duas facções de gostos bem diversos: a turma da Jovem Guarda, programa de iê-iê-iê apresentado nas tardes de domingo pelo "rei" Roberto, o "tremendão" Erasmo Carlos e a "ternurinha" Wanderléa; e os fãs de *O fino da bossa*, também aos domingos, que exibe atrações da chamada MPB sob o comando da "pimentinha" Elis Regina e do "cachorrão" Jair Rodrigues. Pesquisas revelam que o time bossa-novista está perdendo feio na audiência.

Em vez de simplesmente render-se ao sucesso dos cabeludos e tirar *O fino* do ar, Paulinho Machado de Carvalho convoca uma reunião com os contratados da facção MPB. Em busca de uma saída honrosa, o diretor da emissora propõe reunir a turma num programa misto, com quatro núcleos comandados respectivamente por Elis, Gilberto Gil, Vandré e Wilson Simonal. O nome proposto é *Frente ampla da música popular brasileira*, numa referência à frente de oposição aos militares articulada pelos rivais políticos Carlos Lacerda, João Goulart e Juscelino Kubitschek. Nesse encontro, o eloquente Vandré se emociona até as lágrimas, enquanto Nara Leão e Elis Regina – acompanhada do marido, Ronaldo Bôscoli – trocam farpas.

Em 17 de julho – dias antes do lançamento do disco-manifesto *Tropicália ou panis et circences* –, artistas que rechaçam a influência da música americana participam no largo São Francisco, em São Paulo, da passeata contra a guitarra elétrica. Ao som da Banda de Música da Força Pública, os "ativistas" exibem uma faixa com os dizeres "Frente Única da MPB" – expressão que acaba dando nome ao novo programa. Entre os nacionalistas de maior prestígio estão Edu Lobo, Elis Regina, Geraldo Vandré, Gilberto Gil, Jair Rodrigues, Zé Keti e os rapazes do MPB4. Percebendo o vexame, Chico Buarque e Wilson Simonal dão meia-volta e vão direto para o Teatro Record.

Peixe fora d'água no estranho *happening*, o tropicalista Gil diria décadas depois no livro *Furacão Elis*, da jornalista Regina Echeverria, que aquilo "não era bem contra a guitarra. Na verdade, era um ressentimento todo do pessoal se manifestando, uma coisa meio xenófoba, meio nacionaloide: vamos a favor da música brasileira. Aquela passeata era contra um bocado de coisas, mas toda a retórica dos *slogans* era contra a música estrangeira, a música alienante. Era uma coisa meio Geraldo Vandré. Não sei direito também, mas fui pelo lado da solidariedade aos artistas".

Menos influenciáveis, Caetano Veloso e Nara Leão assistem à estranha jogada de *marketing* da emissora entrincheirados no hotel Danúbio, na avenida Brigadeiro Luís Antônio. O compositor comenta que acha aquilo esquisito e a cantora responde na lata: "Esquisito, Caetano? Isso aí é um horror! Parece manifestação do Partido Integralista. É fascismo mesmo".

No confronto entre iê-iê-iê e MPB, os tropicalistas tentam o caminho do meio no quadro que teriam no novo programa. Fariam uma espécie de desagravo, no qual Maria Bethania – recém-lançada pelo *Show opinião* – deveria interpretar *Querem acabar comigo*, sucesso de Roberto Carlos, vestida bem no estilo Wanderléa, com direito a saia de couro e tudo. Vandré toma conhecimento da proposta de Caetano e seu parceiro Torquato Neto, que parece apoiar a estética dos cabeludos do iê-iê-iê nacional. Furioso, ele resolve tomar satisfações e diz que aquilo é uma traição, uma sabotagem contra a cultura nacional. De certa forma, age como se quisessem acabar com ele próprio.

Vandré vai até o apartamento de Gil, no hotel Danúbio, onde Caetano se encontra. Começa a gritar, dizendo que "isso pode ser muito bom como sociologia, mas não estamos fazendo tese acadêmica. Estamos fazendo arte e temos que defender a música brasileira". Segundo Caetano, o ex-colega teria usado palavras agressivas, dando murros na parede e chorando feito uma criança. Por mais ridículo que isso possa parecer, o caso é que serviu para que os tropicalistas cancelassem o tal manifesto.

De qualquer modo, *O fino da bossa* dá lugar ao *Frente única*, dirigido por Solano Ribeiro. Mas o novo programa não resiste por muito tempo. Na estreia, comandada por Vandré, coreografada pelo bailarino norte-americano Lennie Dale e gravada no Teatro Paramount, parte do público vaia a sambista Clementina de Jesus, chamando-a de "macaco". Revoltado, Caetano se retira da plateia depois de protestar contra o racismo e a estupidez dos jovens presentes.

Piorando a situação, o DOPS (Departamento de Ordem Política e Social) havia fichado Elis e Simonal como subversivos. Mais tarde isso talvez tenha servido para que os dois fossem intimidados a cantar nas Olimpíadas do Exército. O ato contra a guitarra havia sido considerado "eminentemente subversivo" porque "propiciaria a infiltração de universitários que apresentariam faixas e cartazes anunciando o encerramento do 23º congresso da UNE, burlando, dessa forma, a repressão política".

Décadas depois, o jornalista Nelson Motta diria ao colega Ricardo Alexandre, autor da biografia de Simonal intitulada *Nem vem que não tem*: "Aquela rivalidade passou a ser alimentada durante o ano inteiro pela Record. Quando chegava o festival, era como se fosse uma eleição, com campanhas simultâneas. Fulano era bom porque era trotskista, o outro era da Ação Católica. Era movimento estudantil misturado com música, misturado com política".

A bronca entre Vandré e a turma da Tropicália atravessaria décadas. Numa declaração ao caderno *Folhetim*, da *Folha de S.Paulo*, em dezembro de 1977, o maestro Rogério Duprat lembra ter participado dos grandes festivais, "inclusive na Excelsior, onde o Geraldo Vandré apareceu. Até dei zero para ele, mas não adiantou nada, foi aquele sucesso... Até hoje acho ruim tudo aquilo que ele fez e continua fazendo". Três anos mais tarde, o compositor paraibano daria o troco numa entrevista: "O Rogério Duprat deve ter ficado surdo de tanto ouvir a barulheira dos tropicalistas". De certa forma, a polêmica remontava as divergências da Semana de 22: antropofagia *versus* nacionalismo, Oswald *versus* Mário de Andrade ou, ainda, Monteiro Lobato *versus* modernistas.

No dia seguinte ao da marcha contra a guitarra morre o marechal Castelo Branco. Ele havia acabado de ser substituído no cargo de presidente pelo colega Artur da Costa e Silva. A morte ocorre num acidente aéreo que nunca seria conclusivamente explicado. Como num filme de James Bond, o agente britânico 007 criado pelo escritor Ian Fleming, um caça T-33 da FAB atinge a cauda do Piper Aztec PA 23 no qual o ex-presidente viaja, derrubando a aeronave. Apenas um tripulante sobrevive, enquanto o caça pousa sem maiores danos. Castelo tinha como vice o civil José Maria Alkimin e havia sido pressionado pelos colegas a passar a faixa presidencial. Junto com o senador Daniel Krieger, líder da Arena, ele estaria organizando um movimento para evitar o endurecimento do regime, e há quem diga que seu desejo era devolver o poder aos civis o quanto antes. Tanto que Juscelino votou em sua chapa no colégio eleitoral.

Violada no palco

Ainda em 1967, Vandré participa do histórico 3º Festival da MPB da Record, realizado no Teatro Paramount, em São Paulo. Histórico porque, entre os premiados, se destacam alguns dos maiores nomes da canção nacional que estão se firmando. Ele concorre com *Ventania* ou *De como um homem perdeu seu cavalo e continuou andando*, com música e letra quilométricas de sua autoria – que considera melhor que *Disparada*. Segundo Hilton Acioli, o título teria sido inspirado no cordel *De como um homem perdeu a bunda no Ceará caçando emprego e não achou*.

Se na apresentação de *Disparada* o incremento festivalesco era a queixada de burro, agora a curiosidade fica por conta de uma buzina de caminhão ligada a uma luz colorida, que serve de instrumento percussivo no refrão (*Eu já fui até soldado / Hoje muito mais amado / Sou chofer de caminhão*). Com tanto exotismo e uma letra que narra uma longa saga, o artista é vaiado e não consegue se classificar para a fase final.

O primeiro lugar fica com *Ponteio*, de Capinam e Edu Lobo, que canta junto com Marília Medalha, Momento 4 e Quarteto Novo; o segundo com *Domingo no parque*, de Gil, que se apresenta com um belíssimo arranjo de

Rogério Duprat com direito às guitarras elétricas da banda Os Mutantes; o terceiro com *Roda viva*, de Chico Buarque, com ele e o MPB4; o quarto com *Alegria alegria*, de Caetano Veloso, com ele e o grupo de *rock* argentino *Beat Boys*; o quinto com *Maria, carnaval e cinzas*, de Luiz Carlos Paraná, na voz de Roberto Carlos, numa de suas raras interpretações de samba.

O momento mais tenso da grande final se dá quando Sérgio Ricardo, autor de *Beto bom de bola*, perde as estribeiras diante das vaias. Sem conseguir cantar, ele se enfurece e grita ao microfone: "Vocês ganharam". Em seguida, quebra o violão numa cadeira e o joga na plateia. O apresentador Blota Júnior fica pasmado e pergunta se alguém se machucou. Pouco antes da divulgação dos resultados, Roberto Carlos faz piada nos bastidores, dizendo que Edu Lobo não poderia reapresentar *Ponteio* "porque o Sérgio Ricardo quebrou a viola". O evento seria resgatado pelos cineastas Renato Terra e Ricardo Calil, no documentário *Uma noite em 67*, lançado em 2010.

O fato de não se classificar no festival não impede que Vandré seja convidado pela Record para apresentar seu próprio programa. A sugestão é de Alberto Helena Jr., produtor de *O pequeno mundo de Ronnie Von*, atração semanal que tem a presença constante de Os Mutantes (grupo de Arnaldo Baptista, Rita Lee e Sérgio Dias cujo nome inicial era Os Bruxos). Vandré é contratado para receber 8 milhões de cruzeiros no momento em que Roberto Carlos ganha 3 milhões, e ainda recusa convite da TV Excelsior que lhe oferece 12 milhões para apresentar *Ensaio geral*. Contudo, *Disparada* fica apenas três meses no ar, revezando Solano Ribeiro e Roberto Santos na direção.

Certo dia, enquanto grava um monólogo com um texto de Guimarães Rosa, Vandré é interrompido pelo roteirista, que é o próprio Alberto Helena Jr. Este pede para que ele grave depois, já que o ilustre convidado Ataulfo Alves está esperando na coxia. Vandré não gosta da intervenção e diz ao microfone, para todo mundo ouvir, que Solano é que é o diretor do programa. Irritado, o jornalista joga o *script* pra cima e se retira do palco. Vandré corre atrás dele e o chama para resolverem na rua. Em seguida, acerta-lhe um soco na cabeça e volta para o estúdio. Alberto o aguarda num bar próximo do teatro e pouco depois vai à forra, o que resulta numa cena de pugilato.

No mesmo ano, acompanhado pelo Trio Marayá e pelo Quarteto Novo – o antigo trio finalmente incorpora o flautista alagoano Hermeto Pascoal –, Vandré lança um compacto simples pela Odeon, tendo *Arueira* no lado A, com melodia e letra de sua autoria; e *João e Maria*, feita com Hilton Acioli, no lado B. No dia 27 de julho, numa coletiva com a imprensa, o compositor declara não fazer parte de nenhuma *Frente única da MPB* e afirma que a música brasileira não tem apoio de empresários e que todos, inclusive os diretores da Record, só se interessam pelos lucros.

"Ele agora só pode fazer duas coisas: ou se retratar ou sair", reage Paulinho Machado de Carvalho numa entrevista ao jornal *O Estado de S. Paulo*: "Não há nenhum contrato que o prenda à nossa emissora, como se divulgou erroneamente. Seu salário de julho será pago no dia 5 e nós simplesmente não vamos mais programá-lo". Numa carta aberta endereçada a Paulinho, via imprensa, Vandré lamenta o fato, mas não se retrata. Finaliza dizendo que suas declarações resultam "da consciência de um homem livre; essa consciência não está a seu serviço nem fazia parte do nosso contrato".

Pouco depois, sua composição *De serra, de terra, de mar*, feita em parceria com Hermeto Pascoal e Théo de Barros, passa em branco no 2º FIC da TV Globo. O primeiro colocado dessa vez é Gutemberg Guarabyra com *Apareceu a Margarida*; o segundo é Milton Nascimento com *Travessia*, dele e Fernando Brant; o terceiro é Chico Buarque, com *Carolina*, defendida por

Cynara e Cybele; o quarto é Edino Krieger com *Fuga e antifuga*, com letra de Vinicius de Moraes; e o quinto é Capiba com *São os do Norte que vêm*, em parceria com Ariano Suassuna, na voz de Claudionor Germano.

Num ano de mau humor e vacas magras, nada é tão ruim que não possa piorar. Vandré acaba se desentendendo com os músicos do Quarteto Novo e também com a mulher, Nilce. Numa das brigas do casal ocorrida anteriormente, ele compôs *Pequeno concerto que ficou canção*, música gravada nos discos *Geraldo Vandré*, de 1964, e *5 anos de canção*, de 1966. "Essa música foi feita por ele após uma briga nossa que por pouco não acabou com a relação", confirma a ex-mulher em 2014. "Geraldo me deu a letra num último encontro que tivemos após a briga. Acabei ligando pra ele e então fizemos as pazes." Mesmo assim, os dois se separam em 1967.

Luta estudantil

O momento internacional é de efervescência e mudança de hábitos. Na segunda-feira, 1º de janeiro de 1968, toma posse na Tchecoslováquia o governo reformista de Alexander Dubcek, que logo dá início à chamada Primavera de Praga. As reformas adotadas por ele têm apoio de intelectuais do Partido Comunista Tcheco e visam conceder direitos adicionais aos cidadãos e descentralizar a economia. As medidas também objetivam ampliar a democracia e relaxar as restrições à imprensa e à liberdade de expressão. O movimento dura até 21 de agosto, quando tropas soviéticas e tanques de guerra do Pacto de Varsóvia invadem o país.

Em Paris, estudantes paralisam universidades e escolas de ensino secundário, dando corpo a uma greve geral sem precedentes na história da França. O movimento de maio de 1968 adquire proporções revolucionárias, mas não encontra apoio do Partido Comunista Francês, de orientação stalinista. A tentativa do governo de Charles de Gaulle de reprimir os protestos com ações policiais no Quartier Latin só contribui para agravar o conflito, resultando na adesão de quase 10 milhões de trabalhadores, que passam a ocupar fábricas em todo o país. O governo quase entra em colapso. Dissolve a Assembleia Nacional e convoca eleições parlamentares para 23 de junho. Com isso, o movimento grevista se esgota e a vida nacional retoma a normalidade.

Nos Estados Unidos, o Movimento pela Livre Expressão estudantil de 1964 inspira a organização juvenil. Com a aceleração da guerra no Vietnã, a SDS (*Students for a Democratic Society*, traduzindo: Estudantes para uma Sociedade Democrática) e outras entidades organizam campanhas nacionais contra o serviço militar obrigatório e a presença de tropas americanas na guerra. Em janeiro de 1968, a polícia ataca 400 estudantes que protestam durante uma reunião chefiada pelo secretário de Estado Dean Rusk. No dia 8 de fevereiro, na Carolina do Sul, três jovens são mortos por policiais numa manifestação por direitos civis.

Na primeira semana de março, alunos da Universidade de Nova York realizam protesto contra a empresa Dow Chemical, principal fabricante de armas biológicas usadas na guerra. Também na Universidade de Columbia os estudantes se mobilizam contra o fato de a instituição desenvolver pesquisas militares e também exigem o fim do plano de expansão do *campus* em terras expropriadas de negros do Harlem. Em 4 de abril, o pastor e ativista dos direitos civis Martin Luther King é morto a tiros na cidade de Memphis, Tennessee. Nos três anos seguintes, serão realizados os maiores protestos estudantis da América, com a participação de 215 mil jovens e a prisão de 3.652 deles.

Tudo isso influencia o movimento estudantil brasileiro na luta contra o regime militar. Os protestos são reprimidos cada vez com mais violência, culminando na morte do secundarista Edson Luís, no episódio do restaurante Calabouço. Solidários com os estudantes e com o movimento dos trabalhadores, artistas da MPB se tornam mais presentes nos atos contra a ditadura. Muitos ocupam a primeira fileira na Passeata dos 100 Mil. Embora tenha dito não ao engajamento de sua arte nos tempos do CPC da UNE, Vandré não foge à luta. Suas músicas se tornam cada vez mais políticas, abordando temas da atualidade e se colocando ao lado do povo brasileiro.

IX

ESPERAR NÃO É SABER

Considerado o festival mais importante da MPB, o 3º FIC marca o auge de Vandré e polariza a lírica e o protesto político; pouco antes, o compositor apresenta sua *Paixão segundo Cristino* e homenageia Che Guevara na Bulgária.

PARA GERALDO Vandré, 1968 começa com uma desafiadora encomenda dos freis dominicanos do convento de Perdizes, na zona oeste de São Paulo. Querem que ele escreva a trilha musical e os versos para um auto de Sexta-feira da Paixão, intitulado *Paixão segundo Cristino* (*Paixão brasileira*). Entre os freis está João Antônio Caldas Valença, pernambucano de Garanhuns que havia dirigido a JEC (Juventude Estudantil Católica) em janeiro de 1960.

Valença ficou amigo de Vandré quando era sacerdote na Capela de São José Operário, também chamada de Capela do Vergueiro, na zona sul de São Paulo. Outro que se tornaria conhecido do artista é frei Tito de Alencar Lima, que no ano seguinte será barbaramente torturado sob as ordens do delegado do DOPS, Sérgio Paranhos Fleury. Sem superar o trauma, o jovem ativista acabará se enforcando num galho de árvore, em 1974, no convento dominicano de Lyon, na França.

A ideia dos freis é criar um paralelo entre o martírio de Jesus no Calvário e o sofrimento dos migrantes nordestinos, que fogem da seca, da fome e da miséria. O tema dos retirantes já havia sido exaustivamente abordado por escritores regionalistas, como José Américo de Almeida (*A bagaceira*), Raquel de Queiroz (*O quinze*) e Graciliano Ramos (*Vidas secas*), além do poeta João Cabral de Melo Neto (*Morte e vida Severina*). Também inspirou dezenas de compositores populares, entre eles Luiz Gonzaga e Humberto Teixeira, além de João do Vale – o maranhense autor de *Carcará* cujo talento fora revelado no *show Opinião*, de Augusto Boal, em dezembro de 1964, no Teatro de Arena. Contudo, a seca é sempre atual, um problema agravado pelo coronelismo e longe de ser resolvido pelas autoridades constituídas.

Influenciados pelas decisões do Concílio Vaticano II, que recomenda mudanças nos rituais de celebração católica em busca de maior proximidade com os fiéis, os dominicanos chegaram a cogitar Caetano Veloso, Chico Buarque, Clementina de Jesus e o próprio João do Vale para o trabalho. No entanto, o sucesso de Vandré e o alcance social de suas composições pesam a seu favor. Décadas depois, frei Valença dirá que o artista era "vaidoso e egocêntrico". Segundo ele, de temperamento explosivo, Vandré simplesmente ameaçou não cantar devido à falta de uma tuba entre os instrumentos musicais do espetáculo.

Quem também participa da celebração de 12 de abril de 1968 é frei Bernardo Pires de Vasconcelos, com 18 anos na época. Numa entrevista a Vitor Nuzzi, ele dirá que Vandré "não só era extremamente vaidoso, era muito autoconfiante; ou melhor, arrogante em relação às suas qualidades artísticas, poéticas, musicais e outras". No entanto, nada impede o artista de realizar o trabalho encomendado pelos religiosos. Mesmo se dizendo ateu, ele aceita a opinião dos freis, alguns deles ligados à ALN (Aliança Libertadora Nacional), grupo guerrilheiro liderado pelo ex-deputado baiano Carlos Marighella – que será morto no ano seguinte por agentes da repressão.

De camisa branca, calça azul e sandálias franciscanas, o próprio Vandré abre a celebração cantando a Ladainha. (*Perdoa o calor e a maldade / Que causa o nosso amor à liberdade / Ajuda-nos seguir o que é mais forte / Mais forte do que a vida e do que a morte*). Aos vinte e três anos, o compositor e jornalista Nelson Motta assiste à missa e noticia a celebração quatro dias depois, em sua coluna *Roda viva*, publicada no jornal *Última Hora*. A direita reage ao texto, principalmente devido à menção elogiosa à atuação de Geraldo Vandré. Num artigo publicado em *O Globo* e reproduzido no *O Estado de S. Paulo*, Gustavo Corção qualifica o evento como "imbecilidade paralitúrgica".

Em editorial ironicamente intitulado *A paixão segundo São Geraldo*, o *Jornal da Tarde* afirma que o Cristo dos dominicanos é "novo e meio bobo, na medida em que não sabe por que e para que morreu nem o que significará sua morte". Em seguida, faz um paralelo com a crise da Tchecoslováquia, dizendo que, ao contrário do Leste Europeu, na zona oeste de São Paulo a luz divina estaria se apagando. Em nota oficial, o arcebispo de São Paulo, cardeal Agnelo Rossi, também condena o espetáculo.

Apesar das críticas e da pressão reacionária, *Paixão segundo Cristino* é reapresentada nas comemorações do 1º de Maio, no ABC paulista. Dessa vez na igreja de Santa Teresinha, em Santo André, com a participação do coro de alunos do Liceu Pasteur e um público de quase mil pessoas. No fim da celebração de quase uma hora, Vandré, emocionado, declara: "Quero oferecer esta Paixão à memória dos operários que tombaram trabalhando e lutando por nós. À memória também do estudante Edson Luís, assassinado pela força da opressão". A plateia explode em aplausos.

O bispo dom Jorge Marcos de Oliveira elogia o espetáculo, reagindo aos críticos conservadores que apoiam o regime militar: "Quanto à posição do senhor cardeal, eu a respeito, mas acho que a obra de Vandré tem realmente uma grande força educativa para o cristão de todo o mundo subdesenvolvido e espero vê-la traduzida e apresentada em muitos outros países irmãos do nosso pelo sofrimento".

Ao assumir a diocese no final da década de 1950, dom Jorge Marcos já havia se comprometido com as causas sociais: "Impressionou-me vivamente a massa dos operários, à hora da saída das fábricas. Para eles é que porei o maior empenho de meu trabalho de bispo. Creio, firmemente, que a ação mais urgente no seio das classes operárias é aquela que mostra o Cristo Salvador e aponta o céu. É aquela que lembra ao homem, sejam quais forem as suas condições sociais ou econômicas, a responsabilidade e a dignidade da pessoa humana".

Homenagem a Che

Contratado pela TV Bandeirantes para apresentar o programa *Canto geral* – mesmo nome do seu quarto LP, lançado pela Odeon –, Vandré não demora a sentir o peso da censura. Boa parte do *script* de estreia é cortada pelos agentes do governo e em vão ele roda a baiana: "Ou me dão liberdade inteira para eu fazer um programa com arte ou não dão. Não quero ser meio livre. Ou sou livre inteiro ou não sou nada".

A solução encontrada pela emissora é mudar o nome da atração para *Canto permitido*. Participam da estreia o pianista Pedrinho Mattar, o compositor e violonista Toquinho – ainda sem Vinicius – e a dupla Cynara e Cybele. Ambas já integram o Quarteto em Cy, cujo primeiro LP inclui as duas parcerias do apresentador com Carlos Lyra: *Aruanda* e *Quem quiser encontrar o amor*. O programa dura poucos meses, num clima de total desorganização. Para piorar a situação, Vandré exige a contratação do seu amigo Fernando Faro, diretor da Tupi. A partir daí a coisa desanda.

Chamando cada vez mais a atenção dos militares para o teor político de sua música, Vandré compõe com Marconi Campos da Silva a canção *Che*, cuja letra homenageia o líder revolucionário assassinado em 9 de outubro de 1967 na região de La Higuera, interior da Bolívia. Na verdade, Marconi havia feito um tema instrumental com o mesmo nome, que dizia ser dedicado aos gaúchos da fronteira. Ele não queria que o parceiro colocasse letra e por isso acabaram fazendo uma segunda composição, que se tornaria mais conhecida. Acompanhado pelo Trio Marayá, o próprio Vandré a defende no Festival Mundial da Juventude, em Sófia, capital da Bulgária, ganhando o prêmio de melhor intérprete.

Contratado para dez apresentações na União Soviética, ele se desentende com um oficial russo ligado à área cultural de Moscou que deseja conhecer o "cantor-filósofo brasileiro". O artista manda o intérprete dizer ao militar que os soviéticos são uns bunda-moles por não o ajudarem a enfrentar a ditadura. Diante do embaraço, a turnê é cancelada. O que quase ninguém sabe é que o compositor já havia combinado com o Trio Marayá o acompanhamento de *Caminhando* no 3º FIC. Diante da suspensão dos *shows* em países da cortina de ferro, ocorre um desentendimento entre ele e o grupo. De passagem por Paris, Vandré visita a embaixada cubana e briga com o embaixador: "O povo em Cuba passando fome e esse filho da puta andando de limusine", esbraveja.

Mesmo a distância, o SNI continua a vigiá-lo: "Geraldo Vandré é tido como comunista atuante. Consta que seu pai, médico em João Pessoa, é um dos chefes comunistas do estado da Paraíba. Segundo anotações datadas de 13 de agosto de 1968, GV é identificado como pertencente ao movimento denominado AP (Ação Popular, grupo de orientação católica). Encontra-se na Bulgária, onde participou do Festival Mundial da Juventude realizado em Sófia, concorrendo com a apresentação de uma canção denominada 'CHE', obtendo o 1º lugar, sendo-lhe agraciado o grande prêmio medalha de ouro. O cantor em apreço deixou o Brasil no dia 22 de julho último, acompanhado do Trio Maraiá (*sic*), compondo uma comitiva de 150 pessoas, incluindo intelectuais, estudantes e parlamentares. Consta que atualmente se encontra em Moscou, onde fará uma série de apresentações na TV russa. Seu regresso está previsto para o dia 30, em São Paulo, vindo de Lisboa. (Informação 093, DOPS/DI, 14-10-1968)".

A delegação chinesa em Sófia aproveita para distribuir exemplares do *Livro vermelho*, de Mao Tsé-Tung, em diversos idiomas. Vandré recebe um volume em português, com o qual presenteia um estudante de vinte anos chamado Leon Cakoff, tão logo retorna ao Brasil. Mais tarde, Leon será o organizador da Mostra Internacional de Cinema de São Paulo. Décadas depois, numa entrevista a Vitor Nuzzi, ele dirá que ambos se conheceram numa palestra do cantor na escola secundária do Tucuruvi, zona norte de São Paulo, onde estudava. De olho numa professora, Vandré teria convidado a ambos para conversar em seu apartamento e tentou contratá-la para ser sua secretária. A moça recusou o convite e o rapaz assumiu o posto. O salário era pequeno, mas lhe permitiu matricular-se no pré-vestibular Equipe. Seu objetivo era estudar física.

"Tinha pilhas e toneladas de cartas para responder", lembra Leon no livro de Nuzzi. Trabalhando na cobertura de Vandré num prédio da alameda Barros, em São Paulo, o estudante testemunhava longas discussões políticas: "O apartamento dele era um aparelho... A gente tinha uma causa, derrubar a ditadura". Segundo o ex-secretário, Vandré "achava que seria um dos porta-bandeiras desse movimento mundial de transformação". Contudo, confessa um tanto decepcionado: "Eu via que atrás dessas articulações havia briga, que era uma fogueira de vaidades. Tinha gente reclamando que não sei quem deveria estar na linha de frente das passeatas, com suas faixas e tal, por pura questão de vaidade, para sair nas fotos. Geraldo era pouco conciliador".

Revolução e vanguarda

Em meados de 1968, o pensamento de Vandré em relação à função de sua arte é coerente e cristalino. Um texto seu reproduzido no fascículo da série *Nova História da Música Popular Brasileira* exemplifica isso: "A expressão 'artista revolucionário' é pleonástica. Um artista só pode ser considerado artista quando sua arte é revolucionária. Para as pessoas que têm medo do termo 'revolucionário', a denominação poder ser 'de vanguarda'. E de vanguarda e revolucionário é tudo aquilo que acrescenta algo de novo à vida, em qualquer estrutura, em qualquer sociedade, em qualquer tempo". Consta que ao ouvir a gravação de *Baby*, de Caetano Veloso na voz de Gal Costa – num restaurante chamado Patachou, em São Paulo –, Vandré teria dado um murro na mesa e gritado: "Isso é uma merda". Diante da ofensa, Caetano reagiu com veemência e ambos só voltariam a se falar no exílio.

Na contracapa do LP *Canto geral*, o próprio Vandré ressalta: "Nesse disco, a palavra Geral tem de mim somente uma vontade muito grande de colocar-me sem pudores como instrumento da comunicação, de tudo o que aprendi a ver, ouvir, pensar e sentir a respeito do meu tempo, do meu lugar e da gente que vive neles". Anos mais tarde, Hilton Acioli, parceiro do cantor em quatro faixas do vinil, revelaria que "a voz do Geraldo era gravada sempre direta com os instrumentos do trio (Marayá), o Edgar (viola solo) e mais o Cleon (corne inglês e oboé), pois o Geraldo não gostava de gravar em *playback*, como seria normal, e tinha mesmo certa dificuldade para isso. Só a parte vocal do trio foi feita em *playback*".

O compositor abre o LP cantando *Terra plana*, de sua autoria. Como introdução, ele fala de forma contundente, quase dramática, um poema que tem o efeito de uma carta de princípios do seu cantar. Vale destacar os últimos versos:

Não separo dor de amor.
Deixo claro que a firmeza do meu canto
Vem da certeza que tenho,
Que o poder que cresce sobre a pobreza
E faz dos fracos riqueza
Foi que me fez cantador.

A preocupação política e estética do artista forjado sob a influência da cultura nordestina culminaria na composição que o transformou de vez em inimigo do governo militar e num símbolo da resistência contra a ditadura. Mesmo perdendo o primeiro lugar para *Sabiá* no 3º FIC, *Pra não dizer que não falei das flores* (*Caminhando*) nunca mais sairia do imaginário nacional.

Não existe unanimidade sobre a fonte de inspiração dessa música, e o próprio compositor parece não estar interessado em desvendar o mistério. Seja qual for a versão correta – resposta ao *rock Revolution* de The Beatles, crítica à agressão sofrida pelo governador Abreu Sodré na praça da Sé ou admiração pela apoteótica Passeata dos 100 Mil – o que importa é que nenhuma outra canção brasileira permaneceria proibida por tanto tempo ou se tornaria um hino cantado em todo tipo de manifestação popular por quase meio século.

Como analisa Joaquim Aguiar no livro *A poesia da canção*, *Caminhando* "lembra uma toada à moda dos cantadores nordestinos, ou talvez uma marcha entoando em ritmo lento os versos com acento contínuo na terceira sílaba: 'caminhando e cantando e seguindo a canção'. Os versos longos (alexandrinos, ou de 12 sílabas), organizados em quadras, contribuem para o andamento firme e constante da melodia. As rimas pobres (todas em ão) facilitam a memorização do texto longo e descritivo da canção. O propósito de Geraldo Vandré, como se pode ver, era fazer um canto geral (atenção: veja as marcas do coletivo no discurso: somos, vamos, nós, eles) para ser entoado pela multidão".

O maior dos festivais

Músicos, críticos e estudiosos da MPB não têm dúvidas em apontar o FIC de 1968 como o mais rico e mais polêmico de toda a série de festivais realizada no país. Numa reportagem sobre o livro de Solano Ribeiro, *Prepare seu coração: a História dos grandes festivais*, publicada em 23 de fevereiro de 2003, o jornal *O Estado de S. Paulo* ressalta que "o último grande festival foi o terceiro internacional" da emissora de Roberto Marinho. Foram inscritas 5.508 canções em vários estilos, das quais uma equipe contratada selecionou apenas quarenta para disputar as eliminatórias.

Em seu livro *A era dos festivais: uma parábola*, Zuza Homem de Mello revela detalhes que não vieram a público naquela época. Ele trabalhava como engenheiro de som nos programas de música e festivais da TV Record de São Paulo e também estava por dentro dos bastidores do FIC. Como novidade, a TV Globo, que dividia a organização do evento com a Secretaria de Turismo da Guanabara, resolvera expandir o festival para outros estados. "São Paulo teria direito a seis vagas planejadas para as semifinais nacionais, Minas teria duas, Bahia, Pernambuco, Paraná e Rio Grande do Sul teriam uma cada e o Rio as vinte e oito restantes, para o total de quarenta canções".

A fase paulista foi realizada no TUCA (Teatro da Universidade Católica) no mês de setembro. Trabalhando para a Globo, o antigo assistente de Solano Ribeiro, Renato Corrêa de Castro, reuniu-se com o grupo encarregado de selecionar entre 1.008 canções inscritas em São Paulo as 24 que deveriam participar das eliminatórias. Homem de Mello registra que, entre as escolhidas, "algumas tinham tudo a ver com o que ocorria. Basta ver os títulos: *É proibido proibir* (Caetano Veloso), *Canção do amor armado* (Sérgio Ricardo), *Questão de ordem* (Gilberto Gil), *América, América* (César Roldão Vieira) e *Pra não dizer que não falei das flores* (Geraldo Vandré)".

Corrêa de Castro considerou que "a música de Vandré era um prato cheio, ia sem peias ao assunto que fazia rangerem os dentes os censores. Geraldo carregou nas tintas". Sua preocupação se estende até a fase final do evento. Temendo ter de arcar sozinho com as consequências caso a referida música vença o festival, ele recorre aos superiores Boni e Walter Clark. Para surpresa geral, ambos resolvem arriscar a sorte, quase certos de que a referida canção nem chegaria a ser classificada.

Contrariando a expectativa, a composição de mensagem forte e direta acaba sendo aprovada nas semifinais de São Paulo, chegando às eliminatórias do Rio e sendo escolhida para a grande final da fase nacional do FIC. "A música foi delirantemente aplaudida, deixando Vandré tão emocionado, que chegou a passar mal nos bastidores", lembra Homem de Mello. Confirmando a denúncia da líder de torcida Telé Cardim, Walter Clark chegou a ser advertido pelo ajudante de ordens do general Sizeno Sarmento sob a determinação de que "nem *Caminhando* nem *América, América*, ambas com certificado da Polícia Federal, poderiam ganhar o festival".

Clark tentou argumentar, mas de nada adiantou. Contudo, nem ele nem o criador do evento, Augusto José Marzagão, tomaram providências a respeito do assunto – provavelmente por temerem uma "repercussão imprevisível" junto ao público e à imprensa. Mais tarde, Clark confirmaria o episódio no livro *O campeão de audiência – uma biografia*, escrito em parceria com o jornalista Gabriel Priolli.

Homem de Mello afirma que Vandré ficou sabendo da restrição dos militares à sua música. Prova disso seria o fato de o compositor ter chegado ao Maracanãzinho no carro de reportagem da revista *Manchete*, com os repórteres João Luiz Albuquerque e Renato Sérgio. O pesquisador recorda que o músico "se aproximou dizendo que estava com medo de ser preso" e achou melhor pedir carona aos jornalistas.

No final da noite, ao sair do ginásio, Geraldo é cercado pelos fãs e se vê obrigado a subir no capô de um carro empunhando o violão para bisar a música. Calorosamente aplaudido, apela ao bom senso: "Isso está virando comício; por favor, me deixem ir embora". Como registrou a revista *Veja* na edição de 9 de outubro de 1968, Vandré "foi embora com a roupa intacta, mas a esta altura as flores que ele plantara na sua canção já não lhe pertenciam". Aos trinta e três anos e no auge da fama, o cantor e compositor talvez pressentisse que ali começava seu calvário.

Numa declaração feita logo após a grande noite, o general Luís de França Oliveira, secretário de Segurança da Guanabara, afirma: "Essa música é atentatória à soberania do país, um achincalhe às forças armadas e não deveria nem mesmo ter sido inscrita no festival". Décadas depois, em conversa com o jornalista Vitor Nuzzi, o jurado Ziraldo diz ter dado nota dez para *Caminhando* e lembra a frase emblemática do compositor numa conversa que tiveram num restaurante do Rio, logo após a finalíssima da fase nacional: "Eu tinha exatamente o que fazer com o dinheiro. Os companheiros precisavam dessa ajuda". Dulce Maia, militante da VPR, declarara que Vandré fazia *shows* para ajudar grupos que se opunham ao regime militar.

Em 2007, num momento de extrema lucidez, o compositor escreveria um pequeno texto para o trabalho de conclusão de curso da futura jornalista Jeane Vidal. "Mais que uma canção, *Caminhando* foi um desnudamento", define. "Um dizer-se tudo quando era proibido dizer-se quase tudo. Sem ofensas e sem reivindicações. Um relato indeclinável para todos nós, brasileiros, que ali nos reunimos num concurso de arte, sem paradigma e sem igual, até hoje, para mim." Ao contrário do que era de se esperar de alguém que foge da imprensa feito o diabo da cruz, o artista foi receptivo e colaborou ao seu modo com o trabalho da estudante.

"Minha primeira tentativa de contato foi por meio da irmã dele (Geise). Liguei pra ela e expliquei que estava fazendo um trabalho sobre o Vandré e gostaria muito de falar com ele", lembra Jeane em 2014. "Ela anotou o meu telefone e disse que daria o meu recado. Para minha surpresa, meia hora depois Vandré retornou a minha ligação. Tivemos um único encontro pessoal e vários contatos por telefone, até que finalmente ele aceitou me conceder uma entrevista desde que fosse por escrito. Depois de pronto, entreguei a ele um exemplar do livro, mas nunca tive um retorno quanto ao resultado. Ele simplesmente se recusou a emitir qualquer opinião, mas soube por intermédio de amigos pessoais dele que ele gostou." A jornalista também afirma que alguns entrevistados evitaram responder perguntas que pudessem causar mal-estar ou prejudicar o relacionamento com o cantor. Ela explica que não publicou o trabalho porque "essa foi uma das condições impostas por ele para ceder entrevista".

De herói a mártir

Na edição de 1º de outubro de 1968 o jornal *Última Hora* publica reportagem na qual o jurado Eli Halfoun garante que o júri do 3º FIC trabalhou livremente na escolha das canções: "Não houve – como estão querendo fazer crer – a menor pressão sobre o júri. Pelo contrário: o embaixador Donatello Grieco agiu com a maior honestidade, sem dar nenhuma opinião, sem votar, limitando-se apenas à contagem dos pontos. A direção do festival e a direção da TV Globo – justiça seja feita – também não abriram a boca, nem participaram das reuniões do júri. Vandré não ganhou simplesmente porque a maioria dos jurados achou que ele não merecia".

Por sua vez, o jornalista e dramaturgo Nelson Rodrigues, que adorava provocar a esquerda, faz uma curiosa previsão na crônica intitulada *Herói e mártir*, publicada em *O Globo* por ocasião do 3º FIC e selecionada por Ruy Castro para a coletânea *A cabra vadia: novas confissões*: "O sujeito, depois de escrever o que Vandré escreveu, e de cantar o que ele cantou, não pode ficar no Maracanãzinho recebendo *corbeilles* como na ópera. É pouco. O leitor e ouvinte imagina que ele ouviu tudo aquilo numa sessão espírita, como um médium de Guevara. Depois de tal canção, só lhe resta uma saída: correr para se encontrar com o próprio martírio na primeira esquina".

O escritor Fernando Sabino, em sua crônica publicada na revista *Manchete*, se mostra impressionado com Vandré: "Achei simpático o jeito modesto do rapaz, de camisa esporte e suéter, olhar tímido e cabelo caído na testa, violão em punho, cantando e acompanhando ele mesmo a sua canção, sem orquestra nem nada. Pareceu-me um artista de talento e competência, cioso de seu ofício, compenetrado de seu papel – merecedor, portanto, do aplauso que teve. A multidão o aplaudiu delirantemente. Eu também aplaudiria, se estivesse lá".

O "príncipe da crônica", Rubem Braga – que recusara um convite da TV Globo para integrar o corpo de jurados do festival –, também escreve sobre o compositor paraibano em sua coluna no *Diário de Notícias*, edição de 3 de outubro: "Ora, eu acho que Geraldo Vandré sente exatamente o contrário do que disse: a vida para ele é um festival em que ele tem de ficar sempre em primeiro lugar. (...) Geraldo tem talento e me parece um bom letrista, com alguns achados felizes e algumas coisas forçadas como esse verso 'esperar não é saber'".

Em 2014, Sérgio Ricardo – premiado no Festival Mundial da Juventude pela letra de *Che Guevara não morreu* – afirma que o 3º FIC "era o seu (de Vandré) momento de glória da forma mais estrondosa de que se possa ter notícia, abafado pelo sistema da mídia e da ditadura, um verdadeiro ato heroico jamais visto na MPB. Manter o equilíbrio diante disso e superar a frustração dificilmente algum artista conseguiria. Algo de muito sério deve ter se agravado dentro dele".

Marcelo Melo, fundador do Quinteto Violado, considera que Vandré "tinha qualidade de um poeta-cantador com dimensão universal. Devido à sua aparição na época dos festivais, foi a condição política do país que o castrou. Foi lastimável que sua carreira tenha sido decepada pela ditadura. Inclusive equivocadamente, pois ele não tinha nada de militante político de esquerda". Por sua vez, Roberto Menescal reconhece que o artista "participou de um movimento necessário na época, onde, através de sua arte, protestava contra aquela situação ditatorial. Eu e Bôscoli resolvemos até dar um tempo na música que vínhamos fazendo, pois sentimos que não poderia ser a trilha necessária da época", confessa. Geraldo Azevedo afirma que "Vandré tem um trabalho fortíssimo e intuitivo, muito importante para a MPB, principalmente pós-bossa-nova".

Além de *Sabiá* e *Pra não dizer que não falei das flores* (*Caminhando*), o júri da etapa nacional do 3º FIC classifica em ordem decrescente as canções *Andança* (Edmundo Souto, Danilo Caymmi e Paulinho Tapajós), com Beth Carvalho e Golden Boys; *Passacalha* (Edino Krieger), com Grupo 004; *Dia de vitória* (Marcos Valle e Paulo Sérgio Valle), com Marcos Valle;

Caminhante noturno (Os Mutantes), com Os Mutantes; *Dança da rosa* (Maranhão), com Quarteto 004, Tradicional *Jazz Band* e Maranhão; *Boca da noite* (Toquinho e Paulo Vanzollini), com Ivete e Canto 4; *Canção do amor armado* (Sérgio Ricardo), com Sérgio Ricardo; e *Dois dias* (Dori Caymmi e Nelson Motta), com Eduardo Conde. Dori leva o prêmio de compositor revelação e Os Mutantes o de melhor interpretação, enquanto Rogério Duprat é considerado o melhor arranjador, por *Caminhante noturno*.

[... X ...]

NA FRENTE DE TODO MUNDO

Também se destaca no 3º FIC o inflamado discurso de Caetano Veloso contra as vaias; enquanto isso, os militares preparam o AI-5, que colocará Geraldo Vandré e a própria MPB sob a mira da repressão e da censura.

O FESTIVAL Internacional da Canção de 1968 também ficaria marcado pelo discurso de Caetano Veloso durante a apresentação de *É proibido proibir*, na eliminatória de São Paulo. Reproduzindo a frase pichada nos muros por estudantes franceses durante a Primavera de Paris, o título é uma clara mensagem contra qualquer forma de censura. No palco do TUCA, com roupas de plástico e acompanhado pelo grupo Os Mutantes, o principal expoente do movimento tropicalista não pensa duas vezes ao reagir contra os estudantes que vaiam sua música. "Mas então é isso que é a juventude que diz que quer tomar o poder?... Vocês não estão entendendo nada", grita o artista ao som estridente das guitarras elétricas.

Caetano compara a plateia aos homens armados do CCC (Comando de Caça aos Comunistas), que em 18 de julho do mesmo ano haviam invadido o Teatro Ruth Escobar e agredido os atores do espetáculo *Roda viva*. Sob a direção vanguardista de Zé Celso Martinez Corrêa, a peça escrita por Chico Buarque mostrava o drama do cantor Benedito Silva, que chega a mudar o nome para Ben Silver visando agradar ao público e à crítica num contexto de massificação imposto pela indústria cultural.

Geraldo Vandré se escandaliza com a apresentação performática de Caetano e ameaça retirar *Caminhando* do festival, por não concordar com tudo aquilo. Alguns amigos o convencem a desistir da ideia e graças à grande repercussão de sua música na eliminatória nacional ele se vê aclamado pelo público e odiado pelos militares. Enquanto participa de encontros festivos com delegações estrangeiras do FIC, também ouve boatos sobre sua possível prisão.

No sábado, véspera da final internacional, Vandré assina no bar do Hotel Savoy – onde está hospedado no quarto 511 – um contrato de edição de suas músicas na Europa e também conversa sobre a possibilidade de se apresentar no Teatro Trocadero, em Paris. Consta que teria acertado inclusive uma apresentação na Cidade do México durante a Copa do Mundo de 1970, na qual a Seleção Brasileira, comandada pelo técnico Zagallo, conquistaria o tricampeonato. Além do lançamento em compacto simples, logo após a consagração no FIC, *Caminhando* tem sua partitura publicada pela Editora Música Brasileira Moderna, sendo colocada à venda nas lojas do ramo musical.

Em entrevista ao jornalista Vitor Nuzzi, o ex-empresário do artista, José Borges de Campos, lembra que logo após o festival o presidente das Organizações Globo, Roberto Marinho, reuniu os vencedores numa recepção em sua mansão no Cosme Velho. Entre os 600 convidados estavam músicos estrangeiros, o governador Negrão de Lima e senhora, além de *socialites*. Geraldo Vandré não tinha *smoking* e o próprio Marinho lhe providenciou um. Mesmo com tal cortesia, o cantor se desentende com o anfitrião por motivos não esclarecidos. Na reportagem sobre a festa, a revista *Manchete* publica uma foto de Tom Jobim e Vandré conversando descontraidamente, bem longe do clima competitivo do Maracanãzinho. Logo em seguida, sem maiores explicações, o compositor paraibano proíbe seu empresário de manter contatos com o diretor da gravadora Philips, o francês André Midani, um dos homens mais influentes da indústria fonográfica no Brasil.

Flores e espinhos

Em 4 de outubro, ao ouvir boatos sobre a proibição de *Caminhando*, Vandré declara: "Minha canção diz tudo o que penso e por isto me responsabilizo por ela. Cantarei em qualquer lugar onde haja um violão, pois minha função é cantar. *Caminhando* não é uma canção de guerra e os versos 'nos quartéis se aprende a morrer pela Pátria e viver sem razão' não se referem somente a militares, mas é um modo de me exprimir para explicar todo tipo de profissão que restringe as pessoas a um certo modo de vida... Aliás, muitos militares concordaram com os versos".

Dois dias depois, o *Jornal do Brasil* publica um artigo assinado pelo general alagoano Octávio Costa, com o título *As flores de Vandré*. O militar afirma que o 3º FIC havia sido palco de três injustiças: a primeira por parte do júri, por não premiar a melhor letra; a segunda por parte da plateia, "pela cegueira da paixão, renegando dois dos maiores compositores brasileiros e sufocando a suavidade de Cinara e Cibele (*sic*)"; A terceira do próprio Vandré, cometida contra os "soldados armados". Para ele, apenas a terceira ainda poderia ser reparada. Se para bom entendedor um pingo é letra, fica claro que, do ponto de vista do general, o compositor deveria sofrer alguma punição.

Na edição do dia 10, o *Correio da Manhã* informa: "Como foi anunciado, fiscais do Departamento de Censura e agentes do DOPS percorreram, ontem, as lojas de discos de Niterói e São Gonçalo e apreenderam cerca de 500 compactos simples da fábrica Chantecler, que continham a gravação do cantor e compositor Geraldo Vandré, *Pra não dizer que não falei de flores* (*sic*)". No dia 11, um boletim do SNI avisa ao DOPS de São Paulo que o DOPS carioca havia apreendido 500 discos com a canção de Vandré, "considerada subversiva pelas autoridades militares". Quatro dias depois, um promotor militar denuncia um estudante por carregar um pacote com panfletos subversivos, em cujo verso estava impressa a letra de *Caminhando*.

Apesar da censura, uma lista publicada na revista *Veja* aponta o compacto simples como o quinto mais vendido no país. Numa entrevista a Arthur José Poerner do *Correio da Manhã*, Vandré afirma: "Todo comportamento humano aspira à comunicação de alguma coisa ou de algumas coisas em que acredita quem o adota em seus gestos. Meu gesto é a canção. Ela diz das coisas que eu penso da vida. Ela fala da vida como eu a vejo. Nessa medida, ela é minha forma de comunicação, que alguns chamam de mensagem. Quanto ao que o povo vai fazer dela, acredito mais na consciência dele do que nos meus propósitos. A música é, portanto, uma mensagem, uma informação, não um conselho. Mesmo porque o povo não precisa de conselhos".

No dia 23, *Caminhando* é oficialmente proibida por ordem dos militares. A partir daí, não pode mais ser tocada no rádio, na televisão e em locais públicos em todo o território nacional. Policiais do país inteiro recebem ordens para recolher o disco. Apesar disso, foram vendidos aproximadamente 180 mil exemplares em apenas quinze dias. O dono da gravadora RGE, Enrique Lebemdiger, é quem ajuda a distribuir cópias do compacto nos centros estudantis, até que o SNI (Serviço Nacional de Informações) descobre a estratégia. Quem se interessa pela música pode ser fichado como subversivo.

Numa reportagem do *JB*, Vandré comenta que "censura não é coisa que se entenda e, por isso, não comento a proibição de minha música, pela qual eu respondo em qualquer hora e em qualquer local. A arte é a expressão da vida e a gente deve jogar nela todas as nossas contradições". E completa: "Não sou profissional da política, mas um profissional de canções. E todas as implicações políticas que possa ter não só *Caminhando*, mas com todas as canções que faço, são decorrentes do meu envolvimento com a vida em geral. E a isso não posso me recusar". Por outro lado, o artista declara que jamais vestiria fantasia de guerrilheiro, pois é apenas "um burguês profissional da canção".

No seu livro sobre o compositor, Vitor Nuzzi assinala que "algo escaparia da censura, perto do final de 1968: uma edição da revista *Zé Carioca*, publicada pela Editora Abril, trazia a história de um *festival embananado*. Um dos intérpretes era Geraldo Banzé, que cantava *As flores não florescem*, enfrentando a música *Andorinha*. Quem ganhou – pelo menos no gibi – foi o conjunto Os Gritantes".

Ainda naquele ano, o autor de *Caminhando* participa do 1º Festival Universitário da Canção Popular, promovido pela TV Tupi no auditório da emissora, em São Paulo. Ele divide o palco com o Trio Marayá e a cantora Marilu para defender *Não se queima um sonho*, do estreante Walter Franco, de vinte e três anos, aluno da Escola de Arte Dramática da USP. A composição, também feita em homenagem a Guevara, não passa da fase eliminatória e ainda é criticada por Rogério Duprat. Numa entrevista à *Folha da Tarde*, o maestro tropicalista diz que "se Guevara estivesse aqui não ia gostar nem um pouco. É preciso acabar com toda essa choradeira em torno do guerrilheiro, não é assim que faz uma revolução".

A música vencedora é *Helena, Helena, Helena*, de Alberto Land, defendida por Taiguara, que se tornará um dos cantores mais engajados da

MPB. Em segundo lugar fica *Vida breve*, de Irineia Ribeiro e Neville Jordan Larica, na voz de Claudete Soares; em terceiro, *Meu tamborim*, de César Costa Filho e Ronaldo Monteiro de Souza, defendida por Beth Carvalho; em quarto, *Um novo rumo*, de Arthur Verocai e Geraldo Flach, interpretada por Elis Regina; e em quinto, *Até o amanhecer*, de Ivan Lins e Valdemar Correia dos Santos, cantada por Cyro Monteiro.

No âmbito das relações internacionais, a grande notícia é a visita da rainha Elizabeth II ao Brasil. Em 8 de novembro de 1968, *O Estado de S. Paulo* publica a manchete: *O protocolo perde para o carinho*. A notícia alude à estada de 11 dias da soberana britânica no país. Juntamente com seu príncipe consorte, Philip de Edimburgo, Elizabeth vem ao continente num esforço de integração econômica com as nações latino-americanas. Depois de aportar no Recife, ela e o marido passam por Salvador, Brasília, São Paulo e Rio de Janeiro. O casal real visita o Mercado Modelo, o Museu da USP e também inaugura a Ponte Rio-Niterói, no Rio de Janeiro, um dos projetos faraônicos empreendidos pela ditadura militar. Em São Paulo, o governador Abreu Sodré convida artistas para o coquetel oferecido aos dois ilustres visitantes. Entre os quais, seu amigo Geraldo Vandré.

Cresce a repressão

Os aparelhos de repressão aumentam a vigilância sobre os artistas da MPB, considerando-os subversivos ou simpatizantes do comunismo e da luta armada. Muitos serão enquadrados no AI-5, o ato baixado numa sexta-feira, 13 de dezembro de 1968, pelo marechal presidente Costa e Silva. Tal decisão é tomada após uma reunião dos vinte e três membros do Conselho de Segurança Nacional, no Palácio das Laranjeiras, Rio de Janeiro, na qual, ironicamente, a palavra democracia é pronunciada dezenove vezes. O único voto contrário é o do vice-presidente, Pedro Aleixo, que argumenta: "Presidente, o problema de uma lei assim não é o senhor, nem os que com o senhor governam o país. O problema é o guarda da esquina". Pouco depois ele seria impedido de assumir o lugar de Costa e Silva quando de seu afastamento devido a uma trombose.

A promulgação do dispositivo redigido pelo ministro da Justiça, Luís Antônio da Gama e Silva, ocorre logo após a Câmara de Deputados ter rejeitado uma licença para que o deputado Márcio Moreira Alves fosse processado devido ao discurso proferido em 2 de setembro daquele mesmo ano. Em 29 de agosto, homens da polícia militar, civil e do exército invadiram de maneira brutal o *campus* da Universidade de Brasília. Houve até disparos de metralhadora e uma pessoa foi alvejada na cabeça. De maneira destemida, o parlamentar denunciou a tortura e sugeriu um boicote às comemorações do dia da Pátria como forma de protesto contra a violência praticada pelo regime.

Considerado por muitos um "golpe dentro do golpe", o AI-5 se sobrepõe à Constituição Federal, suspende as garantias constitucionais, aumenta a censura, possibilita o fechamento do Congresso Nacional por quase um ano e amplia espaços para a linha-dura das forças armadas. Na mesma sexta-feira 13 de sua promulgação, Carlos Lacerda e Juscelino Kubitschek são presos no Rio. Um é levado para o Regimento Caetano de Farias, da polícia militar, na rua Frei Caneca, onde permanecerá por dez dias em greve de fome. O outro é conduzido ao quartel do 3º Regimento de Infantaria, em São Gonçalo, onde ficará por vários dias num quartinho mofado e sem nenhum conforto. Os dois têm os direitos políticos cassados por dez anos.

Com a marcação cerrada da censura federal e dos informantes do SNI sobre as artes e os meios de comunicação, artistas, intelectuais e profissionais da imprensa passam a usar de artifícios mirabolantes e metafóricos para driblar a vigilância dos militares e realizar seu trabalho. Ao contrário de seus colegas, Vandré não camufla nem disfarça a mensagem de suas canções. Há quem diga que o sucesso da canção *Caminhando* também teria contribuído para a edição do AI-5.

Como destaca o jornalista Lucas Figueiredo no livro *Ministério do silêncio – a história do serviço secreto brasileiro de Washington Luís a Lula – 1927-2005*, "o AI-5 abriu o caminho para as trevas, tendo o SNI nos seus bastidores. Nos cinco anos seguintes, o dispositivo serviria de base jurídica e inspiração para a proibição de 500 filmes, de 450 peças de teatro e de 250 livros". Além disso, quase 70 mil páginas de documentos seriam censuradas.

Anunciado em cadeia nacional de rádio e televisão por Alberto Curi, locutor oficial da Agência Nacional, o ato "permitiu ainda a cassação dos direitos políticos de setenta e seis pessoas e 340 mandatos no Legislativo e no Executivo, 546 aposentadorias e 345 demissões no serviço público". Os verdugos do regime se sentem à vontade para prender, torturar e matar quem bem entendem. No calor da guerra suja, mais de 300 opositores serão eliminados, metade deles dados como desaparecidos.

Sobre *Caminhando*, também merece destaque o artigo intitulado *Vandré e a catarsis desmobilizadora*, publicado por Luís Carlos Maciel no *Correio da Manhã*. Segundo o autor, "é inútil tapar o sol com a peneira. Não importam quais tenham sido as intenções de Vandré, qual a mensagem política que quis entregar ao público. Seu sucesso reside nas conotações antimilitares da sua letra: para o público entusiasmado, o resto da melodia era pretexto, o que interessava eram aquelas duas flechadas certeiras. Nesse sentido as autoridades militares que queriam proibir a música tinham motivos para sua irritação: deveriam, apenas, proibir, processar e prender, não o compositor, mas as 30 mil pessoas que aproveitaram a música como pretexto de vasão (*sic*) de seu sentimento antimilitarista".

XI

NO SERTÃO COMO NO MAR

Diante do risco de ser preso ou morto pelo governo militar, o autor de *Caminhando* se vê obrigado a partir clandestinamente para o exílio e a iniciar uma carreira internacional cheia de percalços e de novos desafios, no Chile e na Europa.

MESMO DISPENSADO pela direção da TV Record, Geraldo Vandré tenta a sorte no 4.º Festival da MPB promovido pela emissora, em novembro de 1968. Ele participa com *Bonita*, parceria com Hilton Acioli. A música é apresentada duas vezes na fase eliminatória, uma por Acioli e seus companheiros do Trio Marayá e outra apenas pelo próprio Vandré – devido a um desentendimento dele com o grupo. Na final, o trio a defende sem o letrista, que chega atrasado, é impedido de cantar e fica irritado. Em primeiro lugar fica *São, São Paulo, meu amor*, de Tom Zé; em segundo *Memórias de Marta Saré*, de Edu Lobo e Gianfrancesco Guarnieri, com Edu e Marília Medalha; em terceiro *Divino maravilhoso*, de Gilberto Gil e Caetano Veloso, na voz de Gal Costa; em quarto *Dois mil e um*, de Rita Lee e Tom Zé, com Os Mutantes; e em quinto lugar *Dia da Graça*, de Sérgio Ricardo, com ele e o Modern Tropical Quintet.

O inferno astral do virginiano parece não ter fim. Além de ficar atrás dos tropicalistas num festival cheio de guitarras, um relatório em sua ficha no DOPS comprova que a repressão segue seus passos. No documento, um agente registra: "Informou-nos o SNI, através de seu Boletim Informativo nº 272, de 18-11-1968, que o público presente ao *show* no Clube XV pediram (*sic*) para o marginado cantar a música CAMINHANDO e êle (*sic*) não cantou". O relatório seria levantado décadas depois por Dalva Silveira para a dissertação de mestrado em História, intitulada *Geraldo Vandré: a vida não resume em festivais*.

No final de 1968, o compositor se prepara para estrear como ator no filme *Quelé do Pajeú*, de Anselmo Duarte, fazendo também a trilha sonora. Rompido com o Quarteto Novo e com o Trio Marayá, ele é ajudado pelo colega João do Vale na busca de jovens músicos para formar um novo grupo para acompanhá-lo numa temporada de *shows*. O primeiro a ser convidado é o violonista belo-horizontino Nelson Angelo, de dezoito anos. Depois é a vez do gaitista carioca Maurício Einhorn, de trinta e quatro, que declina, dizendo-se mais interessado em música instrumental. Em seu lugar entra um carioca da Urca de dezenove anos, conhecido como Franklin da Flauta. Em seguida, juntam-se ao grupo os pernambucanos Naná Vasconcelos, de vinte e cinco anos, na percussão; e Geraldo Azevedo, de vinte e três, na viola e no violão.

Surgiu assim o Quarteto Livre, que seria o último conjunto a acompanhar Vandré antes que ele saísse do país. Depois de alguns ensaios, cantor e músicos dão início à turnê de *Dei uma flor para o meu amor*, *show* que estreia com grande sucesso no Teatro Opinião, em Copacabana. Durante uma apresentação no Teatro Municipal de São Paulo, alguém na plateia chama o cantor de festivo, ao que ele responde: "Querem que eu vista fantasia de proletário. Não visto, não".

"Vandré teve referências minhas como músico, no Rio. Isso foi logo após sua apresentação no 3º FIC, quando preparava uma turnê", lembra Nelson Angelo em 2014, acrescentando que seu pai, dr. Nilson Vieira Martins, formou-se em 1930 pela Escola de Medicina da Praia Vermelha e dizia ter sido colega de um paraibano, filho de fazendeiro, cujo apelido era Vandrè, "pronúncia francesa". Décadas depois, o próprio Geraldo admitiria tratar-se de seu pai, embora Nelson não se lembre ao certo se conversaram a respeito. Nilce Tranjan, por sua vez, guarda boas lembranças do ex-sogro: "Seu Zé era um homem simples e generoso. Era um médico muito querido em João Pessoa. Atendia pessoas necessitadas sem cobrar pela consulta".

Seja como for, a penúltima apresentação de Geraldo Vandré em território nacional se dá em 12 de dezembro de 1968. Acompanhado pelo Quarteto Livre, muda o nome do *show* para *Socorro, a poesia está matando o povo* – título de um poema seu – e se apresenta no Teatro Municipal de Goiânia numa promoção da Faculdade de Medicina da UFG (Universidade Federal de Goiás). Com voz firme, ele canta, recita versos e conversa com a plateia. Reafirma que suas canções são de amor e recorda o flerte com uma jovem jornalista búlgara, que desejava vir com ele para o Brasil após o Festival Mundial da Juventude. Dedicou a ela uma canção com seu nome: *Levena*.

Vandré também canta uma moda caipira composta para a trilha de *A hora e vez de Augusto Matraga*. Quando pedem *Caminhando*, alega que a música está proibida, que não aceita provocações nem pretende provocar ninguém. Em seu lugar ele toca *Continuando* e termina solfejando a música proibida. O público aplaude e entoa a letra. A gravação do *show* é transmitida no dia 31 como especial de Fim de Ano, no programa *O jovem é o dono da tarde*, apresentado por Francisco Paes na rádio da UFG.

Último *show*

O encerramento da curta turnê nacional se dá em 13 de dezembro, no ginásio de esportes professor Geraldo Rosa, do Clube Recreativo

Anapolino, em Anápolis. A função tem início às 21h30, quando o AI-5 já havia sido anunciado em cadeia de rádio e televisão – embora os artistas ainda não tivessem conhecimento. Na verdade, essa apresentação deveria ter sido realizada no dia anterior, sendo adiada devido ao atraso na emissão do alvará pela Polícia Federal.

Para que Vandré não deixasse a cidade sem se apresentar, os fãs chegaram ao ponto de esvaziar um pneu do seu carro. Após o *show*, ele e os músicos vão para a casa do médico José Antônio de Freitas. A recepção é feita pelo repentista baiano Sinhozinho – com quem Vandré faz um desafio e improvisa versos ao som da viola. A festa acaba ao raiar do dia, quando o filho do deputado Anapolino de Faria, ex-prefeito da cidade, traz a notícia de que os militares haviam baixado o ato institucional.

Como tudo na vida do artista, há controvérsias também nesse episódio. Noutra versão, ele e os músicos do Quarteto Livre teriam tomado conhecimento do fato noutro momento. "Nós viajamos muito pelo Brasil, pelo interior de São Paulo, sobretudo... Vandré fazia discursos políticos inflamados. Dava para perceber que a chapa estava quente e que algo estava para acontecer", dirá Nelson Angelo muitos anos depois numa conversa com o jornalista Toninho Vaz, incluída no livro *Solar da Fossa*. "Quando chegamos a Goiânia, no meio da turnê, veio a notícia ruim: os militares tinham baixado o Ato Institucional nº 5. A gente ouviu a notícia pelo rádio do Ford Galaxie do Vandré. Ele enlouqueceu."

"Vandré ficou louco; não sabia o que fazer e o medo de ele ser preso nos fez cancelar o espetáculo programado para o Iate Clube, em Brasília", diria Geraldo Azevedo em 5 de agosto de 1995, numa entrevista ao jornal *O Estado de S. Paulo*. "Tomamos o caminho do Rio; Vandré, com pose de Che Guevara, parecia alucinado e Naná às vezes perdia a paciência e dizia: 'vou dar umas porradas nesse cara'; chegamos ao Rio e Vandré entrou na clandestinidade." Em 2014, Azevedo lembra que "o *show* seguinte seria em Brasília, mas recebemos aviso para não irmos. A casa de Vandré e a de seu pai já haviam sido invadidas pelos militares".

Em matéria publicada no *Correio Braziliense* no final de 2008, Naná Vasconcelos apresentaria sua versão: "O Vandré não queria pegar a estrada principal. Foi uma loucura a viagem, durou o dia inteiro, um sufoco. Todo mundo em pânico porque o Vandré não deixava olhar para o lado. A gente parava para comer e ele não descia do carro... Vandré não queria nem colocar gasolina no carro, dizia que tínhamos cara de artista e seríamos reconhecidos". Em 14 de dezembro de 1968, a capa do mesmo jornal abriu manchete para noticiar a promulgação do AI-5. No canto direito do pé da página, um anúncio chamava atenção: "O Iate Clube de Brasília abre suas portas para o povo em geral". Programado para as 21h do mesmo dia, o *show* que Vandré jamais realizou chamava-se *Pra não dizer que não falei das flores*. O ingresso à venda na bilheteria do clube era vendido a 10 cruzeiros novos (dinheiro da época).

O novo ato institucional coloca em risco a segurança e a vida de todo aquele que contesta ou simplesmente discorda do regime militar. Com seus doze artigos, o AI-5 permite que se proíba a qualquer cidadão o direito ao exercício de sua profissão. Além de ter seu canto silenciado, Vandré se vê impedido de exercer a função de fiscal da SUNAB e acabará perdendo o emprego por abandono de cargo. Pelo artigo 10, fica suspensa também a garantia de *habeas corpus* em casos de crimes políticos previstos na Lei de Segurança Nacional. A tortura torna-se uma prática cada vez mais comum nos quartéis e delegacias do país, sem falar no desaparecimento de suspeitos de subversão – muitos dos quais jamais seriam encontrados.

Numa análise daquele momento político, Idelber Avelar escreve em *Alegorias da derrota*: "Enquanto que em 64 havia sido possível 'preservar' a produção cultural, pois bastava eliminar seu contato com a massa trabalhadora e camponesa, em 68, quando os estudantes e o público dos melhores filmes, do melhor teatro, da melhor música e dos melhores livros já constituíam uma massa politicamente poderosa, era necessário substituir ou censurar os professores, os dramaturgos, os escritores, os músicos, os livros, os editores – em outras palavras, era necessário liquidar a cultura viva no momento". Portanto, compositores como Vandré deveriam ser eliminados do contexto artístico, por desagradarem os opressores e irem de encontro ao projeto alienante pretendido por eles.

Em 13 de dezembro de 1968 – Dia do Marinheiro e da decretação do AI-5 –, a ordem do dia no comando da esquadra naval do Rio de Janeiro é quase toda em resposta à música *Caminhando*. Em 21 do mesmo mês, por pressão dos militares, o jornal *Última Hora* publica de cima abaixo, no canto esquerdo de sua capa, uma *Carta a Geraldo Vandré*. O texto é assinado por um tal aspirante Basto, que serve no Forte Coimbra, nos cafundós do Mato Grosso do Sul. O mesmo conteúdo é republicado dias depois no *Correio Braziliense*. Na mesma ocasião, vem de Itajubá (MG) um extenso poema escrito pelo capitão-engenheiro João Batista Fagundes em resposta aos versos da canção que mexera com o brio das forças armadas. Enquanto isso, pelas ruas de algumas capitais, a reacionária organização TFP (Tradição, Família e Propriedade) distribui panfletos criticando abertamente o compositor.

No dia 29, Caetano Veloso e Gilberto Gil são presos com base no AI-5, acusados de "tentativa da quebra do direito e da ordem institucional" com uso de mensagens "objetivas e subjetivas à população" com a finalidade de subverter o regime de governo estabelecido. A jornalista Dedé Gadelha, mulher de Caetano, manda um recado a Vandré dizendo que os homens estão à sua procura. Depois de ter as cabeças raspadas e ficarem presos em

Salvador durante seis meses, os dois tropicalistas serão colocados a bordo de um avião e enviados para o exílio em Londres.

Na mesma ocasião, agentes do DOPS buscam Chico Buarque em seu apartamento. Entre outras coisas, querem saber que tipo de relacionamento ele mantém com o cantor que havia gravado sua música *Sonho de um carnaval*. Chico não tem dúvidas de que a repressão tem ganas em Vandré. Algo parecido diria Caetano, ao perceber a ira dos militares quando falavam o nome de seu colega paraibano. Como escreveu o jornalista Zuenir Ventura, o autor de *Pra não dizer que não falei das flores (Caminhando)* "passou a ser uma das pessoas mais visadas pelos militares – e, logo depois do AI-5, uma das mais caçadas do país".

Plano de fuga

A estratégia de Vandré para driblar a vigilância e deixar o território nacional teria várias versões. Dalva Silveira levanta algumas delas em sua tese. A primeira é do ex-empresário do cantor, José Borges de Campos, num relato a Jeane Vidal. No final de 1968, ele morava com o artista na cobertura da alameda Barros, em São Paulo, quando alguém bateu à porta: "É a polícia federal. Nós estamos com o Chico, com o Gil, com a Bethânia...". A voz masculina citava nomes dos artistas supostamente presos e depois avisou: "Queremos falar com o Vandré". Borges afirma que só queriam intimidar, pois "sabiam que o Vandré estava em Brasília". Contudo, havia sido avisado por um cunhado do general Amauri Kruel, comandante do 2º exército, que o cerco ia se fechar.

Ao tomar conhecimento desse episódio, Vandré foge de Goiás para o Rio de Janeiro. A partir daí, interrompe as atividades profissionais e permanece escondido até 16 de fevereiro de 1969, quando finalmente deixa o país. O próprio artista não esclarece o que teria acontecido e isso, naturalmente, gera controvérsias na imaginação dos fãs e nos relatos da imprensa. Num depoimento publicado na revista *Caros Amigos*, edição nº 10 de 2007, sua ex-namorada, a jornalista Ana Cavalcanti, afirma que logo após a divulgação do AI-5 os "militares da linha-dura estavam à caça dele". Ela e os pais o esconderam, até que ele pudesse sair do país.

Ana, que conheceu Vandré após uma palestra na Fundação Getúlio Vargas, recorda que o namorado a procurou em casa, na Vila Mariana, São Paulo: "Geraldo estava angustiado, falava muito depressa... Ele achava a situação extremamente grave e não queria ficar no apartamento dele, na alameda Barros. Pediu para passar uns dias em minha casa, escondido". Para ela, por ser uma pessoa madura, de trinta e três anos, "ele sabia que ninguém estava seguro. Muita gente presa sem culpa. Muita gente torturada. Muita gente morta. E muita gente desaparecendo". Fãs do artista, os pais da moça aceitam hospedá-lo. Em seguida, partem para outra casa da família, em Ilha Comprida, litoral sul de São Paulo. O lugar era quase deserto, mas pegar a balsa em Iguape com o Galaxie branco de Vandré logo chama atenção. Não demora muito, todo mundo fica sabendo quem é o motorista daquela "banheira" de luxo.

Nessa época, a viúva de Guimarães Rosa, dona Aracy, oferece ao artista o seu apartamento, onde ele se refugia, recebendo apenas visitas de pessoas íntimas e de sua total confiança. A gentil anfitriã tem experiência nesse tipo de situação, pois às vésperas da 2ª Guerra Mundial conseguira tirar vários judeus da cidade de Hamburgo, Alemanha, onde o marido servia como diplomata. O mais incrível é que o apartamento tem vista para o Forte de Copacabana e por isso as cortinas permanecem fechadas. Os sons de clarim são ouvidos com nitidez pelos moradores do prédio e o hóspede muitas vezes acorda ao toque da alvorada. Alertado por Dedé Gadelha,

Vandré finalmente traça seu plano de fuga, levando no bolso um passaporte falso.

Segundo Ana Cavalcante, "ele atravessaria a fronteira do Uruguai e, de lá, ganharia o mundo. Primeiro chegaria até Alegrete, cidade gaúcha a uma centena de quilômetros do Uruguai e da Argentina. Uma família o ajudaria atravessar a fronteira". O pai dela, João Sarmento de Moraes, e um motorista contratado se revezam no volante de uma kombi até Alegrete. No caminho, param numa churrascaria para almoçar e levam um susto quando ouvem *Caminhando*. "Ficamos paralisados, achando que puseram a música porque haviam reconhecido Geraldo, mas não. Era apenas um sucesso tocando", conclui, dizendo que só voltaria a ver o ex-namorado em 1973.

Dalva Silveira lembra que na reportagem intitulada *Ele nunca foi torturado e não é louco* – edição de 5 de agosto de 1995 de *O Estado de S. Paulo* –, a jornalista Maria do Rosário Caetano apresenta uma versão resumida do mesmo episódio. Contudo, informa que a namorada do compositor na época era a modelo e atriz Marisa Urban. Vandré teria trocado o apartamento de dona Aracy pelo dela, depois passou por São Paulo e partiu rumo ao Uruguai. Na matéria, o compositor opina: "Este problema pertence ao mundo da informação. Enquanto a arte não dispõe de espaço, os jornais perdem tempo com assuntos tipo tortura, fuga, exílio. Cada pessoa fornece versão diferente e uma verdadeira novela vai se esboçando".

E a novela não termina por aí. Num dos capítulos do seu livro, Solano Ribeiro afirma que Vandré "saiu ajudado, segundo consta, pelo seu grande amigo, o então governador Abreu Sodré". Curiosamente, o processo do cantor no DOPS traz uma informação que tem a ver com isso: "O SNI, através de seu Boletim Informativo nº 307 de 30-12-1968, nos dá ciência, que durante a visita do governador Abreu Sodré, realizada no quartel, (...) o major Carlos Guimarães distribuiu a cópia de uma carta, endereçada por um tenente, ao cantor e compositor Geraldo Vandré. O nome do tenente foi omitido – 50-Z-9-5856". O próprio Sodré diria: "Não tive dúvidas. Convidei Vandré a permanecer no Palácio dos Bandeirantes, nos mesmos aposentos que serviriam para receber a rainha da Inglaterra". Mas a visita da rainha ocorrera em novembro!

Em reportagem de 12 de setembro de 1985, a *Folha de S.Paulo* informa que "a polícia chegou ao seu apartamento em dezembro de 1968. Não o encontrou. Vandré se escondeu na fazenda da família de Guimarães Rosa. Dali foi para o Uruguai e depois para o Chile". Na fazenda de dona Aracy ele teria iniciado sua última composição antes de sair do país. Concluída na casa de Marisa Urban, *Canção da despedida*, sua única parceria com Geraldo Azevedo, traduz o sentimento de quem se despede na certeza de um dia voltar.

No entanto, em entrevista ao conterrâneo Ricardo Anísio, o próprio Vandré diria: "Eu nunca tive parceiro nessa canção. A escrevi sozinho e está gravada no disco que fiz na França (*Das terras de Benvirá*), mas quando foi lançado no Brasil veio sem essa faixa, não sei por quê, se foi por censura ou algo que o valha". Na gravação de Elba Ramalho consta o crédito Geraldo Azevedo/Geraldo, pois ele não autorizou a gravação. Em 2014, Azevedo explica que "Vandré alegou que Geraldo Vandré era um nome fictício, o que é verdade... Depois de sua loucura, ele negou a parceria".

No documentário *O que sou nunca escondi*, o maestro Julio Medaglia diz que ajudou o compositor a sair do país: "Uns amigos meus tinham aí uma fazenda no Sul. A gente pôs uma roupa diferente no Vandré, botamos uma barba nele, maquiamos ele, botamos um chapéu, ele escapou pela fronteira e se mandou". Outra ajuda veio do jornalista Arthur José Poerner. Ele diz que Vandré cismou de não ir para o Chile, preferindo os

Estados Unidos, mas foi convencido a cumprir o plano inicial, já que os americanos apoiavam os militares. Na versão de José Borges de Campos, a ex-namorada do cantor, Marisa Urban, estava casada com um armador chileno. A seu pedido, ele buscou o artista num Lieget, na divisa de Brasil com Uruguai, e o levou para o Chile.

Decisão própria

Pondo mais lenha na fogueira, em entrevista a Jeane Vidal, a ex-líder de torcida dos festivais, Telé Cardim, sustenta que Vandré saiu do Brasil ajudado por um capitão do exército. "Ele estava em Goiânia. O empresário dele se chamava Borges. O Borges me ligou e disse: Telé, você precisa me fazer um favor, eu preciso pegar as roupas do Geraldo Vandré porque ele tem que deixar o país e eu preciso levar algumas coisas dele embora", ela conta. "Ele marcou comigo duas horas da manhã. Eu morava no viaduto Santa Efigênia, o edifício ainda está lá. Foi a minha vizinha que me deu o recado. Eu fui atender o telefone quase onze horas da manhã e marcamos para a noite. Então, duas horas da manhã eu saí, não tinha carro nem nada, peguei um táxi. Marquei com ele na alameda Barros, o apartamento dele (Vandré) era na esquina da Barão de Tatuí, a alameda Barros... Peguei a chave com o Borges, que estava distante do apartamento olhando pra todos os lados. Fui no apartamento, juntei um monte de roupa dele, fiz duas trouxas, saí com uma e saí com outra, fui buscar uma e fui buscar outra. Botei dentro do carro do Borges e nunca mais vi o Vandré. Aí fiquei sabendo que ele tinha saído do país, foi pra Bolívia e depois foi para o Chile. Quem tirou ele do país foi um capitão do exército."

Telé insiste na versão e diz que chegou a pensar que se tratasse do capitão Carlos Lamarca, o ex-militar que desertou para se tornar líder da VPR

(Vanguarda Popular Revolucionária). E ao confirmar que Vandré era amigo de Sodré e que estivera numa recepção à rainha Elizabeth II à qual também compareceram Juca Chaves e Plínio Marcos, ela repete: "O Borges falou pra mim, quem tirou o Vandré do país foi um oficial do exército. Um capitão botou ele num jipe e tirou ele do país". E aqui vale lembrar a misteriosa carta entregue a ele por um militar no Palácio dos Bandeirantes.

Seja qual for a verdadeira história da fuga do Brasil, o fato é que o compositor assume que saiu por decisão própria. Na reportagem *Vandré vive*, assinada por Thales Guaracy na revista *Vip Exame* de março de 1995, ele declara com todas as letras que deixou o país por "pura paranoia". E confirma que recebia ameaças por telefone e ficara preocupado com a notícia de que a atriz Norma Bengell havia sido sequestrada. Também confessa que chegou a se armar com um revólver calibre 38, com o qual pretendia se defender caso fosse necessário: "Eu não ia deixar que alguém pusesse a mão em mim".

Em 2014, Thales Guaracy recorda: "Vandré estava arredio, não tinha telefone e por dois meses lhe passei bilhetes por baixo da porta do apartamento. Até que um dia ele me ligou de um orelhão. E me recebeu, fiquei sentado no *hall* da entrada atrás de uma barricada que ele construiu com a tralha que havia na casa dele. Depois nos aproximamos. Ele chegou a ir à minha casa e se encontrava bastante com a minha mãe. Quando a matéria saiu, acho que não segurou a onda da exposição, ou estava entrando de novo numa baixa de ciclo e voltou ao isolamento".

Ainda sobre a saída do Brasil, em matéria publicada na *Folha de S.Paulo* de 16 de fevereiro de 1980, o artista já havia declarado: "Saí por minha própria decisão e voltei também por minha própria decisão. O que custou essa decisão foi um preço que já paguei". A mesma afirmação fora destaque um ano antes, numa reportagem de Alex Solnik para a revista *Repórter*.

De qualquer forma, se Vandré não tivesse deixado o país naquela hora, teria sido presa fácil da repressão. E se não caísse imediatamente após a decretação do AI-5, com certeza não teria sobrevivido ao governo do general Emílio Garrastazu Médici, iniciado em outubro de 1969.

Gênio difícil

Reforçando a opinião dos freis dominicanos que encomendaram a Vandré a *Paixão segundo Cristino*, pessoas ligadas a ele o consideram egocêntrico, de gênio complicado e muito reservado em seus relacionamentos. Na conversa com Jeane Vidal, em 2007, Alberto Helena Jr. diz que "ele era difícil de tratar... Era muito megalomaníaco, muito complicado. Tudo dele era melhor... Quando você só fala e é só você, e o outro vai falar e percebe que o cara não tá nem prestando atenção, tá pensando nele, então você não cria vínculo". E afirma que se alguém elogiasse uma música de outro compositor, Vandré – que adorava se olhar no espelho – logo puxava o assunto pra uma de suas composições.

"Ele sempre teve um temperamento bastante difícil, um gênio muito complicado de lidar, tanto que quase todo mundo tem relatos de desentendimento com ele", reconhece o biógrafo Vitor Nuzzi no documentário *O que sou nunca escondi*. No mesmo filme, a ex-mulher de Geraldo, Nilce Tranjan, define o artista como "iconoclasta". Solano Ribeiro, por sua vez, afirma que Vandré "era absolutamente egocêntrico; em primeiro lugar era ele, em terceiro lugar viria ele e em segundo lugar ele não deixava de estar também".

Por sua vez, Zuza Homem de Mello declara que o compositor era muito vaidoso: "Um homem muito bonito, muito atraente, de uma certa forma fascinante e capaz de despertar paixões bem fortes". Em outro ponto, diz que o artista "parecia membro de uma seita em defesa da liberdade". Já Hermeto Pascoal considera Vandré "um ser humano maravilhoso, não é um cara de fazer mal pra ninguém... Ele sofreu muito pelas suas atitudes, que não são erradas, mas fora de hora". E lembra uma situação hilária ocorrida quando estiveram juntos nos Estados Unidos.

Vandré cismou de discutir com um contrabaixista chamado Walter, dizendo que os americanos deveriam aprender português "pra falar com a gente", uma vez que no Brasil as pessoas estudam inglês "pra falar com eles". Segundo Hermeto, o músico era um negro alto, forte, "gente boa", mas foi ficando irritado. "O Vandré, quando ficava assim, era um cara irritante e ficava nervoso", admite, para depois demonstrar, entre risos: "O negão pegou o Vandré que nem um menininho pequeno e levantou ele assim... O Vandré parecia um boneco... Ele ficou esfregando o Vandré na parede... Ele imprensou o Vandré... Eu e o Airto dizíamos: 'Walter, Walter'. E ele só abriu as mãos e o Vandré caiu que nem um bonecão no chão". Na ocasião, Vandré e Airto Moreira tinham pegado carona no ônibus de Miles Davis, indo de Boston para Nova York.

O ex-integrante do Trio Marayá, Behring Leiros, confessa a Jeane Vidal: "Vandré era muito encrenqueiro, era encrenqueiro demais, entendeu? Politicamente, às vezes, eu estou aqui na sua frente, não vou xingar você, mesmo não gostando de você. Ele já diz na cara da pessoa. A pessoa não vai suportar isso. E se ele for o dono da coisa, pior ainda". Jair Rodrigues, por sua vez, ressaltou: "O Vandré nunca foi de se chegar... Ele sempre foi muito reservado, nunca participava dos papos, era todo estranho". No documentário *O que sou nunca escondi*, o sambista lembra a vez em que o compositor foi chamá-lo para se apresentarem juntos para soldados brasileiros e de países vizinhos que serviam nas fronteiras, em plena selva. É claro que Jair não levou a coisa a sério.

Ainda na conversa com Jeane, Alberto Helena Jr. afirma que o casamento do cantor terminou porque a esposa não aguentou a barra: "Eu acho que o caso dele é meio patológico. Eu não sou médico, nada disso. Mas todo mundo que conheceu o Vandré na intimidade vai dizer isso... Sei que no final ela me dizia que não aguentava mais. Era muita loucura, era muito eu, eu, eu...".

Em 2014, Nilce Tranjan afirma que é difícil saber os motivos da separação. "Desencontros que a fama e a carreira artística acabam promovendo numa relação", comenta. "A gente se gostava, mas a vida cotidiana foi ficando difícil. A casa sempre cheia, viagens, compromissos permanentes. Enfim, difícil manter um casamento nessas circunstâncias, principalmente naquela época de grande envolvimento da canção popular com o público e a política."

Desquite litigioso

O casamento já tinha acabado quando Nilce pediu o desquite amigável, pois ainda não havia divórcio no Brasil. "Geraldo e eu já estávamos com novos parceiros. Eu e meu marido planejávamos ter filhos. Naquela época, o Código Civil catalogava adultério como crime e, se eu tivesse filho, deveria ser meu e do Geraldo ou só meu, o que caracterizaria adultério. Então eu tinha de me desquitar. Como ele estava ausente do país, o pedido teve que ser litigioso", ela recorda.

"Demoraram a me chamar para a audiência e, quando chamaram, começaram a falar um monte de coisas que eu e meu advogado não compreendemos naquele momento. Insistiam que eu os estava enganando, porque queria me desquitar de Geraldo Pedrosa de Araújo Dias omitindo que ele era o Geraldo Vandré. Meu advogado argumentou que o nome civil dele era esse, mas não adiantou. Eles não me concederam o desquite."

Mais tarde, o advogado informou a ela que o colega que o estado havia designado para representar Geraldo trabalhava no escritório de Alfredo Buzaid, então ministro da Justiça. "A intenção era ver se eu acabava usando o fato de o Geraldo estar casado no exterior", lembra Nilce em 2014. "Se eu assim fizesse, ele poderia ser extraditado, pois bigamia era uma das causas juridicamente possíveis para a extradição. Parece mentira, mas isso aconteceu... É claro que o assunto morreu, e só viemos a nos desquitar em 1974, quando ele já havia voltado ao Brasil."

Depois da separação, Nilce se tornou jornalista e trabalhou na revista *Cláudia*, na Rede Globo e na TV Bandeirantes, apresentando a *Revista da cidade*, juntamente com o colega Kalil Filho. O programa saiu do ar após a decretação do AI-5 e ela passou a atuar como publicitária. Mais tarde, faria parte da assessoria de imprensa do governador de São Paulo, Mário Covas. Em 2014, casada há 46 anos com o publicitário Ercílio Faria Tranjan, ela tem dois filhos e uma neta, e se dedica à literatura infantil.

J. L. Ferrete conheceu Geraldo Vandré em 1961 e escreveu o texto da contracapa do seu primeiro LP, lançado em abril de 1964, mês do golpe militar. Ele relata a Jeane Vidal que num dos encontros que tiveram, nesse mesmo ano, notou que "seu olhar estava angustiado. Preocupava. Vandré, na verdade, sempre me deu a estranha impressão de alguém agoniadamente em busca de algo. Ou à procura de ajuda".

Por sua vez, Telé Cardim defende o amigo, dizendo que Vandré "é uma pessoa seletiva... de uma lucidez maravilhosa, um cara inteligente... não é uma pessoa agressiva fisicamente... pode até ser agressivo na forma de se expressar". Para provar o que diz, Telé recorda a vez em que ele foi espancado: "Ele estava sentado lá na padaria. Acho que alguém encheu o saco dele lá e ele pegou e falou "não enche meu saco". O cara bateu nele, chutou e ele precisou ser socorrido. Ele ligou pra mim, "Telé, me leva no hospital, o cara chutou meu saco". Como assim, Vandré? "Pô, o cara senta do meu lado e fica enchendo meu saco! E ainda veio bater em mim." Na época ele estava com sessenta e três anos. Ela garante que o amigo "é uma pessoa muito boa. Se você sentar e conversar com ele qualquer assunto, se ele se interessar, ele vai falar. Agora da vida particular dele, nem entre amigos ele fala. E nem quer saber da vida dos outros".

Em 2014, a própria Jeane Vidal ressalta: "Pra mim Geraldo Vandré é admirável, como ser humano e como artista. Quanto ao talento, incontestável. De louco ele não tem nada. Pelo contrário, está mais lúcido do que a maioria de nós. O que causa espanto nas pessoas é o fato de ele desprezar aquilo que a sociedade hipócrita em que nós vivemos tanto valoriza – a fama, a bajulação, o dinheiro. Após ler e reler centenas de artigos e entrevistas dele e sobre ele, fazer entrevistas com pessoas que conviveram ou convivem com ele, concluí que Vandré compunha e cantava suas músicas por amor a um povo, a uma causa, não buscava fama apenas. Ele tinha o ideal maior. Como ele mesmo diz em um de seus versos, 'Eu digo as coisas em que acredito, com dois, com vinte, ou sem nenhum acorde. O dia em que eu não puder dizer, paro de cantar'".

Em poucas palavras, o compositor apresenta o motivo de não cantar mais no Brasil. Esse motivo seria explicitado de modo mais claro num curto depoimento seu publicado por Assis Angelo no *Diário Popular*, em 31 de janeiro de 1985: "Nas culturas de massa ou nos grandes mercados não é a qualidade nem a autenticidade, e, muito menos, a originalidade que se coloca como padrão para produzir. Ao contrário, para os grandes mercados consumidores a produção deve ser plasmática e simplificada para acompanhamento do rodízio diário e simplificado das grandes folhas de pagamento. O *rock* no Rio de Janeiro. Dentro disso não há programa econômico destinado à produção sistemática de uma cultura musical. A boiada come o que tem no pasto".

A historiadora Dalva Silveira destaca que "o exílio parece ter sido um dos fatores que contribuíram para a 'morte em vida' do compositor Geraldo Vandré, ou seja, para a sua transformação definitiva no advogado Geraldo Pedrosa de Araújo Dias". Citando Denise Rollemberg, no livro *Exílio – entre raízes e radares*, ela ressalta que "a estrutura cultural e psicológica e a personalidade do exilado serão essenciais na compreensão da maneira como o exílio será vivido".

Tudo indica que o fato de ter sofrido pressões e deixado o país clandestinamente – para não ser preso, torturado ou mesmo assassinado pela repressão – agravou as características excêntricas apontadas em Vandré. Ao encontrar um novo Brasil, dominado pela massificação, ele pode ter levado um choque ao constatar que seu tempo havia passado. Talvez tenha sido vítima de um estresse pós-traumático. Afinal, como na canção que dedicara ao guerrilheiro Che Guevara, aprendera por si mesmo: "*Quem afrouxa na saída / Ou se entrega na chegada / Não perde nenhuma guerra / Mas também não ganha nada*".

XII

SE É PRA DIZER ADEUS

Em busca de segurança e condições de trabalho, Vandré percorre vários países, reencena a *Paixão segundo Cristino* na igreja de Saint-Germain-des-Près, em Paris, e vence o Festival de Aguadulce, em Lima, Peru.

ASSIM QUE Geraldo Vandré sai do Brasil, circulam boatos sobre o seu desaparecimento. Algumas pessoas chegam a pensar que ele foi morto pela repressão. Num relato interno sobre ele, o DOPS registra que "o nome do marginado apareceu no jornal RESISTÊNCIA, de 21-1-1969, desmentindo os boatos ocorridos em São Paulo, referente ao falecimento do marginado". Como destaca Vitor Nuzzi em seu livro, "o primeiro sinal de vida, literalmente, foi dado apenas em 10 de junho daquele ano, quatro meses depois de sua partida, quando o jornal *O Globo* localizou Vandré em Santiago e publicou uma pequena matéria, não assinada, na página dois, com duas fotos. Ele foi descrito como 'um pouco envelhecido, usando óculos e reclamando do frio'. E afirmava nunca ter sido comunista, nem ter sofrido algum tipo de pressão para deixar o país. 'Resolveu sair para evitar uma possível condição de exilado', dizia o jornal".

Em 2014, o jornalista mineiro José Maria Rabelo fala da convivência com o artista paraibano, quando ambos moravam em Santiago do Chile: "Vandré era muito angustiado com o exílio. Fez apenas um *show* por lá e quase não produziu nada de novo. A não ser uma música (*Desacordonar*) não muito boa. Ele tinha uma namorada chilena muito bonita, chamada Bélgica... A gente almoçava sempre junto e ele já dava sinais de estar mal de saúde. Esse tipo de coisa era comum com pessoas que tinham fama no Brasil e que lá fora voltavam à planície por não serem conhecidas... Vandré era uma pessoa isolada e não se relacionava muito com os outros exilados".

Quem acompanhou Vandré muito de perto enquanto moravam na capital chilena é o poeta amazonense Thiago de Mello. Em 2014, ele afirma que o compositor convivia com uns poucos exilados. "Eu o conheci no final da década de 1950, no Rio de Janeiro", lembra o escritor. "Havíamos sido convidados para assistir ao filme *A hora e vez de Augusto Matraga*, do Roberto Santos, na cabine de projeções do produtor Luiz Carlos Barreto. Foi um encontro maravilhoso, com a presença do Guimarães Rosa... Sempre admirei o músico e cantor Geraldo Vandré. Gostava muito de ouvi-lo. Éramos de convivência cuidadosa. Ele e Manduka, meu filho, fizeram um *show* em Santiago, para convidados chilenos e brasileiros, todos sentados no chão. Foi numa antessala de um espaço cultural da cidade. Foi muito bonito."

A revista *MPB Compositores*, edição de nº 31, publicada em 1997, apresenta um depoimento de Nilce Tranjan, que acompanhou de perto a ascensão musical do ex-marido: "Geraldo não ficou preso nem foi torturado. Mas para um cara como ele, se lhe tivessem arrancado três unhas, dado choques elétricos, teria sido menos grave do que a castração de seu espaço artístico. O exílio para Geraldo foi enlouquecedor. O Geraldo era fruto de uma vontade ferrenha de ser um artista popular, no sentido de reformular as expressões culturais do povo e entregá-las de volta. Deu a vida dele para isso, entregou-se totalmente à sua arte". Nesse sentido, o poeta Mauro Iasi faria um poema em homenagem ao compositor, que termina com versos que bem descrevem a situação vivida por um artista cuja inspiração fora ceifada pela ditadura: "*Que requinte mais perverso de crueldade:/ matar alguém e deixar seu corpo vivo / como testemunha da morte inacabada*".

Um texto reflexivo escrito pelo próprio Vandré assim que chegou ao Chile seria publicado dezesseis anos depois, pela *Folha de S.Paulo*, detalhando sua condição naquele momento: "Na verdade, não sei o que fazer. Em Santiago do Chile, num tempo e num espaço ideal para férias, em busca de trabalho. Por hábito, escrevo. Não sei para quem, mas escrevo. Fiquei essencialmente louco ou abstrato para entender-me com o meu próprio tempo e por isso mesmo, além do mais, espero. O verdadeiro perigo de tudo está em que me surpreendo falando com os pássaros, de repente, de que de (*sic*) pensando de tal modo no futuro, esteja me perdendo no passado, simplesmente. *Dame las alas para volar hacia las puertas de tu corazón*".

Em 1969, em Santiago, Vandré lança um compacto simples pelo próprio selo, Banco Benvirá Edições, com as músicas *Desacordonar* e *Camiñando*, ambas em espanhol, gravadas com violão e voz. A primeira resultara de uma viagem pelo interior do Chile, para conhecer assentamentos da Corporación de La Reforma Agrária. A indicação fora feita pelo ex-deputado federal e militante da AP, o advogado Plínio de Arruda Sampaio, que lá também se encontra na condição de exilado político.

Ao se apresentar num programa de televisão na capital chilena, o artista é vaiado e acaba se desentendendo com a plateia. Não chega a fazer um discurso performático como aquele de Caetano Veloso no 3º FIC, mas deixa clara sua irritação diante da hostilidade dos presentes. Logo depois desse episódio, vê-se forçado a deixar o país, pois as autoridades locais descobrem que ele está de forma ilegal e sem permissão para atuar como cantor profissional. A notícia chega ao Brasil pelo *Diário de São Paulo*, edição de 6 de julho de 1969, sendo registrada em seu prontuário no DOPS. No dia 12, após se casarem, ele e Bélgica Villalobos embarcam para a Europa num voo da Air France.

Giro pela Europa

Após deixarem o Chile, Geraldo Vandré e sua mulher viajam para a Argélia e assistem ao Festival Pan-Africano. Logo depois, embarcam para a República Federal da Alemanha, onde o cantor grava programas para a televisão da Baviera. Nessa época, rodam um especial sobre ele que mais tarde seria disponibilizado no YouTube. O compositor apresenta várias canções, entre elas *Caminhando*, *Che* e *De América*, na qual sua mulher faz o contracanto. Mesmo ele estando distante do Brasil, a ditadura continua no seu rastro. Como prova Dalva Silveira em sua dissertação de mestrado, o prontuário de Vandré no DOPS registra: "Segundo Boletim Informativo nº 133, do SNI, de 12-06-1969, o epigrafado que estaria no Chile, deverá ir para a Alemanha, para atuar na TV tendo firmado contrato de 2.500 dólares. 50-Z-9-7494".

Por não atender a uma convocatória para se defender da acusação de abandono de função, Geraldo Pedrosa de Araújo Dias é exonerado do cargo de inspetor de indústria e comércio, nível quinze, do quadro de Pessoal da extinta COFAP. O decreto de 18 de setembro de 1969 é noticiado na seção do Ministério da Agricultura no *Diário Oficial da União*. No dia 4 desse mesmo mês guerrilheiros da ALN e do MR-8 sequestraram no Rio o embaixador americano Charles Burke Elbrick. O diplomata é libertado pouco depois, em troca da soltura de quinze presos políticos – entre eles Gregório Bezerra, ex-dirigente do PCB, e os líderes estudantis Vladmir Palmeira e José Dirceu, que muito mais tarde seria condenado por chefiar o chamado mensalão do PT.

Em 8 de outubro, o jornal *O Estado de S. Paulo* publica uma nota informando que Vandré está sendo processado "sob acusação de ter desenvolvido atividades subversivas nos meios artísticos". Segundo os supostos acusadores, sua música *Caminhando* "traria uma mensagem de guerra revolucionária e psicológica altamente prejudicial ao regime vigente no país". Outra nota, desta vez no *Jornal do Brasil*, informa que ele teria "contribuído para o clima de inquietação que existiu no país há alguns meses".

Depois da estada na Alemanha, o compositor percorre a Áustria, Bulgária, Grécia e Iugoslávia apresentando-se em povoados do interior em troca de pouso e comida. "Foi uma das experiências mais importantes que tive no exterior... Em nenhum lugar me recusaram o que eu precisava, e aprendi muito", diria mais tarde. Na Europa, ele tenta em vão reencontrar a cantora Marinella, que participara do 3º FIC interpretando *Se você vier*, dos gregos Gerassimos Lavranos e Elpide Pericakis. Enquanto isso, Sergio Endrigo, um dos cantores mais prestigiados da Itália – que já havia gravado *Camminando e cantando* –, inclui outras músicas suas em um novo LP.

Em 1970, na França, Vandré participa de uma nova encenação da *Paixão segundo Cristino*, na igreja de Saint-Germain-des-Près, durante as celebrações da Páscoa parisiense. O evento tem a participação de músicos brasileiros e da atriz e cantora Vanja Orico. Ela já havia trabalhado com Federico Fellini quando se projetou no cinema brasileiro cantando *Mulher rendeira*, com os Demônios da Garoa, em *O cangaceiro*, filme de Lima Barreto premiado em Cannes e exibido na França durante cinco anos. Curioso é que a autoria dessa música é atribuída ao "rei do cangaço", Virgulino Lampião, que a teria feito em homenagem a uma de suas avós.

A nova montagem da *Paixão*, de Vandré, mostra um Cristo crucificado, esculpido com um cano d'água na boca e ligado a eletrodos, feito pelos artistas plásticos Salvy-Guide e Senatore para denunciar a tortura no Brasil e em outros países governados por ditaduras. A escultura permanecerá exposta na igreja durante vários dias após o espetáculo. Enquanto isso, no Chile – para desespero do presidente americano, Richard Nixon, e dos generais brasileiros –, o médico marxista Salvador Allende é eleito presidente da República pela coalizão de esquerda denominada UP (Unidade Popular).

Ainda em Paris, Vandré tem um encontro nada amistoso com o compositor argentino Atahualpa Yupanqui, num café da cidade. O brasileiro está na companhia do amigo galego Xico de Carinho. Ao se aproximar do argentino, não consegue conter o entusiasmo e exclama: *Maestro, yo tambíen soy poeta*. Ao que o outro retruca: *No es poeta quien se dice, si no quien se muestra*. Xico é quem conta: "Aí o Yupanqui convidou-nos à sua mesa e falou dos amigos que tinha na Galícia e na Coruña. Após alguns minutos, Geraldo disse que tínhamos coisas a fazer e era preciso ir embora. Não tínhamos nada a fazer, mas acho que ele não gostou de sentir-se ignorado".

Durante um *show* na Cité Universitaire, o autor de *Caminhando* nota na plateia a presença de outros exilados brasileiros e começa a chamá-los um a um pelo nome. O palco não demora a ficar cheio, deixando confuso o público de parisienses que não encontra nenhuma explicação impressa no programa. Noutra ocasião, no mesmo espaço cultural, ele apresenta os jovens músicos da banda Batuki, formada pelo gaúcho Wilson Sá Brito, o mineiro Markú Ribas e os angolanos Manuel Gomes e Mario Clington. "Meu primeiro contato com Vandré foi no apartamento onde ele morava com Bélgica e seu assessor", lembra Sá Brito em 2014. "Fui conhecê-lo levado pelo companheiro Mario. Conversamos sobre música e sobre a vida em Paris naquele momento. Ele nos explicou o seu sistema de composição baseado em dois acordes."

O músico gaúcho estava na apresentação de *Paixão segundo Cristino* e afirma que depois convidaram um grupo de pessoas, a maioria brasileiros, para ir a uma cave no Quartier Latin. "Ali se tocava música cubana e costumávamos dar canjas com música brasileira. O local ficou lotado, pois era pequeno e o grupo devia ter de vinte a vinte e cinco pessoas", recorda. "Na semana seguinte, Vandré foi até meu estúdio juntamente com Bélgica e o assessor, para uma reunião com o Batuki. Na ocasião, convidou-nos para gravar com ele o disco da *Paixão*. Fomos para sua casa – que na verdade era de Michel Legrand – nos subúrbios de Paris, e ali ficamos por quinze dias improvisando e compondo juntos. Após duas semanas ele fez outra reunião, desta vez em minha casa, e desistiu do projeto. Haveria até uma excursão de lançamento pela América Latina patrocinada pela Igreja Católica... Vandré tem muitas facetas, mas é um cara do bem. Naquele tempo lutava por democracia e humanitarismo."

Pelo menos nesse período Geraldo Vandré deixa de lado as diferenças de opinião com Caetano Veloso e vai a Londres visitar o colega tropicalista e sua mulher, Dedé Gadelha. Enquanto isso, no Brasil, o cantor Wilson Simonal é hostilizado pela esquerda, particularmente pela turma de *O Pasquim*. Ao tentar pressionar o contador Raphael Viviani que lhe prestara serviços para confessar que havia desfalcado sua empresa, o cantor apela para dois agentes do DOPS, que pegam seu carro emprestado para sequestrar e torturar o acusado.

No auge da fama, contratado da Rede Globo, garoto-propaganda da Shell e atração nas Olimpíadas do Exército, Simonal teria dito ser amigo e colaborador do DOPS. A partir daí, nunca mais consegue se livrar da pecha de dedo-duro. Sua carreira degringola em pouco tempo e o alcoolismo se encarrega do resto. Depois de sua morte, em 25 de junho de 2000, seu amigo Geraldo Vandré – um dos últimos a vê-lo com vida no hospital –

dirá à imprensa: "Não fizeram essa acusação porque ele era preto e rico, senão tinham feito o mesmo com o Jair (Rodrigues). Era porque ele era um cara petulante, tinha aquele jeitão. Mas nunca dedurou ninguém. Tenho certeza disso".

O último disco

Em busca de um tipo de música experimental, criada com assobios e sons de violão com forte ritmo de origem nordestina, Vandré compõe um tema intitulado *Indianismo* e grava o disco *Das Terras de Benvirá* para a Le Chant Du Monde, em Paris. Por questões não explicadas, o projeto é reduzido a um compacto simples, com duas canções, chamado *La Passion Bresilienne*. Em 1973, o LP será lançado no Brasil pelo selo Philips, a convite do produtor Roberto Menescal, que também produz o emblemático *Araçazul*, de Caetano Veloso. Rivais estéticos, os dois compositores recém-repatriados apresentariam ao mesmo tempo os trabalhos mais experimentais de suas respectivas discografias.

Benvirá é o último trabalho fonográfico de Vandré. São quarenta e um minutos e cinquenta e sete segundos distribuídos em oito faixas. Para o crítico Mauro Dias, de *O Estado de S. Paulo*, elas "trazem uma qualidade de beleza sofrida poucas vezes encontrada na música brasileira". Além do compositor, o disco reúne os músicos Marcelo Melo, Murillo Alencar e Xico de Carinho – que aparece na ficha técnica como Kiko de Carinho. O trio não demorou a ser chamado de Grupo Benvirá. "Sempre tive muita admiração pela obra de Vandré, pela força do seu canto. Eu me entusiasmei em participar daquele trabalho. Na época eu era um estudante em formação acadêmica na Europa. Foi um trabalho *freelance*", lembra, em 2014, o pernambucano Marcelo Melo.

Xico de Carinho é o nome artístico de Francisco Peña Villar, nascido numa vila marinha chamada Cariño e localizada em Ferrol, no Cabo Ortegal, em Coruña, uma das quatro províncias da Galícia. Ele diz ter conhecido Vandré em novembro de 1970. Dias antes conhecera Marcelo Melo, numa loja de música, em Paris: "Marcelo estava interessado numa gaita, que acabou não comprando, e me pediu para nos encontrarmos no mesmo dia à tarde, na minha residência da rua Vaugirard, no bairro Latino", recorda em 2014. "Ele queria conhecer meu jeito de tocar e ver como ficavam suas canções na gaita. Vandré apareceu com ele e seu violão e ficamos tocando boa parte da tarde, com Vandré apresentando algumas canções, mas, sobretudo, a improvisar temas, sons, ritmos e palavras."

Segundo Xico, o clima de gravação no Strawberry Studio, de Michel Magne, num castelo em Herouville, foi de total descontração: "Ficamos à vontade e com critério próprio para intervir nas canções, nomeadamente no que se referia à gaita e percussão. Geraldo decide os temas que vai cantar e é Marcelo quem o acompanha ao violão. A partir daí a gaita (harmônica) e a pequena percussão, que vamos tocando e escolhendo segundo o nosso gosto sem outra pauta ou indicação por parte de Vandré. Ele confiava em nosso critério e estávamos identificados com o seu jeito de cantar". Por sua vez, Marcelo Melo se recorda das preocupações de Vandré. Ele temia que o dono do estúdio se apropriasse das trilhas e por isso exigiu um registro paralelo das gravações. "Tudo foi acontecendo de maneira tensa e o convívio com Geraldo era pesado", acrescenta.

O galego afirma ter acompanhado de perto o compositor paraibano, desde que se conheceram, "curtindo com ele ensaios, convívios, gravações, noitadas e viagens a Louvain, na Bélgica, e Genève, na Suíça, até que fomos expulsos da França, em 1971. Comigo e com Marcelo, ele se comportava como amigo ou companheiro, não como o cantor de sucesso que manda nos músicos contratados. Marcelo estudava Agronomia em Louvain e eu fazia Etnomusicologia, em Paris".

Na mesma época, Baden Powell encontra-se em Paris, gravando um disco no estúdio Barclay. Está em companhia do parceiro Paulo César Pinheiro, de dezenove anos, a quem apresenta Vandré. Em 2014, o letrista lembra que conviveu com o autor de *Caminhando* durante quinze dias e conversaram muito sobre como ele estava vivendo na Europa. "Ele era uma pessoa da Paraíba, ligado na terra, e sentia muita falta do Brasil", recorda. "Vandré havia envelhecido muito, pela maneira como deixou o país e por viver como cigano. Percebi amargura nele, uma tristeza velada da qual ele não falava."

Certo dia, quando Baden estava no "aquário" da gravadora, pronto para gravar, Vandré adentrou o estúdio, sentou-se em frente a ele e ficou olhando, cara a cara. Paulo César lembra que Baden se sentiu incomodado, largou o violão e foi embora irritado, adiando a gravação para o dia seguinte. Vandré havia bebido – 'ele bebia muito naquela época' – e os dois acabaram discutindo. Depois os três amigos foram a um restaurante e novamente os antigos parceiros se desentenderam: "O Baden foi embora e me deixou sozinho com o Vandré".

O cantor dá carona ao jovem letrista até o hotel e pede para subir até seu quarto, pois gostaria de lhe mostrar algumas composições: "Ele me mostrou uma música linda e muito longa, que não acabava nunca. Perguntei o nome e ele disse que se chamava *O evangelho segundo Geraldo Vandré*. Pretendia apresentá-la num *show* que seria realizado numa praia do Chile e me convidou pra ir com ele. Mas eu tinha de voltar ao Brasil por causa de outros compromissos e agradeci o honroso convite".

Com dezenas de parceiros e mais de duas mil músicas gravadas, Paulo César Pinheiro não pensa duas vezes antes de elogiar o ex-colega: "Vandré é um grande compositor e um grande poeta. Se não tivesse acontecido tudo aquilo com ele, certamente teria feito muito mais músicas de sucesso... Tenho todos os seus discos e lembro os versos de uma canção sua com o Baden, que sempre a citava nos seus *shows*: *E o amor mais lindo vai ensinar / Que todos os tristes, querendo juntos / Toda tristeza vai se acabar*". Os versos são do samba *Se a tristeza chegar*.

Quem também se encontra com Geraldo na Cidade Luz é o cineasta Cacá Diegues e sua mulher, Nara Leão. A anfitriã é Regina Leclery. Brasileira casada com um empresário francês, ela morreu em 1973 a bordo do Boeing que caiu perto do aeroporto de Orly, vitimando 123 pessoas – entre elas o cantor Agostinho dos Santos. Vandré canta suas canções para os amigos. Naquele momento, Cacá diria mais tarde, o compositor estava bastante tenso e sem esperanças de retornar ao Brasil.

De volta ao Chile

A inesperada saída da França é outro episódio que agrava o sofrimento do cantor. "Quando viajamos para uma atuação em Louvain, policiais da fronteira alfandegária franco-belga encontraram no cinzeiro do carro alguns gramas de haxixe. Ficamos detidos por uma noite numa comissaria e depois fomos expulsos do país", lembra Xico de Carinho. Além dele e Vandré – segundo nota publicada na *Folha de S.Paulo* – faziam parte do grupo o artista plástico Waldomiro de Deus Sousa, Sílvia Leitão Lemos, o arquiteto Marcelo Cavalcanti Melo e o padre Egídio João Gomes. O veículo é alugado e todos juram desconhecer a presença da droga no cinzeiro. A polícia fala em 650 gramas, mas Xico garante que era bem menos que isso. Mais tarde, Vandré dirá que ficaram apenas cinco horas na delegacia e que a imprensa brasileira exagerou no estardalhaço.

Inocentemente, ele pede ajuda à Embaixada Brasileira em Paris, mas o embaixador Aurélio de Lyra Tavares nada faz para ajudá-lo. Paraibano de João Pessoa e recém-empossado na ABL – embora seus livros não tenham nada de literário –, o conterrâneo de Vandré é o ex-ministro do Exército integrante da junta militar que havia substituído o presidente marechal Costa e Silva, entre 31 de agosto e 30 de outubro de 1969, até a posse do general Médici. O representante da Aeronáutica havia sido o brigadeiro Márcio de Souza e Melo e o da Marinha, o almirante Augusto Rademaker, escolhido para o cargo de vice-presidente da República.

Xico já tinha acompanhado o amigo a um encontro com Lyra Tavares. Geraldo fora convidado para visitar a embaixada. "Vandré duvidava e me chamou para ir junto com ele", afirma o músico galego. "Estivemos lá tomando café e o embaixador falou pra ele: 'Filho, vou ser sincero, volte ao Brasil, você não tem nada a temer. Não há nada contra você, nós o queremos Brasil'." (*sic*)

Os dois artistas deixaram a embaixada meia hora depois. "O ambiente metia medo, com todo aquele protocolo militarista. O embaixador vestido de militar de alta graduação, na semiescuridão, com aqueles símbolos facistoides, a bandeira do Brasil e um crucifixo a presidir o encontro", prossegue Xico. "Quando saímos, Vandré quis saber minha opinião, se seria seguro ele voltar ao Brasil. Eu disse que o encontro me pareceu uma entrevista estudada e falsa. Parece que queriam utilizá-lo politicamente e que não seria seguro voltar ao Brasil. Vandré concordou comigo e decidiu não voltar."

De qualquer forma, o casamento com Bélgica Villalobos passava por momentos de crise, principalmente por causa das angústias e inseguranças geradas pelo exílio. Segundo Vitor Nuzzi, o pintor Waldomiro (citado na letra de *Das terras de Benvirá* como Waldomiro das Estrelas) teria revelado: "Uma vez Geraldo Vandré veio me visitar e começou a brigar com a esposa chilena. Tentei apartar. Eles estavam na portaria e não paravam de gritar, com os franceses olhando os dois pela janela. Convidei-os para subir e comecei a aconselhá-los".

Devido à prisão do grupo de amigos por porte de droga, Bélgica abandona o marido e viaja de volta a Santiago. Desesperado e expulso da França, mas também tentando inutilmente salvar a relação, Vandré não vê outra saída senão retornar ao Chile, passando a viver sua segunda temporada no país. Pouco depois, grava *Bolerito* no LP El volantín, do grupo Los Jaivas, ligado à Nueva Canción Chilena. Um dos líderes desse movimento musical é o professor de jornalismo, poeta, compositor e ativista político Vitor Jara, nomeado embaixador cultural do governo Allende.

Tempi duri

Em 15 de fevereiro de 1972, a *Folha de S.Paulo* noticia sem grande destaque: "O grande prêmio do Festival da Canção Popular Latino-Americana foi concedido a duas composições: *Pátria amada, idolatrada, salve, salve* (Brasil) e *Yo soy la hormiga vecina* (Chile). A primeira foi interpretada por Soledad Bravo e Manuel Thiago, autor da melodia. A letra pertence a Geraldo Vandré". Trata-se do Festival de Aguadulce realizado em Lima, no Peru, e a primeira obra citada é uma parceria de Vandré com Manduka. Este cantou em dueto com a venezuelana Soledad e acompanhamento do peruano Lucho Gonzáles, ao violão. A segunda canção é de Isabel Parra, filha da folclorista, pintora e compositora chilena Violeta Parra. O prêmio de melhor intérprete foi dividido por Soledad e o argentino Victor Heredia, com *Muchacho campesiño*.

Definido por Heredia como "um encontro de artistas contestadores da América", o Festival de Aguadulce teve como presidente do júri a folclorista e cantora Chabuca Granda e só foi possível porque o Peru era governado pelo general Juan Francisco Velasco Alvarado. No auge da guerra fria, num continente varrido por golpes militares de direita, Alvarado havia tomado o poder das mãos do conservador Fernando Belaúnde Terry e organizado um governo nacionalista de esquerda. Três anos depois, ele seria derrubado pelo também general Francisco Morales Bermúdez, um típico representante da direita latino-americana pró-Estados Unidos.

Premiada lá fora, a canção de Manduka e Vandré é proibida no Brasil. Mesmo considerada uma retratação do autor de *Caminhando*, nas palavras da censora Odette Martins Lanziotti, a letra é barrada por "trazer como título um dos versos do hino nacional numa canção não cívica". Em 2014, Thiago de Mello recorda que, "além de *Pátria Amada*, Manduka deu melodia, voz e harmonia no violão a outros lindos poemas do Geraldo. Lembro agora de um deles, chamado *Vela*. A notícia desagradável é que meu filho gravou um máster com mais de 10 poemas do Geraldo, algumas canções da série do Waldomiro das Estrelas. Geraldo trouxe a fita máster para o Brasil, ficou com ela, inédita até hoje". Ainda em 1972, a cantora Ornella Vanoni grava *Tempi duri*, versão italiana de *Disparada* incluída no LP cujo repertório traz também uma releitura de *Imagine*, um dos clássicos do ex-beatle John Lennon.

Em julho de 1973, o músico chileno Matías Pizarro e a socióloga brasileira Ana Clara Fabrino Baptista, formada em Filosofia pela USP, organizam a publicação do livro de poemas de Vandré, *Cantos intermediários de Benvirá*, que permaneceria inédito no Brasil. Destacam-se nele os versos dedicados a Aracy Guimarães Rosa, em agradecimento por tê-lo escondido pouco antes de deixar o país. A temática, a métrica e o ritmo do poema comprovam a influência da literatura de cordel na obra do autor:

A graça já se fez, amiga,
E não vai se perder.
Só falta que eu bendiga
e vou me preparar para cumprir
a missão de agradecer
além do verso e da palavra.
Para tanto a poesia
tem muito que crescer.
O tempo eu não digo
porque me engano e vou desmerecer.
Garantido é que hoje sigo
mais seguro e mais forte
porque vais comigo
e mais posso fazer.
Porém, além do verso e da palavra
Tem de ser
E ainda não sei quando
Irei bendizer
Da graça que foi tanta
De te conhecer.

Ana Clara se torna companheira de Vandré e vive com ele até seu regresso à pátria. Antes disso, o compositor amarga seus piores momentos no exílio, agravado pelo uso de drogas e pelo tratamento psiquiátrico à base de remédios e – dizem alguns – eletrochoques. Em entrevista publicada na revista *Playboy*, em 1982, a socióloga testemunhará o estado de espírito do artista naquele tempo: "Jamais vi pessoa tão torturada. Alucinações, insônia. E sempre buscando o caminho difícil". No quarto onde mora, Vandré mantém uma bandeira do Brasil bem acima da cabeceira da cama.

Contudo, o país já não é o mesmo deixado por ele no início de 1969. Vive-se o tempo do "milagre econômico", no qual é registrado o maior crescimento da história nacional até então. Paradoxalmente, sob intensa repressão política só comparável à do Estado Novo, as metas quebradas pela economia contrastam com a concentração de renda, com o aumento do êxodo rural e da pobreza urbana. Graças à propaganda oficial e ao controle da mídia pelo governo Médici, predomina o pensamento ufanista de um Brasil grande a caminho de se tornar potência mundial. O maior estímulo a essa imagem junto às camadas populares é a conquista da Copa do México, em 21 de junho de 1970. O hino da Seleção Brasileira composto por Miguel Gustavo fala em "90 milhões em ação, pra frente Brasil...". As canções de Dom & Ravel, como *Eu te amo meu Brasil*, também glorificam o ufanismo desmedido manipulado pelos militares.

Num clima que o jornalista Elio Gaspari apelidará de "patriotada", vive-se o tempo do "Brasil, ame-o ou deixe-o", do avanço das telecomunicações, dos serviços da Embratel, da ponte Rio-Niterói e da rodovia Transamazônica, cuja construção no meio do nada é glorificada no programa *Amaral Neto – o repórter*, exibido semanalmente pela Rede Globo. Sob forte censura, consolida-se o sistema televisivo e de radiodifusão, o que vai permitir a implantação de uma indústria cultural dirigida às massas. O número de televisores no país, que era de dois mil no final de 1950, salta de 760 mil em 1960 para 4,931 milhões, em 1970 – já com a TV colorida. O resultado do "massacre cultural" seria abordado em 1979 pelo cineasta Cacá Diegues, no filme *Bye bye, Brasil*.

O próprio Festival Internacional da Canção fora domesticado. Após o auge em 1968, quando *Caminhando* balançou o Maracanãzinho e ganhou as ruas, as músicas vencedoras são brandas, com letras românticas e quase apolíticas. Exemplo disso é a vencedora do 4º FIC, de 1969: na doce voz de Evinha, integrante do Trio Ternura, *Cantiga para Luciana* é apenas um tema romanticamente ingênuo assinado por Edmundo Souto e Paulinho Tapajós. Outras duas finalistas têm nomes de mulher no título: a segunda colocada é *Juliana*, de Antônio Adolfo e Tibério Gaspar; e a quinta é *Minha Marisa*, de Fred Falcão Medeiros.

Como salienta Zuza Homem de Mello em *A era dos festivais: uma parábola*, "o 4º FIC encerrava-se sem nenhuma música que tivesse dado trabalho à censura. Praticamente, canções românticas ou dançantes. A eficiência da varredura nos bastidores, camarins, cadeiras de pista, arquibancadas, palco e local do júri efetuada pelo esquema de segurança com dezenas de policiais da PM, agentes do DOPS e da Polícia Federal estava comprovada".

Padrão Globo

No ano seguinte, o 5º FIC premia *BR-3*, de Adolfo e Gaspar, na voz e na dança de Tony Tornado, que faz o tipo James Brown brasileiro, com vocais do Trio Ternura. Em 1971, Evinha fica em primeiro lugar com *Kyrie*, de Paulinho Soares e Marcelo Silva. O último FIC, realizado em 1972, revela o talento de Maria Alcina, intérprete da vencedora *Fio Maravilha*, de Jorge Ben (Jor). Como analisa Maria Rita Kehl, "a Globo é efetivamente a síntese da televisão brasileira na década de 1970".

De uma hora para outra, o chamado Padrão Globo de Qualidade suplanta a estética do subdesenvolvimento mostrada pelos artistas de esquerda, aí incluídos os cepecistas, os adeptos do Cinema Novo e – por que não? – os compositores e cantores de protesto. Apesar disso, em 1971, o fascículo nº 34 da coleção *Música Popular Brasileira* sobre Geraldo Vandré é o segundo mais vendido, perdendo apenas para o de Roberto Carlos. Nada mal, considerando o fato de só permanecer nas bancas durante 10 dias, antes de ser recolhido pela polícia. Em 17 de setembro desse mesmo ano, o guerrilheiro e ex-capitão do Exército Carlos Lamarca é morto a tiros no sertão da Bahia.

Em sua análise de 1980, Kehl afirma que "a opulência visual eletrônica criada pela emissora (Globo) contribuiu para apagar definitivamente do imaginário brasileiro a ideia de miséria, de atraso econômico e cultural: e essa imagem glamourizada, luxuosa ou, na pior das hipóteses, antisséptica (quando é imprescindível mostrar a pobreza convém ao menos desinfetá-la: em vez de classes miseráveis, um povo 'humilde, porém decente' para não chocar ninguém) contaminou a linguagem visual de todos os setores da produção cultural e artística que se propõem a atingir o grande público". A arte permitida é mero entretenimento, e quem insiste em fazer pensar é alijado do mercado.

"O povo mergulhou num profundo sono, para não viver na realidade os verdadeiros pesadelos", escreve Sérgio Ricardo no livro *Quem quebrou meu violão – uma análise da cultura brasileira nas décadas de 40 a 90*. "A moçada entrou no tóxico. Pintava o grande vazio cultural. O silêncio impingido. Os rejeitados do sistema, tendo a tarja na boca, só tinham direito a ouvir piadinhas, *slogans* da ditadura em subliminares intermitentes que viciaram a linguagem, e era um tal de subversivo pra cá, esquerda festiva pra lá, comunista que comia criancinha, e por aí, um rosário. De repente éramos os malditos, jogados no fundo do poço da cultura, coberto na boca pela tampa, para que dele nada saísse nem entrasse. O campo estava minado, mas camuflado por uma grama de plástico, que lhe dava o ar de sossego de uma besta vastidão."

Para Dalva Silveira, "isso indica que a mídia, em particular a Rede Globo, ao camuflar a realidade desigual (e mesmo a prática da tortura, tão usada naquele momento), em muito cooperou para que um cantor de protesto da década de 1960, como Geraldo Vandré, não encontrasse espaço no cenário musical brasileiro". A historiadora lembra que o "dia que virá" da canção de protesto é substituído pelo "dia que já chegou". E aqui vale lembrar o contagiante *jingle Um novo tempo*, curiosamente composto por Nelson Motta e os irmãos Marcos e Paulo Sérgio Valle para a TV Globo: "*Hoje é um novo dia / de um novo tempo que começou / Nesses novos dias as alegrias serão de todos é só querer / Todos nos nossos sonhos serão verdade / O futuro já começou...*".

Enquanto isso, o período Médici é chamado pela esquerda de "os anos de chumbo". Ainda que sem cobertura da imprensa, trava-se na divisa de Goiás, Pará e Maranhão a mais intensa luta armada contra o regime militar. A chamada Guerrilha do Araguaia, que se desenvolve às margens do rio de mesmo nome, é um movimento criado pelo PCdoB (Partido Comunista do Brasil) com o objetivo de fomentar a revolução socialista no país a partir do campo, nos moldes das vitoriosas campanhas da China de Mao Tsé-Tung e da Cuba de Fidel Castro.

A partir de 1972, as forças armadas massacram os guerrilheiros até a derrota final do movimento, em 1974. Em outubro desse ano, a última combatente seria capturada descalça, mancando a esmo em plena selva. Consta que Walkíria Afonso Costa, ex-estudante de pedagogia, foi friamente executada no dia 25 do mesmo mês. Um dos poucos sobreviventes é o futuro deputado federal José Genuíno, que décadas mais tarde será condenado à prisão por envolvimento no mensalão do PT. Sabe-se que em um só dia de batalha quarenta e um guerrilheiros foram mortos. Em meados de 1975, homens das forças armadas voltariam ao teatro de guerra para desenterrar os restos mortais dos inimigos e desaparecer com eles de uma vez por todas.

XIII

SEM EIRA NEM BEIRA

De volta ao Brasil, Geraldo Vandré grava retratação pública para o *Jornal Nacional* e escapa do golpe militar no Chile, onde brasileiros exilados se veem ameaçados pela ditadura implantada pelo general Augusto Pinochet.

DURANTE O tempo em que Geraldo Vandré permanece fora do Brasil, o ambiente artístico sofre uma espécie de pulverização, devido principalmente à ação da censura e à consolidação da chamada cultura de massa. Ao contrário da fase áurea da TV Record, as gravadoras que dominam o mercado são todas multinacionais e têm uma visão de negócios eminentemente industrial. Mais do que na época da *Jovem guarda* e sua rivalidade com os astros de *O fino da bossa*, a música popular se mostra setorizada, com os artistas sendo rotulados e catalogados conforme o estilo do trabalho de cada um. Mais do que nunca, o lucro é o que mais importa para os executivos do disco. Aquele que não se enquadra é considerado "maldito" e colocado à margem do sistema.

No início da década de 1970, momento de extrema repressão política, surgem os Secos & Molhados, que funcionam feito uma válvula de escape. O grupo é formado por João Ricardo, Gérson Conrad e Ney Matogrosso. Com músicas compostas sobre poemas de Cassiano Ricardo, Manuel

Bandeira, Oswald de Andrade, Vinicius de Moraes e João Apolinário – pai de João Ricardo –, a banda mistura folclore e *rock* tupiniquim num tipo de proposta que inclui caras pintadas e rebolados andróginos no melhor estilo *pop* da época. Lançado em 1973, o primeiro dos dois LPs do grupo vende 700 mil cópias e desbanca Roberto Carlos do primeiro lugar das paradas. Em 1974, uma apresentação no Maracanãzinho exibida pela Rede Globo terá um público maior que o do 3º FIC. Além disso, quase 90 mil pessoas ficarão de fora por falta de ingressos.

Outro grupo que domina a cena musical do país são os Novos Baianos. Surgido em Salvador, em 1969, sob forte influência da Tropicália e da contracultura americana, seus integrantes priorizam a MPB, valorizam clássicos do samba e do choro e ainda misturam ao seu trabalho boas pitadas de *rock*. Vivendo juntos numa espécie de comunidade *hippie*, seus principais integrantes são Baby Consuelo, Luiz Galvão, Moraes Moreira, Paulinho Boca de Cantor e Pepeu Gomes. Em 2007, o segundo LP do grupo, lançado pela Som Livre com o nome de *Acabou chorare*, seria eleito pela revista *Rolling Stone* como o melhor disco da história da música brasileira.

Noutra ponta, com o chamado jabaculê já institucionalizado no país – numa verdadeira promiscuidade na relação das gravadoras com a mídia –, cresce o espaço para os sucessos comerciais, para a chamada música brega e principalmente para os *hits* internacionais totalmente distantes da realidade nacional. A coisa chegará a tal ponto que diversas emissoras de rádio e TV, mesmo sendo concessões do estado, nem sequer terão espaço para a música brasileira em suas grades de programação. O próprio samba de raiz será estigmatizado, ficando fora de cena por algum tempo.

Sob o rigoroso controle da Censura Federal, artistas considerados de esquerda têm dificuldades para divulgar seu trabalho e muitos são praticamente banidos do cenário oficial. Restam-lhes espaços alternativos, como o circuito universitário e os festivais realizados em cidades do interior. Essa dura realidade interrompe carreiras artísticas, como as dos mineiros Sirlan e Sylmar Birro. Banido da grade da Globo, Chico Buarque adota o pseudônimo de Julinho da Adelaide, para driblar os censores. Outros se entregam ao desbunde, ao álcool e às drogas. E há aqueles que preferem a morte, como o poeta tropicalista Torquato Neto, ex-parceiro de Vandré que se mata inalando gás do chuveiro, em 10 de novembro de 1972 – após completar vinte e oito anos.

Em 1973, o cenário político nacional está no auge da adversidade. Sob o silêncio da mídia, prossegue a luta entre ativistas e guerrilheiros de esquerda contra a ditadura e seus colaboradores. Muita gente morre no confronto ideológico. Uma das vítimas é Alexandre Vannuchi Leme, estudante de geografia da USP ligado à ALN. A missa em memória de Vannuchi é realizada em 30 de março, na catedral da Sé, pelo cardeal-arcebispo de São Paulo, dom Paulo Evaristo Arns. Em meio à celebração, Sérgio Ricardo canta *Calabouço* e, no final, o povo se retira entoando *Pra não dizer que não falei das flores* (*Caminhando*).

Contrastando com as nuvens cinzentas que encobrem o país, em janeiro de 1973 a Rede Globo estreia a primeira novela em cores da televisão brasileira. Adaptada da obra homônima do dramaturgo Dias Gomes, *O bem-amado* tem direção de Régis Cardoso e supervisão de Daniel Filho. Na pele do protagonista Odorico Paraguaçu, prefeito da fictícia Sucupira, Paulo Gracindo vive um dos melhores momentos de sua carreira. Além do grande elenco, chama atenção a trilha sonora original assinada por Toquinho e Vinicius de Moraes. Curiosamente, Dias Gomes é um dos autores mais visados pela censura. Mesmo apoiando o governo militar, a emissora de Roberto Marinho emprega esquerdistas de talento, entre eles Ferreira Gullar, Francisco Milane, Gianfrancesco Guarnieri, Vianinha e o polêmico cronista esportivo e ex-técnico da Seleção Brasileira de futebol de 1970, João Saldanha.

Amargo regresso

Se a saída de Geraldo Vandré do Brasil ganhou várias versões, a volta não será diferente. O fato é nebuloso e ele mesmo parece pouco interessado em esclarecer o que realmente ocorreu. Durante sua ausência, e mesmo depois de seu retorno, circulam boatos desencontrados sobre o assunto. Dizem que Vandré foi barbaramente torturado pelos militares, que Vandré sofreu lavagem cerebral, que Vandré foi assassinado por agentes da repressão. "Não existo juridicamente", diria mais de uma vez o advogado Geraldo Pedrosa de Araújo Dias. "Não voto, não trabalho, não vejo televisão, não leio jornais, não tenho telefone. Não vivo. E ponto final." Em outras ocasiões, ele seria mais explícito: "Geraldo Vandré morreu".

Como afirma Denise Rollemberg no livro *Exílio: entre raízes e radares*, o caso Vandré "é a história do esforço inútil e inglório para manter a identidade. É a história da sua redefinição e da sua reconstrução, que se impunham num processo que se estendeu ao longo das fases do exílio e que continuou para muitos, mesmo depois da volta ao Brasil". Aqueles que conviveram com o cantor longe do país sabem que ele adoeceu de banzo, a saudade que matava os negros cativos nos tempos infames da escravidão. Saudade que dói na alma, na mente e no corpo daquele que ama sua terra acima de tudo e que alimenta o sonho de um dia poder revê-la. Em suas canções de exílio, o compositor se refere à pátria intimamente como sua amiga, amante e companheira de todas as horas.

Apesar das controvérsias sobre o seu regresso, uma coisa é certa: do mesmo modo que o capitão José Góes de Campos Barros teria ajudado dr. José Vandregíselo a escapar da perseguição política em João Pessoa, Geraldo retorna ao Brasil pelas mãos de um oficial do exército. Preocupados com a situação vivida por ele no Chile, seus pais recorrem a uma amiga ligada ao general Estevão Taurino de Rezende Netto. Ex-comandante da 1ª Região Militar, o oficial é espírita kardecista e frequenta sessões que a amiga em comum costuma organizar em casa. Nesse tipo de ambiente – onde a caridade costuma ser o mote principal –, o militar conhece dona Maria Marta e se torna ciente de suas preocupações. Ela e a filha Geise haviam visitado Geraldo em Santiago e ambas retornaram muito aflitas ao Brasil, pois viram de perto o quanto ele estava mal.

Taurino já tinha dado provas de ser um homem de valor. Preocupado com o sofrimento do povo brasileiro, criou o projeto de lei 451/1956, que visava acabar com a fome no país e fixar o homem ao campo. Enviado ao Congresso Nacional pelo então presidente JK, o projeto foi considerado inconstitucional pela Comissão de Justiça da Câmara, composta quase só de udenistas – entre eles Carlos Lacerda e Afonso Arinos, rivais históricos de Juscelino.

A ideia era criar o Seape (Serviço Agropecuário do Exército). Segundo o próprio Taurino, seu objetivo era "melhorar as condições de vida da parte humilde da população e acabar com o mais angustiante problema do nosso povo: a fome. Desta forma, o exército se engrandeceria, se integraria à nação brasileira sem fugir às suas responsabilidades de defender a pátria, os poderes constitucionais, a lei e a ordem. Somos um país pobre que não pode se dar ao luxo de ter suas forças armadas exclusivamente como elemento de guerra, onerando os cofres da nação sem produzir para a vida normal do país".

Em abril de 1964, logo após o golpe que derrubou João Goulart da presidência, Taurino assumiu o comando da 1ª Região Militar. Dias depois, foi nomeado para presidir a Comissão Geral de Investigações, órgão encarregado de investigar a subversão no país. Contudo, ele acaba devolvendo o cargo de confiança ao amigo e ex-colega de colégio militar, o presidente marechal Castelo Branco. Motivo: seu filho Sérgio Rezende, professor de economia na PUC, funcionário da Sudene (Superintendência para o Desenvolvimento do Nordeste) e assessor de Celso Furtado, ex-ministro de Jango, havia feito um discurso político na sala de aula criticando os militares. Tal ousadia causou sua prisão no Recife e, logo depois, em Olinda.

Com a intermediação de Taurino no governo militar, o autor de *Caminhando* finalmente consegue regressar ao Brasil sem ser preso, morto ou torturado. A história seria confirmada décadas depois por Jandira Rezende, filha do general. Dr. José Vandregíselo assina um documento assegurando que o filho não vai mais cantar no país. Como parte do acordo, Vandré também se compromete a explicar na TV os motivos de sua saída e de sua volta. O próprio general o aguarda no aeroporto do Galeão, para garantir sua segurança e integridade física. Apesar disso, antes de ser levado ao Distrito Federal, o cantor passa três dias no Pelotão de Investigações Criminais da Polícia do Exército. Ele mesmo dará como certa a sede da Polícia Federal. Seja como for, afirmará que nunca foi maltratado. O Exército e a PF jamais esclareceriam o assunto.

Numa entrevista publicada no *site ritmomelodia*, em 1º de fevereiro de 2004, Vandré diz ter voltado doente e meio perdido do exílio, "quando justamente os militares me acolheram e me deram tratamento médico, e me alojaram. Essa é uma relação de seres humanos e não de instituições". E acrescenta: "Tem de se acabar com essa ideia de que dentro dos quartéis todo mundo será sempre de direita. As coisas mudaram e a tendência dos jovens oficiais hoje é mais de esquerda, ou de centro, na pior hipótese.

Não foram as forças armadas as responsáveis pelos anos de ditadura, mas os homens que estavam à frente delas naquele momento".

Segundo Vitor Nuzzi, o retorno do artista ocorre "na manhã de inverno de 17 de julho de 1973. Quatro anos e cinco meses depois de sua saída. Quase 1.600 dias fora do Brasil... Para ele, o difícil foi compreender o que se passava à sua volta. Em um fim de tarde, Thiago de Mello e Manduka o levaram até o aeroporto de Los Cerrilos, em Santiago... Era ainda um Vandré fragilizado que voltava para a sua pátria, em um retorno bastante diferente do imaginado, sem povo esperando".

Em 18 de julho, o *JB* publica uma nota de pé de página de dezessete linhas informando que "o cantor e compositor Geraldo Vandré foi preso, ontem, no aeroporto do Galeão, ao desembarcar de um avião procedente da Europa. O artista foi levado para uma unidade militar, onde se encontra incomunicável. Segundo fontes da polícia federal, Geraldo Vandré estava sendo procurado devido à composição *Caminhando* e também porque teria feito no exterior declarações consideradas ofensivas ao Governo do Brasil". No mesmo dia, chega às redações uma determinação oficial proibindo "a publicação, divulgação, referências ou transmissão de notícias e comentários sobre o subversivo e cantor Geraldo Vandré". Isso não impede que a revista *Veja* informe sua volta numa nota publicada na página dezesseis da edição de nº 255.

No dia 28 do mesmo mês, o *Jornal da Tarde* também ignora a censura e publica uma nota sobre o artista: "O cantor e compositor Geraldo Vandré, que retornou ao Brasil há pouco, assinou contrato com a gravadora CBD-Phonogram. A partir de agora, Vandré está selecionando e preparando material para um LP. Há pouco, a Odeon distribuiu às lojas, sem qualquer divulgação, uma nova tiragem do disco *Canto geral*, o último lançado pelo compositor antes de sair do país". A primeira informação se refere ao disco *Das terras de Benvirá*, gravado na França e contratado no Brasil pelo produtor Roberto Menescal.

Décadas depois, num depoimento por escrito a Jeane Vidal, Vandré confunde as datas: "Fui interrogado pela PF, no Rio de Janeiro. Em seguida, fui levado para Brasília, onde apareci desembarcando de um avião da Varig, como se estivesse chegando ao Brasil naquele dia (11 de setembro). Eu havia chegado ao aeroporto do Galeão, em um avião da Lan-Chile, no dia 14 de julho. No mesmo *Jornal Nacional*, de 11 de setembro de 1973, anunciava-se a queda e a morte de Salvador Allende, no Chile. Na montagem, eu declarava, como de fato declarei, que não havia gravado discos, em Santiago, durante o tempo da Unidade Popular porque eu não tinha filiação partidária. (...) Não fui interrogado em qualquer base militar, e esta não é uma questão militar *stricto sensu*. É muito mais um problema e uma questão das empresas de informação comercial e da PF".

Retratação pública

A bem-informada Rede Globo só noticia a volta de Geraldo Vandré ao Brasil na edição de sábado – 18 de agosto – do *Jornal Nacional*. Ou seja, trinta e três dias após o ocorrido. O locutor anuncia:

– O cantor e compositor Geraldo Vandré acaba de voltar ao Brasil. Vandré chegou a Brasília, dizendo que decidiu abandonar a linha política em suas canções. Veio cheio de novas canções e novas ideias.

Em seguida, as imagens de arquivo cortam para o próprio artista:

– Olha, em primeiro lugar, acho que as minhas canções de hoje são mais anunciativas do que denunciativas. E espero integrá-las à realidade nova do Brasil, que espero encontrar em um clima de paz e de tranquilidade.

Mesmo porque a vinculação do meu trabalho, até hoje, com a utilização por qualquer grupo político, ocorreu sempre contra a minha vontade. Eu tratei que esses trabalhos estivessem sempre vinculados à realidade brasileira, em termos de melhor representar a cultura nacional.

O locutor acrescenta:

– Vandré afirma que nunca fez parte de qualquer partido político. Foi apenas um instrumento.

O compositor retoma a palavra:

– Vocês sabem: a arte, às vezes, é usada por um grupo determinado com interesses políticos e isso transcende, muitas vezes, a vontade do próprio autor. Eu, o que tenho a dizer, é que na verdade nunca estive vinculado, ou comprometido, em toda a minha vida, com qualquer grupo político... Eu desejo, em primeiro lugar, integrar-me à nova realidade brasileira. E isso é um processo que demanda paciência, tranquilidade de espírito, que eu espero encontrar aqui, nessa nova realidade. Quero agora só fazer canções de amor e paz.

Como Vitor Nuzzi observa, o recém-repatriado fala o tempo todo olhando o microfone, segurado por um funcionário da TV Globo, que depois se descobrirá ser muito próximo dos militares. Misteriosamente, a parte em que o entrevistado se declara arrependido foi danificada durante o processo de revelação do teipe, devido a um pico de energia. Mais estranho ainda é que todo o material viria a se perder nos arquivos da emissora, assim como as imagens do cantor durante o 3º FIC. Tampouco há registros dele cantando nos festivais da Record. Ou seja: a ditadura se empenhou em apagar sua história. No mesmo dia do depoimento ao *Jornal Nacional*, o Departamento de Censura Federal envia às redações uma nova circular: "Fica liberado qualquer texto relativo ao compositor Geraldo Vandré, cuja proibição foi baixada em 18/7/73".

O jornalista Francisco de Assis Chaves Bastos era um dos passageiros do avião que trouxe o compositor do Chile. Em conversa com Nuzzi, ele diz que não o reconheceu à primeira vista, pois estava com a cabeça e a barba raspadas: "Não estava bem, podia-se ver pela expressão de seus olhos". Xico Chaves, que é também produtor cultural, acrescenta que, antes disso, ao encontrá-lo em Santiago juntamente com seu parceiro Manduka, Vandré parecia um pouco agitado. "Era meio glauberiano", define, numa comparação com o cineasta Glauber Rocha, cuja maneira de se expressar era muitas vezes dramática, visionária e um tanto discursiva.

A descrição que Xico Chaves faz de Vandré a bordo da aeronave vinda do Chile choca-se com a do *Jornal da Tarde*, edição de 22 de agosto do mesmo ano, ao noticiar os bastidores da reportagem da Rede Globo: "A câmera para na escada de um Electra da Varig, e um rosto barbado, com expressão cansada enche a tela... O compositor desce a escada e caminha, lentamente, pela pista do aeroporto de Brasília. Caminha de olhos baixos... tem-se a impressão de que ele evita olhar a câmera de frente... Vai começar a entrevista... Vandré acende um cigarro e aproxima-se do microfone. Fala com uma certa dificuldade, sua voz é arrastada". Isso comprova que ele havia voltado um mês antes, pois barba e cabelo não crescem tão rapidamente.

Mas a reportagem global transmitida em cores via Embratel substitui a cena do aeroporto por um filme em preto e branco, mostrando um confronto entre policiais e populares nas ruas de Santiago. Logo depois, o locutor narra:

– Vandré saiu do Brasil em 1969, depois de problemas criados por uma de suas músicas, *Pra não dizer que não falei de flores* (sic) – *Caminhando*. Passou pelo Uruguai e foi para o Chile, entusiasmado com a experiência chilena que depois o decepcionou.

O artista informa que retornou ao Chile por motivos familiares e que não conseguiu trabalho por não ter vínculo com o partido governista:

– Eu sempre fui contra o trabalho de arte feito em função de um partido político, porque isso transforma a arte em propaganda.

Quando o locutor afirma que *Paixão segundo Cristino* apresentada em Paris era totalmente contra o Brasil, Vandré gagueja:

– Eu não tive como impedir isso, porque o próprio Cristo que foi apresentado, eu só tomei conhecimento dele no momento mesmo da cerimônia.

Em 22 de janeiro de 1974, José Ramos Tinhorão publica no *Jornal do Brasil* um artigo sobre o LP *Das terras de Benvirá*, intitulado *Como entender o brasileiro Geraldo Vandré*: "Ao contrário de outros compositores, que, na mesma situação, entregaram-se à ilusão boboca da integração a um 'som universal', abdicando de sua cultura em exibições públicas algumas vezes subvencionadas, inclusive, por instituições estrangeiras (caso de Gilberto Gil em Nova York), Geraldo Vandré – teimosamente nordestino e brasileiro – cantou em Paris sua nostalgia e suas esperanças (*De longe eu ouço agora / As coisas que vão voltar*) com um som e uma linguagem que valiam por uma afirmação orgulhosamente nacional".

Em entrevista à imprensa, o próprio Vandré declara: "Considero este disco o resultado de uma experiência humana profunda. Nele, eu me entreguei de corpo e alma. Ao lado do improviso musical e dos textos trabalhados com antecedência, há ainda o improviso literário de faixas como De América". Depois de recusar propostas para cantar em outros idiomas, enquanto perambulou pela Europa, o compositor reconhece: "Eu voltava instintivamente às bases originais do meu repertório, à literatura de cordel, através do improviso livre a partir de um mote ou modelo".

XIV

NAS SERRAS OU NA PLANURA

Após o regresso, Geraldo Pedrosa de Araújo Dias encontra uma realidade diferente da que havia deixado ao partir para o exílio; impossibilitado de retomar a carreira artística, o advogado anuncia a morte de Geraldo Vandré.

A RETRATAÇÃO pública de adversários do regime militar era um método de propaganda muito utilizado para desmoralizar a oposição, particularmente os adeptos da luta armada. Na reportagem *Vandré vive*, publicada na revista *Vip Exame* de março de 1995, Thales Guaracy ressalta que, "fragilizado pelo exílio, pode ter sido dura demais a retratação pública que lhe impuseram como preço para permanecer no país, depois de um mês de interrogatório no exército".

Mais adiante, o jornalista se contradiz: "Pode ser que a retratação de Geraldo não tenha sido tão difícil quanto possa parecer. No fervilhante caldeirão político de 1968, talvez ele tenha sido a única pessoa lúcida no país quanto a seu verdadeiro papel histórico, não se vendo com o compromisso que lhe impuseram de sustentar a imagem de Che Guevara de violão na mão, quando não era um guerrilheiro, mas poeta".

Em 2014, Alaíde Costa afirma que notou diferenças no parceiro depois que ele retornou do exílio. "Voltamos a nos encontrar a partir de 1973, mas não fazíamos música nessa época", recorda. "Vandré é muito radical e já tinha o propósito de não mais cantar no Brasil. Eu achei e continuo achando isso um absurdo. Não sei até que ponto ele se sente bem com essa decisão. Ele até me fez propostas para cantar em outros países, mas nunca aceitei. Parece que ele tem um trauma de Brasil, sei lá! Imagino que pelas coisas que passou... Que país é esse cujos governantes têm medo de uma canção? Vandré nunca me falou nada sobre o exílio e eu também nunca fui de perguntar essas coisas. Mas ele tem cicatrizes físicas e psicológicas que não tinha antes." Físicas? "Sim, olhando de perto a gente via marcas em seu rosto que ele não tinha antes", garante a cantora.

Seja como for, o depoimento de Vandré exibido no *Jornal Nacional* decepciona alguns de seus colegas. Ao entrar na boate Igrejinha, em companhia de um amigo, ele é ignorado por alguns músicos – entre eles João Bosco, Elis Regina e o marido, César Camargo Mariano –, que se levantam da mesa onde estão para ir a outro lugar, sem convidá-lo. Quem conta essa história é Mylton Severiano da Silva, num artigo publicado em 12 de junho de 1975 na revista *Ex-*. No mesmo texto, o jornalista lembra que Vandré manifestou em seu depoimento na TV o desejo de se integrar à nova realidade brasileira, na qual "não cabe mais o Geraldo que nós conhecemos".

Na matéria intitulada *Vandré pra quem quiser*, Severiano também recorda um episódio que comprova as excentricidades do artista. Certa vez, Geraldo sai da redação da revista *Ex-* para voltar minutos depois com um pacote de arroz e outro de batata. Coloca os dois na mesa, sobre uma folha contendo um desenho de figuras humanas com traços infantis. Numa delas, em lugar da cabeça, tem um trapézio com um ponto de interrogação dentro e um intrigante recado: "Não se preocupem, são apenas cinco quilos de FERRO no lugar do pensamento". Em seguida, ele se retira sem dar entrevista. Severiano acha que Vandré sabia que os colaboradores da revista não eram remunerados e quis ajudá-los doando os mantimentos. Na mesma época, o compositor frequenta o Sindicato dos Jornalistas de São Paulo, onde passa horas na máquina de escrever – fazendo o quê, ninguém sabe.

Apesar dos reveses políticos, Geraldo Vandré tentou – sim – retomar suas atividades no país. Chegou a gravar participações no *Programa Flávio Cavalcante*, pela TV Tupi, e no *Fantástico*, da Rede Globo. Contudo, a Censura Federal impediu que sua imagem e sua voz fossem ao ar. No primeiro caso, os censores se incomodaram com os muitos elogios feitos a ele pelo amigo Jair Rodrigues e também pelo fato de o apresentador ter usado uma camisa vermelha. A partir daí, quando interpelado pela imprensa, o compositor passa a dizer que não é artista, e sim advogado: "Dr. Geraldo Pedrosa de Araújo Dias", ressalta. A exemplo de Pelé, que distingue o "rei" do futebol do cidadão Edson Arantes do Nascimento, na maioria das vezes Geraldo se refere a Vandré na terceira pessoa, insistindo no fato de que o artista está morto.

Golpe no Chile

Em 12 de junho de 1975, a revista *Ex-* publicaria matéria sobre a situação de Vandré em seus últimos dias de exílio: "Conta-se que ao fim dos quase cinco anos fora do Brasil, de volta ao Chile novamente... não estava mais em si. Gente que o viu lá e que também voltou conta que soube de Geraldo internado em tratamento à base de calmantes para conseguir dormir, enquanto se desenvolviam gestões para que ele pudesse voltar. Dizem uns que na França já o haviam procurado, mas ele tinha recusado qualquer entendimento numa boa, com certo emissário extraoficial; mas nesse 1973, além do banzo, havia um Chile convulsionado, onde começava a faltar comida, gasolina, onde havia toque de recolher e, portanto, hora marcada para dormir".

No penúltimo dia de junho, três semanas antes da partida de Vandré, os militares de direita chilenos protagonizam o episódio denominado El Tanquezato, na tentativa de derrubar Salvador Allende. Este é o primeiro presidente socialista da América do Sul, num momento em que apenas o Chile, a Colômbia e a Venezuela mantêm o estado de direito. Tendo como pilares ideológicos o socialismo democrático, o marxismo e a maçonaria, sua eleição jamais fora aceita pelos Estados Unidos e, desde sua posse, setores militares orientados pela CIA conspiram contra o seu governo.

Após a tentativa de golpe, o comandante em chefe das forças armadas, general Carlos Pratz, pede ao presidente que instaure o estado de sítio para que se impeçam atentados terroristas de direita e de esquerda, que já se multiplicam pelo país colocando em risco a ordem constitucional. Em 2 de junho, a requisição enviada ao Congresso Nacional havia sido negada e isso levou os simpatizantes do governo às ruas exigindo que Allende fechasse a casa do Legislativo. Legalista acima de tudo, o presidente discursou à nação: "Faremos as mudanças revolucionárias em pluralismo, democracia e liberdade. Mas isso não significa tolerância com antidemocratas, nem tolerância com os subversivos, nem tolerância com os fascistas, camaradas! Mas vocês devem entender qual é a real posição deste governo. Não vou, porque seria absurdo fechar o Congresso".

Carlos Pratz abre mão do comando das forças armadas, sendo substituído pelo general Augusto Pinochet. Antigo homem de confiança do presidente, Pinochet toma o poder em 11 de setembro e institui uma das ditaduras mais cruéis do continente, interrompendo o período presidencialista iniciado em 1923. Allende se suicida durante o bombardeio do Palácio de La Moneda, versão oficial que seria contestada por seus aliados e simpatizantes. No dia 16, o embaixador cultural, poeta e ativista Vitor Jara é preso, torturado e fuzilado. Seu corpo é abandonado numa favela na periferia de Santiago. Pouco depois será a vez de Pratz morrer em Buenos Aires, vítima de um atentado à bomba executado por homens da DINA, a polícia secreta chilena.

O Chile abriga grande quantidade de exilados brasileiros, e a maioria se vê obrigada a deixar o país logo após o golpe. José Maria Rabelo, por exemplo, parte para a França com a mulher e sete filhos. Outro que lá está é o ex-guerrilheiro Fernando Gabeira, um dos sequestradores do embaixador americano Charles Elbrick e que trabalhou no jornal *Binômio*, de Rabelo. No primeiro parágrafo do livro *O que é isso, companheiro?* ele narra: "Irarrazabal chama-se a rua por onde caminhávamos em setembro. É um nome inesquecível porque jamais conseguimos pronunciá-lo corretamente em espanhol e porque foi ali, pela primeira vez, que vimos passar um caminhão cheio de cadáveres. Era uma tarde de setembro de 1973, em Santiago do Chile, perto da praça Nunoa, a apenas alguns minutos do toque de recolher".

No artigo *A esquerda brasileira vai ao Chile*, reproduzido no *site* UOL, Alberto Aggio lembra que "Darcy Ribeiro, um dos principais representantes da *intelligentsia* trabalhista brasileira, talvez tenha sido a liderança política que alcançou mais proximidade com o então presidente Allende. Assessor especial da presidência, ele redigiu partes do famoso discurso de 5 de maio de 1971, que definia a via chilena como uma segunda forma de construção do socialismo, procurando distinguir seu caminho das experiências soviética e cubana". Entre muitos outros, também se encontram em Santiago, no dia 11 de setembro de 1973, os sociólogos Herbert (Betinho) de Souza e Fernando Henrique Cardoso; e ainda os poetas Ferreira Gullar e Thiago de Mello – amigos de Pablo Neruda, que morre doze dias após o golpe militar.

O embaixador brasileiro, Antônio Cândido da Câmara Canto, nada faz para socorrer os compatriotas. Em 2001, ele será denunciado pelo ex-exilado Cesar Maia, prefeito do Rio. Num artigo publicado trinta anos depois na *Folha de S.Paulo*, o ex-presidente da UNE e ex-governador de São Paulo pelo PSDB, José Serra, daria seu testemunho: "O grande vexame, motivo de tristeza e indignação, foi dado pela embaixada do Brasil, que virou as costas para os brasileiros homens, mulheres ou crianças, perseguidos naqueles dias terríveis pelo simples fato de serem estrangeiros".

Ainda em 1973, realiza-se na Venezuela uma conferência que aproximará militares sul-americanos simpáticos aos Estados Unidos e empenhados no combate ao que chamam de subversão. Surgia assim a Operação Condor, efetivada dois anos depois unindo em estreita colaboração os serviços de inteligência da Argentina, Bolívia, Brasil, Chile, Paraguai e Uruguai. Diante desse quadro, pode-se dizer que Vandré saiu de Santiago na hora certa. Pelo rumo dos acontecimentos, o cantor brasileiro correria sérios riscos de ter um fim semelhante ao do colega chileno Vitor Jara.

Batalha burocrática

Diante da impossibilidade de retomar a carreira artística nos termos em que gostaria, Geraldo advoga em causa própria e entra na Justiça contra a União para ser reintegrado à SUNAB. Sua demissão em 1969 se dera sob condições adversas, por abandono de cargo com base no AI-5, no momento em que não estava no Brasil para se defender da acusação. Ele consegue um despacho do ministro do Planejamento, Delfim Netto, reconduzindo-o ao serviço público. Numa declaração feita à imprensa, o superintendente da SUNAB, general Glauco Carvalho, declara que "sua ficha é limpa e durante os anos que foi funcionário não teve faltas. Uma injustiça foi reparada".

Tudo teria se resolvido se o funcionário em questão não se chamasse Geraldo Pedrosa de Araújo Dias. Estudioso do direito e coerente com seus princípios, ele não admite ser reintegrado com base na Lei 6.683, de agosto de 1979, isto é, a Lei da Anistia. Do seu ponto de vista, aceitar tal solução é admitir-se criminoso. Afinal, o inquérito militar sobre ele, Cacá Diegues, Dias Gomes, Ferreira Gullar, Gianfrancesco Guarnieri e o jornalista Newton Carlos havia sido arquivado em 15 de junho de 1970 por "falta de dispositivo legal em que os acusados se enquadrassem". Assim, o ex-fiscal de indústria e comércio dá entrada ao Processo Administrativo Nº 12792.003486/87-63, exigindo que sua readmissão seja baseada no Estatuto do Servidor Público.

Depois de uma longa batalha na planura da intrincada burocracia brasileira, a Procuradoria-Geral da Fazenda Nacional apresenta parecer favorável ao pedido feito por ele. Além de declarar a nulidade de sua demissão, o governo federal teria de anular o ato que reverteu o ex-funcionário da SUNAB com base na Lei da Anistia e mandar republicar o mesmo com base no citado estatuto.

O processo salta da Procuradoria para o Ministério da Fazenda, deste para a Casa Civil da Presidência e finalmente para a Advocacia Geral da União. Em janeiro de 2005, já no governo Lula, os autos retornariam à Casa Civil, que os devolveria ao Ministério da Fazenda. Como a SUNAB já havia sido extinta, Geraldo seria reintegrado como fiscal da Receita Federal, juntamente com outros 239 ex-fiscais de abastecimento e preços. Isso porque, em 1997, a associação da categoria entrara na Justiça contra a União exigindo o enquadramento de todos eles como auditores-fiscais.

Mas a luta continua. Em 8 de maio de 2007, a Procuradoria-Geral da Fazenda Nacional comunica à advogada do ex-servidor, dra. Ligia Regina Nolasco Hoffmann Irala da Cruz, o "indeferimento do seu pleito, mantendo-se o fundamento legal da reversão – Lei da Anistia". Pessoas próximas acreditam que a principal razão para que Vandré não tenha retomado a carreira artística é o fato de não conseguir se livrar da pecha de anistiado. Contudo, em seu depoimento por escrito a Jeane Vidal, ele afirma: "Eu não renunciei à vida artística. Apenas deixei de atender a demandas comerciais".

Na reportagem de Thales Guaracy da revista *Vip Exame*, o compositor declara: "Quando eu cantava para 700 pessoas num festival, dentro do teatro da TV Record, isso ainda era arte. Mas já quando cantei para 30 mil pessoas no Maracanãzinho, era *mass media*". Em outro ponto, reconhece: "Nunca poderia fazer mais sucesso do que já fiz. Mesmo que eu queime meus papéis, já sou um patrimônio nacional. Qualquer um que for estudar aquele período da história vai ter que passar pelo que eu fiz". E lembra que, no auge da carreira, seu salário dava para comprar um Galaxie por mês. "Eu sei o que é o sucesso comercial e não quero mais isso. Sempre quis o direito de ser um homem andando na rua", comenta, a propósito de ter sido barrado por seguranças ao tentar cumprimentar Chico Buarque depois de um *show* no Palace, em São Paulo.

Em outro momento, numa conversa com o amigo e conterrâneo Assis Angelo, o advogado que já foi cantor denuncia: "A música que se faz hoje no Brasil cumpre um projeto antinacional de ocupação do território e da mentalidade de sua população. Onde antes existia cultura popular, hoje não existe mais. A receita é simples: cultura de massa onde antes existia cultura popular; cultura europeia nas universidades e nas orquestras mantidas pelo Poder Público". Outra feita, no restaurante do aeroclube de São Paulo, Vandré vê alguns rapazes de calças rasgadas e braços tatuados. "Estou exilado disso aí", comenta com um amigo. "Como posso dar um pouco de arte para esse tipo de gente?"

XV

PERDIDO SEMPRE EM CHEGAR

Diante das evasivas de Geraldo Vandré, que se recusa a falar do passado e a se apresentar no país, parte da imprensa aposta no sensacionalismo e alimenta a imagem do guerrilheiro da canção emocionalmente confuso e destroçado.

DESDE O seu regresso do exílio, Geraldo passa a ser procurado pela imprensa, que insiste em perguntar por seu passado artístico. Ou seja, pelo compositor que um dia "incendiou" o Maracanãzinho cantando *Pra não dizer que não falei das flores* (*Caminhando*) e, logo em seguida, deixou o país com receio de ser preso ou assassinado pela repressão. Em suas raras entrevistas, ele se recusa a abordar o tema e continua afirmando que Vandré morreu ou que não teria mais sentido no tempo presente.

As gêmeas cantoras Celia e Celma Mazzei o encontram por acaso num elevador, no Rio, logo que ele voltou do exílio. "Você não é o Geraldo Vandré?", uma delas pergunta, e ambas ouvem a emblemática resposta: "Fui". As duas se apresentam e o convidam para uma visita, que não tarda a acontecer. "Ele mostrou as canções que fez no Chile e durante muito tempo guardamos a fita gravada na ocasião. Infelizmente, ela sumiu", dizem em 2014. Na década de 1980, Vandré costumava aparecer numa casa noturna onde ambas se apresentavam. Duas décadas depois ele volta a visitá-las, desta vez levado pelo amigo em comum Darlan Ferreira.

Diante das dificuldades em entrevistá-lo, os jornalistas preenchem laudas e lacunas com especulações sobre o que teria ocorrido com o compositor para abandonar uma carreira tão promissora. Mesmo impedido de trabalhar e afastado dos estúdios e palcos, o artista continua atraindo o interesse dos fãs e a curiosidade de quem conhece suas músicas ou simplesmente ouviu falar dele. Isso ajuda a vender jornais e revistas. Proibida pelos militares, *Caminhando* nunca deixou de ser cantada em manifestações públicas em quase todo o território nacional e em diversas ocasiões.

Na dissertação de mestrado *Geraldo Vandré: a vida não se resume em festivais*, a historiadora Dalva Silveira analisa as representações sobre o cantor e compositor veiculadas pelos meios de comunicação entre 1966 e 2009. Partindo da hipótese de que o caso de Vandré apresenta-se como "enigma" no imaginário social brasileiro, a autora busca compreender como se deu a construção do mito pela imprensa. Ciente da potencialidade comercial do seu nome, jornais e revistas publicam matérias com linguagem sensacionalista em torno dele. A discussão quase nunca é de ordem estética, pois os assuntos mais abordados dizem respeito à tortura e à lavagem cerebral que ele teria sofrido, bem como à sua suposta loucura. Por sua vez, Geraldo adota um comportamento excêntrico que corrobora a lenda de que ficou maluco.

Na revista *Vip Exame* de março de 1995, Thales Guaracy ressalta que o nome de Vandré "não consta de nenhuma das listas do levantamento conhecido como *Brasil: Nunca mais*, com as pessoas torturadas, presas, processadas ou meramente ouvidas como testemunhas pelo regime militar. Ao todo, o levantamento tem 17 mil nomes – não encontrar aí Geraldo Vandré, se realmente tivesse sido preso ou torturado, seria o mesmo que fazer uma relação dos políticos brasileiros e não achar Ulysses Guimarães" – escreve o repórter.

A mesma matéria acrescenta que, "às vésperas de completar sessenta anos, Geraldo Vandré vive sozinho num apartamento de um velho edifício no centro de São Paulo. Há muito tempo mandou desligar seu telefone. Na porta, a campainha não funciona. Lá dentro, na entrada, ele pendurou cartazes de seus antigos *shows* e uma página amarelecida de jornal, da época de sua volta ao Brasil, depois do exílio, em 1973 (o título: *Vandré morreu, viva Geraldo*). Por toda parte há caixas de papelão, essas de supermercado, repletas de papéis e recortes, onde acumula sua obra inédita nos últimos vinte anos. Uma mesa sustenta duas grandes caixas acústicas, ao lado da escrivaninha, onde ele trabalha, e de um grande arquivo de metal. Aqui e ali, objetos insólitos – um capacete de bombeiro americano, um retrato de Santos Dumont, uma bandeirinha do Brasil. As janelas estão pichadas como um muro de faculdade. Mal há espaço para se mexer nessa confusão labiríntica, que ele chama de 'meu caos'".

O fascículo nº 31 da coleção *MPB Compositores* também descreve a morada do artista: "Na pequena sala do apartamento, a bagunça é geral. Livros empilhados, gravuras nas paredes, duas máquinas de escrever, retratos espalhados, copos vazios. Sobre a escrivaninha, papéis com anotações, processos jurídicos em andamento, misturados a pautas musicais em branco. Folhas pentagramadas, à espera de novas composições. Num canto, quase escondido, o velho violão. Nesse diminuto campo de batalha, dia após dia, o advogado aposentado Geraldo Pedrosa luta para enterrar o compositor Geraldo Vandré. Uma guerra inglória, solitária e incompreendida".

Já nessa época, o ex-artista reside em um apartamento próprio de três quartos, cozinha e sala ampla. Fica no 6º andar de um edifício da rua Martins Fontes, centro de São Paulo. Os porteiros têm ordens para não falar com ninguém sobre o ilustre morador. Numa reportagem da revista *Trip*, edição de 10 de agosto de 2010, o zelador do prédio, *Seu* Felipe, dirá que Geraldo fala com as paredes porque é um poeta: "Um poeta que sofreu muito", ressalta. Outros dizem que Geraldo não ficou louco, um dos mitos que o perseguem. "Se estivesse louco, não estaria cuidando da mãe", argumenta Telé Cardim. Segundo ela, "ele vive de maneira muito simples, com pouco dinheiro. Ele cozinha, lava suas roupas e frequenta restaurantes populares perto do prédio dele, mas sabe cuidar de si e até faz exercícios em casa". O compositor também costuma ficar na casa dos pais, no bairro São Pedro, Teresópolis. O imóvel ficará para a irmã Geise.

Em entrevista ao escritor Paulo Cesar de Araújo, o general Octávio Costa – que em outubro de 1968 publicara no *JB* o artigo *As flores de Vandré* – afirma: "Eu acho que Vandré não era um revolucionário... Era apenas um violeiro, um lírico que fez aquela música contaminado pelo entusiasmo ao redor. O problema é que ele era um homem sem estrutura para suportar pressões. Nem as pressões vindas do setores militares, que se manifestaram radicalmente contra ele, nem as pressões dos seus companheiros de esquerda, que esperavam dele um papel de mártir, de herói. Então eu acho que ele acabou sucumbindo a tudo isso porque basicamente Vandré não era um forte". A irônica afirmação parafraseia a máxima de Euclides da Cunha, no livro *Os Sertões*: "O sertanejo é antes de tudo um forte".

Mortes suspeitas

A imagem de alguém mentalmente afetado torna-se mais real quando Benito di Paula dedica a Vandré a música *Tributo a um rei esquecido*. Isso ocorre em 1974, depois que o sambista afirma ter visto o ex-colega declamando poemas para um poste. "*O que foi que fizeram com ele?*", interroga Benito na letra da canção. A imagem lembra o filósofo Friedrich Nietzsche, que fora internado num manicômio depois de pedir desculpas a um cavalo que estava sendo surrado pelo cocheiro. Na ocasião, a TV Tupi inclui a música *Canção primeira* na trilha sonora da novela *Os inocentes*.

Em novembro do mesmo ano, a imprensa noticia que um Vandré "vestido à moda *hippie*, de cabelos crescidos e barbudo" havia se metido numa briga com um suposto chofer de praça, sendo ambos levados a uma delegacia de Mogi das Cruzes, a cinquenta quilômetros de São Paulo. O taxista teria se recusado a conduzi-lo num inusitado *tour* pela cidade e teria levado uma cotovelada na barriga.

Na versão do cantor, ele pegou um trem errado, vendo-se obrigado a descer em Mogi e pegar carona no jipe de um policial. Este não gostou de um comentário seu e isso resultou em discussão. De qualquer maneira, Geraldo declara ao *Jornal da Tarde*: "Queria dar umas voltas pela central da radiopatrulha e aos quartéis da cidade". Depois de ser identificado como advogado e um dos ícones da MPB, autor de *Caminhando*, ele foi convidado a visitar a casa do delegado Murilo Pereira, do DOPS local, onde compareceu gentilmente.

No campo político, respectivamente em 1975 e 1976, as mortes do jornalista Vladimir Herzog e do operário Manuel Fiel Filho, vítimas de tortura em instalações do DOI-CODI, chegam ao conhecimento público. Diante da repercussão desses fatos, o presidente, general Ernesto Geisel, exonera seu colega Ednardo D'Ávila Mello do cargo de comandante do 2º exército.

Nos Estados Unidos, a eleição do democrata Jimmy Carter para a Casa Branca muda a política latino-americana. Já não precisam dos governos militares, até porque haviam estatizado a economia além da conta. No entanto, antes de redemocratizar, é preciso garantir que velhos inimigos não reassumam o poder. Fala-se numa lista de nomes a serem eliminados pela Operação Condor. Em menos de um ano, o Brasil perde os três líderes da Frente Ampla, a aliança política criada em 1966 para enfrentar a ditadura.

Em 22 de agosto de 1976, após ser atingido por um ônibus, o Opala no qual viaja Juscelino Kubitschek colide com uma carreta carregada de gesso. O acidente ocorre no quilômetro 165 da via Dutra, perto da cidade fluminense de Resende. JK e o motorista, Geraldo Ribeiro, morrem na hora. A notícia já tinha circulado dez dias antes do ocorrido, o que leva muita gente a suspeitar de um atentado. Cerca de 300 mil pessoas acompanham em Brasília o féretro do ex-presidente.

Em 6 de dezembro, no município argentino de Mercedes, morre o ex-presidente João Goulart – oficialmente de ataque cardíaco. Décadas depois um ex-agente da Operação Condor, o uruguaio Mario Barreiro, dirá que ele foi envenenado por ordem do delegado Sérgio Fleury. Em 21 de maio de 1977, morre, no Rio – após tomar uma injeção contra gripe –, o ex-udenista Carlos Lacerda. Antigo opositor de Vargas, Jango e JK, ele havia governado a Guanabara e se tornara um ferrenho adversário do regime.

No período entre a morte dos três líderes políticos, o Brasil enfrenta uma alta inflação devido à crise econômica internacional ocorrida após a elevação do preço do petróleo pela OPEP (Organização dos Países Exportadores de Petróleo). De certa forma, isso contribuirá para a derrocada do regime ditatorial.

Produto de consumo

Em setembro de 1978, Assis Angelo entrevista Geraldo Vandré para a edição de nº 87 do caderno *Folhetim*, da *Folha de S.Paulo*. Na verdade, não é exatamente uma entrevista e sim uma conversa metafórica, ou "uma troca de ideias diferentes", como o próprio jornalista definiria décadas depois. Na matéria de capa intitulada *Prepare seu coração*, com fotos de Adalberto Marques, o compositor fala pouco, como de costume. Seu raciocínio obedece a uma lógica surreal que poucos conseguem alcançar. É seu primeiro depoimento à imprensa depois de muito tempo.

Logo de cara, ele diz ao jornalista: "O problema é que você está falando com Geraldo Vandré. Ou melhor, você está querendo falar com Geraldo Vandré. Mas você não está falando com Geraldo Vandré. Você está falando com a pessoa que inventou Geraldo Vandré, entende? Eu me chamo Geraldo Pedrosa de Araújo Dias". E mais adiante deixa uma coisa bem clara: "Ele virou marca! Virou chancela! Virou nome! Virou produto de consumo! Mas ele foi inventado pra isso mesmo". Em outro ponto, define-se como um materialista e diz que Vandré era a expressão do materialismo histórico no Brasil e se cansou de fazer sucesso.

Nesse mesmo ano, Sérgio Ricardo e Thiago de Mello dividem o palco do TUCA, apresentando o *show Faz escuro mas eu canto*. Na noite em que dedicam o espetáculo ao amigo Vandré, que está na plateia, o público o ovaciona de pé durante quase cinco minutos. "Falei eu, depois o Sérgio, para dedicar a noite a um dos mais lindos poetas e compositores da Música Popular Brasileira", lembra Thiago em 2014. "Geraldo foi muito aplaudido. Retirou-se, no final, sem agradecer."

Em 1979, um Vandré cabeludo, de barba longa e sem bigode recebe em seu apartamento, em São Paulo, a visita de quatro jovens da cidade mineira de São Sebastião do Paraíso. São eles João Batista da Silveira, funcionário do Banco do Brasil, e seus amigos Luiz Antônio, Marcos Donizete e Paulo Pucci, músicos do Grupo Minas. Poeta engajado nas horas vagas e envolvido com a vida artística da cidade, João Batista é fã incondicional do letrista de *Disparada*. Quem se propôs a aproximá-los foi a professora de inglês Zélia Sâmara. Ela acionou em Belo Horizonte a amiga Vera Kraft, que rapidamente conseguiu o endereço do compositor.

"Batemos na porta do Vandré e ele nos recebeu muito bem, com toda cordialidade", diz João Batista em 2014. "Não tocamos no assunto de golpe militar ou ditadura, que era um tema espinhoso pra ele. Na ocasião, nós o convidamos pra visitar São Sebastião e passar uns dias num sítio de amigos, no município de Delfinópolis." Nessa época, João Batista tem um Fiat 147, em cujo vidro traseiro colou uma faixa da campanha pela anistia, que está em pleno andamento. Ao ver o carro parado em frente ao seu prédio, Vandré logo pergunta: "Anistia pra quem?". João Batista se lembra de terem andado à vontade pelas ruas de São Paulo. "Convidei-o pra ir comigo à casa do meu tio Aroldo e os dois conversaram muito naquela tarde", acrescenta.

Antes de regressarem ao interior de Minas, João Batista e os amigos passam por Belo Horizonte. Enquanto isso, sua mulher, a pintora Maria Alba, fica sabendo que o compositor já se encontra na casa de Zélia Sâmara. Havia chegado com a namorada a São Sebastião, no fusca de placa KH-7510. Assim que João Batista chega com a turma do Grupo Minas, vão todos para o sítio em Delfinópolis.

O casal anda a cavalo e se diverte visitando a represa de Peixotos, no rio Grande. Ali todos fazem a travessia numa balsa, que por coincidência leva o nome do ex-presidente paraibano Epitácio Pessoa. Numa parada na zona rural de Itamogi, Vandré aponta a paisagem e pergunta a João Batista o que ele está vendo. "Vejo a linha do horizonte." Diante da resposta, o compositor afirma que o amigo deveria ver mais longe. Depois aponta novamente, "num gesto dramático", e anuncia que além do horizonte ficam as Terras de Benvirá.

De volta a São Sebastião, Geraldo e a namorada passam a noite na casa de João Batista. "Vandré era uma pessoa muito simples e até fiz pra ele uma blusa na máquina de tricô", recorda Maria Alba, acrescentando ter tido a impressão de que o artista havia imaginado que ela e o marido fossem pessoas de posse – "talvez pensando que pudéssemos convidá-lo para dar um *show* na cidade". Contudo, Alba garante que ele não cantou nem falou de música durante a breve visita. "Na última noite em nossa casa, conversamos até de madrugada e Geraldo discorreu sobre os mais variados assuntos", acrescenta João Batista. Na manhã seguinte, a dona da casa prepara uma saborosa lasanha para os dois visitantes, que comem às pressas antes de partirem para São Paulo.

A volta de *Caminhando*

Um dos fatos artísticos mais importantes de 1979 é a gravação de *Pra não dizer que não falei das flores* (*Caminhando*) pela cantora Simone. A música é também entoada nas ruas, em greves e protestos que voltam ao cotidiano da vida nacional. É o primeiro ano de governo do presidente general João Baptista de Figueiredo, que se comprometera em fazer a tão esperada abertura política. Com aprovação da anistia, inimigos do regime militar voltam ao país, entre eles Fernando Gabeira, Francisco Julião, Gregório Bezerra, Herbert de Sousa ("o irmão do Henfil" de *O bêbado e a equilibrista*, composição de João Bosco e Aldir Blanc), José Dirceu, José Maria Rabelo, Leonel Brizola, Luiz Carlos Prestes, Miguel Arraes, Vladmir Palmeira e muitos outros.

No ritmo da abertura, em 1º de maio, o líder dos metalúrgicos de São Bernardo do Campo, Luiz Inácio Lula da Silva, divulga com seus aliados a carta de princípios do PT (Partido dos Trabalhadores), a ser fundado em 1980. Em 19 de junho, Brizola e seus seguidores fundam o PDT (Partido Democrático Trabalhista), filiado à Internacional Socialista. A ideia do novo partido surgiu depois que o governo tirou do grupo o direito à antiga legenda do PTB, reivindicada por Ivete Vargas, sobrinha-neta de Getúlio.

Até então fora da mídia, a canção que havia "incendiado" o Maracanãzinho em 1968 torna-se uma das mais tocadas nas rádios do país. O sucesso é tanto, que *Caminhando* até serve de tema para os inofensivos rebolados das chacretes, cobiçadas dançarinas da *Discoteca do Chacrinha*, um dos programas de maior audiência da Rede Globo. Quem a sugeriu para o repertório de Simone foi o teatrólogo Flávio Rangel, diretor do seu *show*. Contudo, mesmo sob o clima da redemocratização, agentes do SNI vigiam a cantora de perto. Na apresentação feita no Mineirinho, em Belo Horizonte, ativistas de direita tentam intimidá-la, soltando bombas de gás lacrimogêneo na plateia. Simone mantém-se firme no palco e pede calma aos presentes.

Numa entrevista posterior, Vandré dirá: "*Caminhando* foi liberada e voltou, na gravação da Simone. Mas eu não poderia voltar junto, caso contrário teria sido morto. Então, dei um jeito de separar a criatura do criador". Apesar do êxito, ele move um processo por apropriação indébita contra a cantora e declara à revista *Veja*: "Meus amigos dizem que a Simone está fazendo sucesso com a música e pensam que isso vai me deixar feliz... Mas é inútil. Só serve para a Simone ganhar um Mercedes do ano". Como a pipa cuja linha se partiu, a canção voa alto, indo além do horizonte.

Com o êxito da nova gravação, a censura finalmente libera o registro original, que estava proibido desde a decretação do AI-5. Nos anos de chumbo, o ódio dos militares por *Caminhando* colocava sob suspeita até mesmo quem a ouvia. Em BH, o adolescente Maurício Santiago morava com a família em frente ao quartel do Corpo de Bombeiros, no bairro Funcionários, quando o pai comprou um exemplar do compacto simples com Vandré interpretando a canção proibida. O disco rodou na vitrola quase diariamente, até desaparecer misteriosamente, sem deixar vestígios.

Ao lembrar o fato, em 2014, Maurício não descarta a possibilidade de algum soldado ter entrado sorrateiramente em sua casa e surrupiado a pequena bolacha: "Tempos depois, encontramos o compacto quebrado, jogado em nosso quintal, e até hoje não sabemos o que de fato aconteceu". Naquela época, os bombeiros integravam as polícias militares, com o objetivo de reforçar a segurança pública e as forças de repressão.

Ainda em 1979, volta ao mercado o LP *Canto geral*, pela gravadora Emi-Odeon. Comprovando a popularidade de Vandré, o disco vende 30 mil cópias em poucos dias. Logo depois, a *Veja* publica o seguinte texto: "Sustentado pela família, (Vandré) tem tomado atitudes que causam espanto enorme entre os artistas. Por exemplo: poderia embolsar alguns milhões de cruzeiros em direitos autorais, mas se recusa a fazer isso. 'Está tudo depositado em juízo', explica. 'Não tenho nada a ver com isto que estão fazendo com minha música, à minha revelia'". Há quem diga que ele costuma guardar ou rasgar os cheques que recebe, por total discordância com a forma de recolhimento e pagamento dos direitos autorais no país.

Em 12 de setembro de 1980, quando o compositor completa quarenta e cinco anos, Regina Echeverria publica na *Folha de S.Paulo* a matéria *Crepúsculo de um ídolo*, na qual lembra atitudes estranhas assumidas por ele após a volta do exílio: "Como uma sombra de si mesmo, Geraldo Vandré passou a vagar pela cidade de São Paulo. Fazia aparições esporádicas, às vezes entrava numa redação de jornal, sentava-se numa máquina e escrevia laudas e laudas, em silêncio. Ninguém tinha coragem de perguntar o que ele estava fazendo ali".

No dia 25, ao receber o título de Cidadão Paulistano, dr. Geraldo Pedrosa de Araújo Dias só responde perguntas de ordem jurídica, recusando-se a falar do passado artístico: "A melhor maneira de não desmerecer esta honraria é seguir, ainda, no meu dia a dia nesta cidade, como simples advogado. Até que se restabeleça a normalidade do estado, o império da lei. Até que se erradique de uma vez para sempre desta nação este crime formal chamado República Federativa do Brasil".

Reação à abertura

Em plena abertura política desenhada pelo general Golbery do Couto e Silva, ministro da Casa Civil do governo Figueiredo, homens ligados à repressão temem perder o emprego e serem punidos pelos crimes que praticaram em nome da Segurança Nacional. Outros tentam sabotar os planos do governo por mero fanatismo e convicção de que apenas os militares estariam prontos para livrar o Brasil da "ameaça comunista". Nesse sentido, atentados de direita pipocam pelo país, desafiando as autoridades constituídas e tentando intimidar a opinião pública.

Em 27 de agosto de 1980 uma bomba explode na sede da OAB (Ordem dos Advogados do Brasil), no Rio de Janeiro, matando a funcionária Lyda Monteiro da Silva. Outro atentado – mais ousado – ocorre na noite de 30 de abril de 1981, no Pavilhão Riocentro, em Jacarepaguá, onde um *show* com artistas da MPB antecipa as comemorações do Dia do Trabalhador. O plano dos terroristas é detonar bombas na plateia, na casa de força e em pleno palco. Só que o tiro sai pela culatra.

Às 21h, o locutor Hilton Gomes anuncia para o público de quase 20 mil pessoas:

– Alô, amigos! Comemorando a passagem do 1º de Maio, os grandes nomes da música popular brasileira marcaram um encontro aqui no Riocentro para um contato direto e informal com o público. A partir deste momento, os últimos lançamentos da MPB, como Céu da Boca,

Alceu Valença, Ângela Rô Rô, Beth Carvalho, Cauby Peixoto, Clara Nunes, Djavan, Elba Ramalho, Fagner, Gal Costa, Gonzaguinha, Ivan Lins, Ivone Lara, Joana, João Bosco, João do Vale, João Nogueira, Miúcha, Moraes Moreira, MPB4, Paulinho da Viola, Roberto Ribeiro, Roupa Nova, Simone, Zizi Possi e uma homenagem especial a Luiz Gonzaga.

No comando da festa está o representante do Cebrade (Centro Brasil Democrático), Chico Buarque, o cantor e compositor mais odiado pela repressão depois que Vandré abandonou a carreira.

A primeira bomba explode dentro do Puma cinza-metálico placa OT-0297, que se encontra no estacionamento do Riocentro. O sargento Guilherme Pereira do Rosário, que segurava o artefato, morre na hora. Gravemente ferido, o motorista do carro, capitão Wilson Dias Machado, é primeiramente socorrido pela jovem Andreia, neta de Tancredo Neves, que está chegando para assistir ao *show*. Depois é levado para um hospital e jamais dará explicações sobre o ocorrido. Os dois militares são ligados ao DOI do 1º exército e o caso jamais seria esclarecido. O general Newton Cruz, chefe do SNI, teria sabido do plano duas horas antes e nada fizera para impedir a ação terrorista.

Uma segunda bomba é arremessada por cima de um muro para atingir a casa de força, mas explode longe dela, causando apenas um pico de luz. Não se sabe ao certo quantas bombas haviam sido preparadas. No entanto, o atentado comprova o ódio dos repressores pelos artistas da MPB, considerados subversivos aos olhos da ditadura. No final do *show*, o compositor Gonzaguinha (Luiz Gonzaga Júnior) avisa o público que "pessoas contra a democracia jogaram bombas lá fora para nos amedrontar".

O presidente, general João Batista Figueiredo, era ligado à comunidade de informação e havia chefiado o SNI no governo Médici – o mais duro do período militar. Embora tenha dito "prendo e arrebento" a quem se colocasse contra a abertura política, ele nada faz para punir os seus pares. Diante disso, por não admitir quebra na hierarquia das forças armadas, o general Golbery entrega o cargo de ministro da Casa Civil e se afasta do governo. Apesar de tudo, o país continuará marchando rumo à redemocratização e à estabilidade institucional.

Um amigo cearense

Em meados de 1981, um cearense de Parambu chamado Saldanha Rolim chega a São Paulo para tentar a sorte na cena artística. Compositor e cantor criado em São Luís do Maranhão, ele logo é apelidado de Bahia devido ao forte sotaque nordestino. Para sobreviver na maior cidade do país, o músico de 21 anos trabalha numa loja de discos que funciona, inclusive nos finais de semana, na rua Sete de Abril. Com poucos fregueses nas tardes de domingo, ele costuma colocar na vitrola o LP *Das terras de Benvirá*.

"Eu ouvia esse disco, cantava junto e chorava muito com saudades do Nordeste", diz o artista em 2014. "Nessa época, conheci um cara chamado Erickson Wagner. Ele havia trabalhado na mesma loja e abriu seu próprio comércio de discos ali perto. Costumava aparecer e acabou que nos tornamos amigos. Um dia ele me disse: 'Você gosta muito do Vandré, não é? Vou lhe dar um presente hoje à noite'. Mais tarde, apareceu na loja e me levou a um velho prédio da Martins Fontes, ali nas proximidades." Erickson bateu na porta do apartamento sessenta e um e, para a surpresa de Saldanha, quem atendeu foi Geraldo Vandré. "Lembrei-me de tê-lo visto algumas vezes, parado em frente à loja, ouvindo as próprias músicas que eu colocava pra tocar. Não o reconheci daquelas vezes porque estava bem diferente nas capas dos discos e eu só o via de longe", diz o músico.

Saldanha conta que "o apartamento era uma zona total, sem luz elétrica, com uma vela acesa num canto, um violão e livros espalhados pra todo lado. Passamos aquela noite conversando, fumando e tomando cerveja, com o Vandré falando poemas, tocando e cantando, na maioria das vezes em espanhol. Erickson e eu já íamos saindo quando ele bateu a mão no meu ombro e disse: 'Volta aí depois'. Ficamos amigos, passamos a sair juntos, íamos a restaurantes, *shows* e cinemas". A amizade duraria dez anos, até que Saldanha se casasse e fosse morar em Diamantina, interior de Minas.

Ele ainda se lembra de quando levou Vandré ao teatro da Sociedade Cultura Artística para assistir ao histórico *show Cantoria*, dos compositores Elomar Figueria de Melo, Geraldo Azevedo, Vital Farias e Xangai. "Quando Geraldinho tomou a palavra e começou a contar a história de *Canção da despedida*, parceria dos dois que ele iria cantar, Vandré se retirou da plateia e me deixou sozinho. Nunca perguntei por que, e ele também nunca falou no assunto", afirma. Em 1988, ao gravar seu primeiro LP, *Rosa miúda*, Saldanha homenagearia o amigo registrando a marcha-rancho *Porta estandarte*.

Geraldo sempre se irritou quando anunciavam sua presença nos lugares públicos. Como um autêntico recluso, à moda de J. D. Salinger, geralmente se retira toda vez que isso acontece. Certa vez, o jornalista e escritor Petrônio Souza Gonçalves estava em companhia do compositor Zé Geraldo, num *show* do amigo comum Birhú de Pirituba (Antônio Eugênio Delfino), em São Paulo. Um cidadão de cabelos brancos enrolados em duas tranças sobre os ombros se esgueirava pelos cantos da plateia. Petrônio perguntou a Zé Geraldo quem seria "aquela figura". Quando ouviu tratar-se de Vandré, sugeriu que deveriam anunciar sua presença. Zé Geraldo retrucou: "*Tá* doido? Ele detesta isso. Se falar que ele *tá* aqui, na mesma hora ele vai embora".

Cantor, compositor e gestor ambiental, Birhú tinha quinze anos quando fez amizade com Vandré, em meados da década de 1970. Dele ouviu um sábio conselho: "O maior sucesso de um artista está na sua originalidade de conquistar o público e não se render ao sistema". Em 2014, declara: "Devo meu 'insucesso' ao Geraldo e digo isso com muita honra. Questão de ideologia. Você tem que cantar o que sente, e não o que a mídia quer". Birhú foi um dos poucos a frequentar a intimidade do ídolo. Conheceu inclusive seus pais. Lembra que certa vez chegava com ele a Teresópolis, quando viram dona Maria Marta fazendo *cooper*. "Mãe, como é que pode a senhora, aos 80 anos, ficar trotando num lugar desses?", perguntou o filho. Mais tarde ela diria: "O Geraldo melhorou muito. Esse menino já me deu muito trabalho, mesmo antes da fama".

Birhú talvez tenha ouvido do amigo sua única menção à tortura. "A caminho do Campo de Marte num carro novo que o Vandré havia comprado, passávamos em frente ao antigo Instituto de Energia Atômica (Estação da Ciência), na rua Guaicurus, bairro da Lapa, em São Paulo. Ele apontou o local e disse: 'passei quatro dias aí tomando pau'. Fiquei sabendo mais tarde que o prédio havia sido utilizado pela repressão nos tempos da ditadura. Nunca mais falamos no assunto." O episódio levanta dúvidas sobre as negativas de Geraldo no que diz respeito a ter sido preso e torturado no auge do regime militar.

Birhú garante que o autor de *Caminhando* continua escrevendo e compondo, tendo mais de quarenta livros datilografados com poemas, letras musicais e outros textos literários inéditos em seu apartamento. "Só na intimidade é que ele canta suas novas canções", afirma. "Sua voz se mantém firme, melhor do que nunca... Temos muitas parcerias, que não posso gravar porque ele não deixa."

XVI

MADURO NO DESPERTAR

A volta de Geraldo Vandré aos palcos ocorre num cinema mofado de Puerto Presidente Stroessner, no Paraguai; enquanto isso, *Paixão segundo Cristino* é reencenada em Curitiba e os brasileiros saem às ruas nas "Diretas já".

O TÃO esperado retorno de Geraldo Vandré aos palcos brasileiros quase acontece em 17 de julho de 1982. O *show* está programado para se realizar no Salón Social Área Dos, da Itaipu Binacional, tendo na plateia os "barrajeiros", operários da obra cuja inauguração será realizada em 5 de novembro. Contudo, circulam boatos de que a apresentação foi proibida pelas autoridades. Trata-se de uma área de Segurança Nacional e o cantor ainda é malvisto por muitos militares.

Os produtores consultam a Polícia Federal e, surpresos, são informados de que não há nenhum impedimento oficial para o evento. O general Junot Rebello Guimarães, responsável pela segurança no lado brasileiro, telefona para seu colega paraguaio, general Aguirre, que insiste na proibição depois de um jornal da cidade paranaense de Cascavel ter publicado reportagem apresentando o Vandré como "inimigo do governo brasileiro".

Nessa época, o artista se aproxima do jornalista Rogério Romano Bonato, repórter da Rádio Cultura e um dos donos do *Diário da Cidade*. "Sei que era inverno, um frio danado. Pouco antes do almoço, estou em frente à rádio e encosta um Galaxie preto, daqueles enormes", lembra Bonato em 2014. "Desce um cidadão grisalho, de casaco de lã e cachecol. Todas as roupas eram negras. Parecia um vulto! Ele desceu as escadas e perguntou: 'É aqui que eu encontro o Rogério Bonato?' Tremi, pois a coisa mais normal era gente estranha descer de Veraneios ou Galaxies e levar a gente pra conversar com os milicos. Sem me identificar, respondi que sim, que era possível encontrar o Rogério lá. O homem grisalho retirou um disco do casaco e disse: 'Você pode entregar isso pra ele, pra tocar na emissora?' Era um compacto, um disquinho com apenas duas canções. Olhei a capa e, nela, a foto do homem grisalho, mas nem tão grisalho ainda. Era Geraldo Vandré."

Bonato havia tentado realizar um festival de arte, música e folclore no Marco das Fronteiras, mas fora impedido pelos militares. Vandré teve notícias disso. Ao entrar na rádio, o jornalista entrega o disco ao operador de som e pede pra tocar. O rapaz o atende e roda várias vezes os dois lados. O gerente da emissora, Ennes Mendes da Rocha, quer saber qual a razão de tocarem "esse Geraldo Vandré". Bonato explica que o compositor havia lhe dado o compacto. "Geraldo Vandré em Foz do Iguaçu? Está sonhando?", Ennes retruca. "Sim, veio até a rádio, disse que queria falar comigo e me deu o disco, pediu pra tocar", responde Bonato, ao que o outro reage: "Tá maluco? Não podemos tocar esse cara aqui. Isso vai dar confusão".

De tarde, aparece na rádio uma moça com um bilhete sem assinatura endereçado ao jornalista. "Me encontre no Hotel Ilha di Capri", diz a mensagem. "Lá estava o Geraldo e outras pessoas", lembra Bonato. "Ele me abraçou e falou: 'Você é bom de diálogos codificados. Eu estava próximo à emissora esperando você aparecer... sabia que era você... só quis saber como agiria'. Foi assim que conheci o estilo Vandré de lidar com as coisas." Essa e outras histórias estão num livro inédito do jornalista, que mais tarde se tornaria cineasta e artista plástico. Segundo Bonato, ao lhe entregar o compacto para tocar na rádio, o compositor queria criar uma espécie de efeito subliminar que pudesse abrir-lhe as portas para se apresentar na usina de Itaipu.

Show no Paraguai

Depois de vinte dias aguardando a liberação para cantar nas instalações da futura maior hidrelétrica do mundo, Vandré se apresenta em Puerto Stroessner. Separada de Foz do Iguaçu pelos 552 metros da Ponte da Amizade – construída sobre o rio Paraná e inaugurada em 1965 pelo presidente marechal Castelo Branco –, a cidade paraguaia teria o nome mudado para Ciudad del Este. A sugestão do local do *show* é de Maurício Cordeiro, gerente do Hotel Ilha di Capri.

Na noite de sábado, 7 de agosto de 1982, cerca de 200 brasileiros se dirigem a um cinema velho e mofado de 700 lugares onde esperam o início do espetáculo durante quase uma hora. O ingresso custa 4 mil cruzeiros (dinheiro da época). O *show* só é liberado pelas autoridades depois que o norte-americano Michael Kelly, trompetista da Orquestra Sinfônica do Estado de São Paulo que faz a vez de empresário do artista, exibe um certificado da Polícia Federal brasileira garantindo não haver restrições ao nome de Geraldo Vandré.

Além de Kelly, o compositor levou a Foz do Iguaçu os músicos Di Melo, Saldanha Rolim e Saulo Laranjeira – ator e cantor mineiro, dono do espaço cultural Fulô da Laranjeira, em São Paulo, que ele costuma frequentar. Acompanham a trupe os amigos Birhú de Pirituba e Osmar de Lima Sabiá. Todos se hospedam no Hotel Ilha di Capri. "Num encontro para definirmos o repertório, dois dias antes do *show*, toquei *Das terras de*

Benvirá e o Saulo começou a cantar comigo. Vandré se emocionou e falou um poema lindo de sua autoria", lembra Saldanha em 2014, dizendo que assim foi surgindo a ideia do espetáculo. Aliás, naquele momento nascia também sua amizade e parceria musical com Saulo, que em breve estrearia um programa na TV Tarobá e, décadas depois, faria o personagem João Plenário, no programa *A praça é nossa*, do SBT.

"Com a proximidade da apresentação, Vandré foi ficando cada vez mais agitado", acrescenta Saldanha, dizendo que muitas vezes ele se mostrava agressivo. Um dia, ambos estavam engraxando sapatos numa praça quando viram o cartaz do *show* pregado no vidro de uma agência do Banco do Brasil ou da Caixa Econômica Federal – Saldanha não se lembra direito: "De onde a gente estava também se via a foto oficial do general Figueiredo com a faixa presidencial, numa parede ao fundo. O Vandré deu um salto da cadeira do engraxate, atravessou a rua correndo e adentrou a agência, furioso, assustando funcionários e clientes do banco. Ele apontou o cartaz e o retrato do presidente e gritou: 'Ou eu ou ele'. Depois saiu correndo e ninguém entendeu nada".

Quando o *show* finalmente começa, os músicos entram em cena em fila indiana, todos de verde-oliva com botas pretas, uniforme mandado fazer pelo próprio Vandré. Kelly, Di Melo, Roberto, Saulo e Saldanha atravessam o palco e descem uma rampa lateral, sendo sucedidos pelo artista, que dá início à apresentação. Nessa hora, os repórteres correm para a frente da plateia, tirando fotos e espocando *flashes*. Incomodado com tudo aquilo, Vandré demora a cantar. Segundo Saldanha, "ele combinou dar uma entrevista coletiva depois do *show*. Pediu para apagarem as luzes do palco e isso atrapalhou a equipe da TV Taborá, que gravaria o espetáculo para exibição nacional pela Rede Bandeirantes". Vandré começa a cantar e vai chamando os músicos ao palco, um a um.

Ruth Bolognese, repórter do *JB* no Paraná, é uma das jornalistas presentes. Em sua reportagem publicada logo a seguir, ela dá os seguintes detalhes da apresentação: "Não houve aplausos nem gritos. Vandré, quarenta e sete anos, cabelos compridos e grisalhos, cabeça baixa, vestindo um safári verde-oliva estilo chinês, era o último da fila de cinco músicos que entraram em silêncio pela porta principal do Cine Ópera e passaram pelo palco em direção aos bastidores. Era apenas uma encenação. Segundos depois, o grupo voltou ao palco. Vandré pegou o violão, sentou-se numa cadeira e começou a cantar em espanhol. *Por onde yo vuelvo siempre*, música de sua autoria, gravada num compacto no verso de *Caminhando* na versão espanhola feita no Chile, em 1969". Na verdade, a primeira música tocada foi *Desacordonar*.

Em 2014, a jornalista volta no tempo: "O cinema era escuro, a plateia era paraguaia, o cantor, brasileiro, e o *show* acontecia na zona franca improvisada e militarizada ao sul do Brasil, na fronteira com Foz do Iguaçu e muito próxima da maior usina hidrelétrica do mundo. Sem promoção alguma nem promessa de alegria ou batucada, a atração principal era Vandré. Tão improvável naquele lugar e naqueles tempos que o pequeno grupo de jornalistas brasileiros acreditou mais no rumor da chegada de um pelotão de militares paraguaios para dispersar o público do que na presença do astro no palco. Mas aconteceu! Vandré cantou e tocou violão. Não tentou entusiasmar nem animar o espetáculo. Parecia disposto a cumprir o combinado e nada mais. Quando finalmente dedilhou *Prá não dizer que não falei das flores* (*Caminhando*), o fez com ternura, mas cuidadoso, como se temesse que o som pudesse atravessar o rio Paraná e chegar às terras brasileiras. Ninguém cantou junto nem aplaudiu".

Segundo Ruth, com exceção dos repórteres presentes, o público era quase todo de comerciantes da fronteira paraguaia, "donos de lojinhas de bugigangas chinesas e coreanas" que dominavam a empoeirada paisagem local. Décadas depois, o edifício do velho cinema seria transformado numa espécie de *minishopping*.

Fã incondicional

Uma das presenças na plateia é a de Sula Kyriacos Mavrudis, de dezenove anos. Filha de gregos e fã fervorosa de Vandré desde a infância, ela mora com a família em Foz do Iguaçu. Seu ídolo chega à cidade com dor de dente e vai bater justamente no consultório de sua prima, Kaliopy Stathacos. A partir daí, ambas passam a acompanhar o compositor e os músicos, entre eles o amigo paraibano Ivo de Lima (mais tarde rebatizado Alquimides Daera pelo próprio Vandré). "Ficamos numa expectativa muito grande, porque a gente achava que nunca veria o Geraldo ao vivo", diz a teatróloga, musicista e professora de balé, em 2014. "Pra mim foi uma surpresa ele aparecer ali pra fazer um *show*... Eu temia que cancelassem também aquela apresentação, como fizeram na Usina de Itaipu. Eu nunca tinha visto ele no palco. Minha família sempre gostou dele. A questão política nos fez admirá-lo."

Três anos antes, quando residia na cidade mineira de Santos Dumont, Sula havia ensaiado o espetáculo *Viva Vandré*, que nunca conseguiu encenar. Ela era professora de dança da irmã do líder sindical dos professores, Luís Dulce. Futuro homem forte do governo Lula, Dulce estava preso e em greve de fome no DOPS de Belo Horizonte. "A gente rezava e chorava junto com a família dele", recorda. "Nossa forma de lutar seria montar um espetáculo sobre o Vandré, mas enfrentamos todo tipo de problema. Todas as portas se fecharam. Inclusive a do clube onde costumávamos mostrar nossos trabalhos. Todo mundo tinha medo naquela época, até meu ex-marido, que havia tido problemas em São Paulo por participar de manifestações estudantis."

Sula, cujo pai, Kyriacos Mavrudis, era eletricista em Itaipu, lembra que no meio do *show* Vandré anunciou um breve intervalo, dizendo que voltaria a seguir vestindo as cores da bandeira brasileira. "Para a surpresa geral, ele voltou todo de preto", recorda. "O *show* foi maravilhoso, muito belo mesmo. Principalmente pra gente, que só o conhecia dos discos. Geraldo apresentou novos arranjos, bem diferentes das gravações originais. O Saulo cantava igual a ele, fazendo a segunda voz. Mas achamos o *show* muito curto, deveria ter sido maior." Questionada sobre as excentricidades do compositor, ela diz: "O que as pessoas chamam de loucura é, na verdade, excesso de inteligência. Geraldo deve ter um QI muito alto e gente assim não tem muita paciência com as coisas comezinhas do dia a dia".

Admiradora incondicional do artista, Sula sabe de cor algumas das músicas feitas por ele naquela época em parceria com Ivo (Alquimides). Provavelmente o próprio Vandré nem se lembre dessas canções. Seja como for, ela afirma que, além do gosto musical, "Ivo tinha em comum com o parceiro uma grande paixão pela aviação. Exímio violonista, era também piloto amador e tentava reproduzir no instrumento o som do motor de sua aeronave enquanto voava".

Assim como outros que testemunharam a relação amigável entre os dois parceiros e conterrâneos, Sula ressalta que, "de tanto admirar e conviver muito próximo do Geraldo, o Ivo passou a se parecer com ele inconscientemente, até mesmo nos gestos, no jeito de falar e também na postura física". A emoção daqueles dias marcou tão profundamente a memória da jovem descendente de gregos que, em 2014, ela ainda guarda o cartaz, recortes de jornais e a camiseta promocional do show.

A apresentação em Puerto Stroessner dura cerca de duas horas, com Vandré se revezando com os músicos, cantando canções em espanhol e falando textos poéticos, alguns de sua autoria e outros de Guimarães Rosa. Depois dos aplausos, ele reaparece ao lado de João Martinez, um dos donos do jornal *Folha de Londrina* e da TV Tarobá, que investira na produção 600 mil cruzeiros (dinheiro da época). Quase discursando, o artista anuncia: "Tenho desprezo pela imprensa brasileira. Só dou entrevista porque estamos em outro país... No Brasil em que eu ainda vivo não admito pedir licença a general nenhum para falar". Em seguida, transforma em explicações públicas o que seria uma coletiva à imprensa:

– Em dezembro de 1968... Eu trabalhava na televisão naquele tempo... Estava vendo televisão, porque eu era um profissional da televisão... De repente aparece um outro artista na televisão dizendo que era o presidente da República e que o país, daquele dia em diante, iria se reger por uma lei que dizia expressamente o seguinte num dos seus artigos: "Excluem-se de qualquer apreciação judicial todos os atos praticados de acordo com esse ato institucional e seus atos complementares, bem como os seus respectivos efeitos". Imaginem! Eu era um bacharel em direito, tinha estudado. Fiquei sem saber realmente o que fazer. Parei de cantar. Depois disso, parece que publicaram uma... Fizeram um folhetim, uma publicação com base nesse ato institucional que declara excluídos de qualquer apreciação judicial todos os atos praticados com base nele. Um folhetim chamado Constituição da República Federativa do Brasil, hum?... (aplausos). Eu sou advogado dos Estados Unidos do Brasil... Quando foi julgado meu pedido de subjudiciedade do meu ato de demissão do serviço público, porque eu sou funcionário público, eles é que não são, hum? Eles são revolucionários, hum? Já que é pra falar do assunto, assim é que se fala... Eles são revolucionários. Eu sou funcionário público dos Estados Unidos do Brasil, hum? Quando houver Poder Judiciário que aprecie o meu pedido relativo a esse crime denominado República Federativa do Brasil, volto a cantar no Brasil.

Mudanças políticas

Em abril de 1984, novamente em Foz do Iguaçu, Vandré deixa de lado o desprezo pela imprensa e concede entrevista coletiva, desta vez num reduto cultural conhecido como Garganta do Diabo. Mais uma vez ele tenta em vão se apresentar na Itaipu Binacional. No mesmo mês, numa produção da Fundação Cultural de Curitiba, *Paixão segundo Cristino* é reencenada numa temporada de dez espetáculos na capital paranaense. Participaram da montagem o Coral de Curitiba, o ex-dominicano Paulo Cezar Botas, amigo de Vandré, e o cantor Marinho Gallera. Dessa produção resulta um LP gravado ao vivo, mas nunca lançado comercialmente. Comprovando sua atualidade, a peça terá outra montagem no ano seguinte, no colégio Pentágono, em São Paulo.

Na mesma época, a sociedade civil está nas ruas em plena campanha das "Diretas já". Trata-se do movimento iniciado em 1983, em apoio à aprovação da emenda constitucional Dante de Oliveira, que propõe eleições diretas para presidente da República. São realizadas grandes manifestações em várias cidades, reunindo líderes da oposição, artistas e intelectuais de esquerda. Só no comício de 25 de janeiro, no Vale do Anhangabaú, em São Paulo, registra-se a presença de quase 1,5 milhão de pessoas.

Estrelas da MPB se destacam nos palanques, entre elas Fafá de Belém, que interpreta o hino nacional, e Chico Buarque, um dos mais aguerridos defensores da redemocratização. Em várias ocasiões a multidão entoa *Caminhando*, embora seu autor permaneça longe dos acontecimentos. Na ocasião, Vandré recebe uma carta do amigo João Batista da Silveira, o bancário que o hospedou em São Sebastião do Paraíso, conclamando--o a aderir ao movimento ao lado de seus colegas. Sua resposta por telegrama é emblemática e confusa: "As esperas e expectativas geradoras de frustrações têm causas cuja identificação é um princípio indeclinável da responsabilidade".

Em 25 de abril de 1984, sob um forte esquema repressivo, a emenda é votada em Brasília, obtendo 298 votos a favor, sessenta e cinco contra e três abstenções. Devido a uma manobra política dos apoiadores do regime, 112 deputados não comparecem ao plenário, isso impossibilita a aprovação. Diante disso, o governador de Minas e ex-premiê, Tancredo Neves, se lança candidato à presidência no Colégio Eleitoral pela Aliança Democrática, que reúne políticos do PMDB e do PFL. O candidato oficial pelo PDS é Paulo Maluf, ex-governador de São Paulo. *Caminhando* é novamente entoada nas ruas.

Eleito em 15 de janeiro de 1985, Tancredo adoece um dia antes de tomar posse, sendo substituído pelo vice, José Sarney, ex-udenista e ex-líder da Arena e do PDS que abandonara o barco dos militares. Diante da recusa de João Figueiredo em lhe passar o cargo, quem lhe coloca a faixa presidencial é o presidente do Congresso, Ulysses Guimarães. Tancredo morre de diverticulite, em 21 de abril. No plano internacional, o premiê russo Mikhail Gorbachev dá início à Perestroica, uma série de reformas que resultará no fim da União Soviética e da guerra fria iniciada após a 2ª Guerra Mundial.

Violão e "sanfoninha"

De volta a Foz do Iguaçu, o persistente Vandré finalmente se apresenta no Salón Social Área Dos, da Itaipu Binacional, em 7 de setembro de 1985. Na reportagem *Crepúsculo de um ídolo*, publicada cinco dias depois pela *Folha de S.Paulo*, Regina Echeverria dá detalhes do evento. Segundo ela, o compositor não consegue se entender com os músicos paraguaios e decide cantar sozinho. Ele dispensa os microfones, devido a problemas na aparelhagem de som. Apenas duas pessoas o ajudam: Ivo de Lima (Alquimides) e sua mulher, a cantora Beatriz Malnic, que haviam começado o *show*.

Vandré surge do fundo do palco, gritando palavras ininteligíveis, e depois canta algumas canções de sua autoria. No momento mais emocionante, ele fica de frente para a bandeira do Brasil hasteada sobre uma mesa. De costas para a plateia de 120 pessoas, ele canta *Caminhando* e recita versos perguntando "o que fizeram de ti, bandeira?". Em seguida, beija o pavilhão nacional e encerra o espetáculo, fazendo questão de cumprimentar um a um os presentes.

Um militar que se indispõe com ele em suas estadas em Foz do Iguaçu é o coronel Eugênio Menescal, responsável pela segurança local numa época em que os prefeitos da cidade são nomeados. Ao saber que Vandré está hospedado na Capitania dos Portos com autorização do capitão de fragata Cláudio José da Matta, ele manda fotografá-lo numa das ruas de Foz e prega o retrato num quadro de avisos. Depois desenha uma seta com pincel atômico vermelho apontando seu rosto e escreve um alerta à soldadesca: "Esta pessoa é inimiga do exército brasileiro e sua entrada no batalhão é proibida". Por coincidência, o coronel é parente distante de Roberto Menescal, cuja família tem muitos militares. Nesse tempo, Vandré participa da ordem unida com os marinheiros durante o hasteamento da bandeira nacional.

Uma cena hilária, que ficaria bem num filme de Charles Chaplin, ocorre quando o compositor entra no quartel do exército e rege a banda do 34º Batalhão de Infantaria Motorizado. Tudo vai bem, até que o coronel Menescal descobre sua presença e se aproxima furioso: "O que o senhor está fazendo aqui com a minha banda?". Vandré entrega-lhe a batuta, sorrindo: "Muito boa a banda que é do exército, sua coisa nenhuma". Ao se retirar, ele ainda é saudado pela sentinela, que bate continência sem saber o que se passa. O maestro titular, sargento Rachid, é quem leva a bronca do comandante e acaba pagando o pato no xadrez do quartel.

Além de se hospedar no apartamento 21 do Hotel Ilha di Capri e nos alojamentos da Capitania dos Portos – onde fazia faxina para pagar a conta –, Vandré também ficou na pensão do Cabral, na pensão de dona Porota e num quartinho na sede do *Diário da Cidade*. Por causa disso, Rogério Romano Bonato chegou a receber uma ordem do coronel Menescal, que lhe mandou um emissário dizendo que teria doze horas para desalojar o hóspede indesejado. O jornalista não deixou por menos: "Diga ao seu chefe que ele manda no batalhão e eu, no meu jornal". A notícia correu o Brasil.

Outro episódio inusitado é narrado pelo próprio Bonato: numa tarde, em meados de 1984, Vandré pergunta se ele poderia lhe dar uma carona até o Marco das Três Fronteiras. "Eu o levei escondido na viatura da Rádio Cultura, uma Brasília vermelha", recorda o cineasta. "Ao chegar lá, Vandré se abraçou com um cidadão grisalho, magrinho, com uma sanfoninha debaixo do braço. Eu, moleque, não entendi nada." Quando retorna à emissora, Bonato é repreendido pelo patrão: "Você fica levando esse traste pra lá e pra cá na viatura da rádio. Vou acabar perdendo a concessão por sua causa". Depois pergunta o que foram fazer no Marco das Fronteiras.

O jovem repórter responde que Vandré havia se encontrado com "um tal de Astor, que ficou lá com uma sanfoninha e ele com o violão, tocando". Nesse instante, o gerente Ennes entra na conversa: "E você pelo menos gravou?". Bonato explica que não havia levado gravador. Daí o gerente dispara à queima-roupa: "Então *tá* demitido, e por duas razões. Uma por pegar o carro e levar o comunista, e outra por não ter gravado o seu encontro com Astor Piazzolla". Nessa época, Vandré era odiado pelos militares argentinos pelo fato de *Caminhando* ser cantada pelas mães da Plaza de Mayo, em Buenos Aires. Anos depois, o jornalista o reencontraria na praça da Sé, em São Paulo. "Ele se lembrou de tudo com uma memória de se invejar", comenta Bonato em 2014.

Pessoas que conheceram Vandré em Foz do Iguaçu dizem que uma de suas "doideiras" era tirar fotocópias de dólares, autenticando em cartório e tentando passá-las à frente. Diante da recusa dos comerciantes em aceitá-las, dizia que no Brasil nem os cartórios são levados a sério. O mais incrível é que o preço da autenticação saía mais caro que as notas. Há quem diga que ele fumava muita maconha e também costumava se ensimesmar, ficando por um longo tempo em silêncio, fechado em si. De repente, saía em disparada pelas ruas da cidade. Outras vezes se escondia atrás de postes e árvores, alegando estar sendo espionado por agentes da repressão.

Dez anos depois, na reportagem de Thales Guaracy para a revista *Vip Exame*, o compositor diria que chegou a usar cocaína durante seis meses, ainda no Brasil, antes de partir para o Chile: "Mas um dia, ao fazer um *show* numa escola, a voz não me saiu da garganta. Então decidi que era hora de parar... Eu tenho uma fortaleza muito grande. Penso na minha saúde em primeiro lugar".

Numa entrevista concedida a Pedro Alexandre Sanches, publicada na *Folha de S.Paulo* de 8 de maio de 2000, o cantor paraibano Zé Ramalho lembraria um encontro que teve com o conterrâneo. Perguntado se Vandré voltaria a gravar, ele afirma que os dois tinham combinado fazer um disco: "Não sei se é os dois cantando, se eu produzindo, mas ele diz que quer... Reencontrei Vandré em Foz do Iguaçu, em 86 ou 87. Ele estava lá por conta das coisas da aeronáutica, fez a música que fez e ao mesmo tempo vive no meio da aeronáutica. 'Estou aqui estudando a arte militar', disse ele. Me procurou e pediu pra fazer uma aparição no meu *show*".

A apresentação foi em 1986, num bar chamado Taberna. Vandré fez o que Zé Ramalho chama de "pantomima", ao cantar em alemão uma música dos anos 60 chamada *Where have all the flowers gone* (Para onde foram todas as flores). "Entrou vestido de soldado, cantou de costas, eu traduzindo em português o que ele cantava em alemão. Depois do número todo, apareceu o autor. Cantou três canções novas de arrepiar, em português. O compositor continua vivo, produzindo", garante o compositor de *Avohai*. "Para trabalhar com ele, vou ter de anular um bocado de coisa que estou fazendo. Ele é extremamente imprevisível, é parecido com o João Gilberto nesse sentido. Acho que sou a pessoa em quem ele tem confiança para se reintegrar numa provável incursão no sistema de disco." Como outros projetos de Vandré após a volta do exílio, o novo disco ficaria só na promessa.

Em 10 de dezembro do mesmo ano, dr. José Vandregíselo de Araújo Dias morre, aos oitenta e dois anos, no Rio de Janeiro.

XVII

NO PASSADO E NO PRESENTE

Alheio ao que se passa no cenário político, Vandré se recusa a receber homenagens e surpreende os fãs com uma canção feita para a FAB; numa rara entrevista na TV, dr. Geraldo Pedrosa se diz advogado em um tempo sem lei.

DEPOIS DE idas e vindas a Foz do Iguaçu, Geraldo Vandré volta à cena somente em 1987. Desta vez não se trata de um *show* de música popular, mas de um recital de piano com uma peça erudita de sua autoria. O espetáculo é realizado em 16 de dezembro, no auditório da biblioteca municipal Mário de Andrade, centro de São Paulo. Na plateia, apenas 150 convidados assistem à apresentação da pianista Ismaela; ou melhor, Beatriz Malnic, formada pela Escola de Música da USP e residente nos Estados Unidos.

O pseudônimo adotado na ocasião pela musicista foi coisa do compositor, talvez na intenção de preservá-la. Quem os apresentou em Foz do Iguaçu foi Ivo de Lima (Alquimides Daera), que mais tarde seria do Clube do *Jazz* Paraíba Brasil. "Conheci Vandré através de um amigo de Recife e a seu pedido musiquei o poema *Coral das águias marinhas*", diz o músico em 2014. Ele planeja reunir em CD cerca de dez parcerias com o autor de *Caminhando*. Assim como o conterrâneo Zé Ramalho, garante que Vandré "não abandonou a carreira artística; vive compondo e escrevendo poemas".

O repertório do concerto de Ismaela é *Capitania de Wanmar*, que ela mesma colocou na pauta musical com ajuda do compositor. Antes da função, Vandré sobe ao palco para cantar o hino nacional. Em seguida, fica ao lado do piano enquanto a amiga dedilha o que ele define como "três cantilenas, um prelúdio, uma sonata e uma fantasia amazônica-andino-cisplatina" denominada *Tangará*.

Em 23 de dezembro, a revista *IstoÉ* dá detalhes do recital na matéria intitulada *Reaparição erudita*: "Quem saboreou os seis estudos para piano, com ritmos, escalas e modos nordestinos pôde observar que ele (Vandré) ainda conserva sua capacidade criativa". E ao falar de sua roupa, o repórter observa que o compositor "trajava uma camiseta com o emblema da marinha". O artista impede a entrada de retardatários no auditório e deixa o local escoltado por quatro cadetes da força aérea. A peça seria gravada oito anos depois num estúdio em Miami, sem nunca ser lançada em disco. Enquanto isso, um projeto de *shows* e gravação ao vivo patrocinado pela Varig acaba suspenso, pois Vandré desiste na última hora.

Ainda em 1987, havia tomado posse em fevereiro, no Congresso Nacional, a Assembleia Constituinte responsável pela elaboração da Carta Magna de 1988. Quatro anos depois, *Caminhando* volta às ruas na campanha pelo *impeachment* de Fernando Collor de Mello. Primeiro presidente eleito nas urnas desde o golpe militar, o jovem alagoano havia concorrido com Afif Domingos, Leonel Brizola, Luiz Inácio Lula da Silva, Mário Covas, Paulo Maluf e Ulysses Guimarães. Liderou o primeiro turno com 28,52% dos votos e venceu Lula no segundo, com 50,01%, depois de um polêmico debate cuja reprise em horário nobre teria sido manipulada pela Rede Globo.

Na área econômica, o "caçador de marajás" adota o chamado Plano Collor, abre o mercado às importações, inicia a política de privatização das estatais e confisca o saldo das cadernetas de poupança, o que leva muita gente à ruína. Sob denúncias de corrupção envolvendo Paulo César Faria, tesoureiro de sua campanha, o presidente enfrenta o movimento dos "caras-pintadas" – que entoam *Caminhando* pelas ruas do país – e renuncia pouco antes da votação do *impeachment* na Câmara Federal. Em seu lugar assume o vice, Itamar Franco, em cujo governo será lançado o Plano Real.

Poema para a FAB

Vandré continua à margem dos eventos políticos e artísticos, mas surpreende os fãs com um poema-canção dedicado à FAB. Segundo ele, *Fabiana* foi escrita em 23 de outubro de 1985 – Dia do Aviador –, no hospital da aeronáutica, em São Paulo. Mas há controvérsia quanto à data, pois antes disso, numa de suas estadas em Foz do Iguaçu, ele já havia mostrado a composição ao jornalista Rogério Bonato. "A loucura é a aviação. A maior loucura do homem é voar", diria tempos depois numa entrevista. Sua paixão pelos aviões teria começado na infância, quando observava aeronaves no campo de pouso do aeroclube de João Pessoa, inclusive durante a 2ª Guerra. Contudo, o envolvimento do artista com o que ele mesmo chama de "exército azul" não encontra explicações na lógica dos fãs e admiradores de sua arte.

Em 1994, Geraldo procura o tenente-brigadeiro Walter Werner Bräuer, comandante do 4º Comar (Comando Aéreo), em São Paulo. Bräuer é um oficial conservador, que nunca aceitou que a tomada do poder pelos militares fosse chamada de "golpe". Contudo, não considera *Caminhando* uma ofensa às forças armadas. Segundo ele, grande parte dos militares, "talvez por influência da mídia, achava a música subversiva. Eu, sinceramente, não via nada demais. Acho que era um pouco de fantasia da censura", declara ao biógrafo Vitor Nuzzi, já como oficial da reserva. Assim mesmo, afirma ter ficado surpreso ao ser procurado por Geraldo Vandré.

O compositor traz consigo a letra da canção *Fabiana* e diz ao militar que gostaria de apresentá-la em público, durante as comemorações oficiais da Semana da Asa. "Por que não?", pensa o oficial sem nem sequer consultar seus superiores. Em 20 de outubro, durante o evento denominado *Concerto sideral*, a música é cantada no Memorial da América Latina por um coral de cadetes da FAB, tendo entre eles o próprio Vandré perfilado e de roupa azul. A regência é do maestro Eleazar de Carvalho.

Em 1º de dezembro do mesmo ano, o repórter José Geraldo Couto noticia na *Folha de S.Paulo*: "Geraldo Vandré foi a grande estrela da abertura do 27º Festival de Brasília do Cinema Brasileiro, anteontem à noite, no Teatro Nacional Claudio Santoro. O compositor, que fez a música de *A hora e vez de Augusto Matraga* (1965), exibido em sessão especial, subiu ao palco com outras personalidades envolvidas na realização do filme: os produtores Luiz Carlos Barreto e Nelson Pereira dos Santos, o ator Leonardo Villar, o assistente de direção Guará Rodrigues e a viúva do diretor Roberto Santos, Marília. Sob os aplausos calorosos de cerca de 1,5 mil pessoas, entre elas os ministros Ciro Gomes (Economia) e Nascimento e Silva (Cultura), Vandré fez um discurso confuso sobre presente e passado (alguém do público tinha gritado 'Viva o Vandré do passado') e terminou recitando com eloquência de poeta nordestino de província seu novo poema *Fabiana*, homenagem à FAB. Convocado para uma entrevista coletiva no hotel Kubitschek Plaza, o compositor não apareceu".

O jornalista mineiro Chico Mendonça estava na plateia do Teatro Nacional, naquela noite. Ele trabalhava na sucursal da revista *IstoÉ*, mas compareceu ao festival como mero espectador interessado no cinema brasileiro. "Não estava no roteiro a fala do Vandré", afirma, em 2014.

"Ele tomou o microfone, falou um pouco sobre seu trabalho e apresentou o poema em homenagem à FAB. Fiquei arrepiado e até hoje, quando conto isso a alguém, sinto-me profundamente emocionado. Fiquei sem saber o que poderia acontecer. Naquela época havia um embate político nos festivais de cinema. O público era muito parecido com o dos antigos festivais da canção. Fez-se um silêncio absoluto enquanto ele falava o poema. Podia-se ouvir uma mosca voando no auditório. No final, a plateia o aplaudiu de pé. Prevaleceu o respeito à história dele, a quem ele queria ser e não ao mito que se criara. Foi uma das cenas mais bonitas que eu já assisti na minha vida."

Não foi a primeira vez que Chico Mendonça viu Vandré de perto. Um ano antes, enquanto se despedia da *Folha de S.Paulo* para trabalhar na *IstoÉ*, o jornalista foi chamado à Paraíba pelo governador Ronaldo Cunha Lima, do PSDB, para uma entrevista exclusiva. Cunha Lima estava se resguardando da mídia desde o dia em que disparou dois tiros de revólver contra seu adversário Tarcísio Buriti, num restaurante de João Pessoa. Por sorte, o ex-governador não morreu e isso evitou que se repetisse a tragédia que resultara na Revolução de 1930 – afinal, "na Paraíba não tem anistia, não". A exemplo de João Dantas, o governador atirou em Buriti por razões pessoais, pois o opositor tinha o costume de atacá-lo num programa de rádio e chegou a falar mal da primeira-dama do estado.

Tão logo adentrou o gabinete no Palácio da Redenção, e antes mesmo de começar a entrevista, Mendonça foi interrompido pela secretária de Cunha Lima, que anunciou a presença de Geraldo Vandré na recepção. Como bom repórter, o jornalista perguntou o que o músico estava fazendo ali. "Ele é meu assessor de assuntos musicais", respondeu Cunha Lima, explicando que o encontrara em estado deplorável em São Paulo e o convidara para o cargo criado especialmente para ele. "Vandré fica na porta do palácio vestido de marinheiro e tirando fotos de todos que entram", acrescentou. "O mais engraçado é que não tem filme na máquina."

Segundo Mendonça, "Vandré entrou no gabinete e não falou A com B. Primeiro disse a Cunha Lima que gostaria de morar no quartel da polícia militar. Isso facilitaria seu trabalho com a banda de música da corporação. Depois falou qualquer coisa sobre a Volkswagen. Não lembro bem o que era, mas acho que tinha a ver com o nome do fusca". Tão logo o artista se retirou, e antes de conceder a entrevista ao repórter, o governador declarou: "Ele é doido na hora que quer".

Brevê de aviador

Por mais rebelde e egocêntrico que pareça, Geraldo nunca deixou de cultivar gratidão. Em 1999, retribuiu o favor do tenente-brigadeiro Bräuer, que lhe possibilitou a apresentação de *Fabiana* no *Concerto sideral*. Exonerado do cargo de ministro da aeronáutica pelo presidente Fernando Henrique Cardoso depois de criticar a CPI (Comissão Parlamentar de Inquérito) do narcotráfico, o oficial ganha de seus colegas um almoço de desagravo no clube da aeronáutica, no Rio. O compositor se faz presente, sentando-se à mesa dos oficiais vestido com uma camisa branca de gola polo com o escudo da FAB no peito. Mais tarde, ele entregaria ao amigo militar um *clipping* com as reportagens publicadas sobre o caso.

A relação do ex-artista com as forças armadas gerou episódios no mínimo surpreendentes, para não dizer chocantes. Um deles ocorreu durante um debate realizado no Teatro Augusta, na rua de mesmo nome, centro de São Paulo. O advogado mineiro Hildebrando de Pontes Neto participava do evento na condição de presidente do CNDA (Conselho Nacional de Direito Autoral). "Era o ano de 1998 ou 1999, não me lembro com exatidão", diz ele em 2014. "Eu assistia ao debate junto à plateia e ouvi, atrás de mim, alguém falando alto. Quando me virei, vi um homem de cabeça branca provocando o riso do público, macaqueando e ao mesmo tempo caminhando em direção ao palco. Enquanto riam da situação, os jovens ali presentes não identificaram naquela figura o cidadão Geraldo Vandré."

Quebrando o protocolo, o ex-artista interrompeu o debate e pediu a palavra, dizendo que o tema da discussão que ali se travava era uma "grande bobagem". Para surpresa de todos, "ele afirmou que os direitos patrimoniais provenientes da exploração econômica de suas obras haviam sido doados ao exército, à marinha e à aeronáutica", recorda Hildebrando. "O sujeito desceu do palco, tomou o corredor lateral e saiu do teatro. Aquela cena me deprimiu profundamente e meus olhos lacrimejaram enquanto a plateia ria. Naquele momento, eu acreditei que Vandré havia sido destruído pela ditadura militar."

Em 2014, Nelson Angelo lembra ter estado no clube da aeronáutica com Vandré, testemunhando o carinho dos oficiais com seu velho amigo. Mas nem tudo são flores no seu relacionamento com o "exército azul". Filho de um sargento-aviador da FAB, o violonista Guinga lembra que, na única vez que viu o ex-colega de perto, presenciou um desentendimento entre ele e alguns amigos no mesmo clube. Segundo o breve relato, "Vandré estava mal naquele dia e a situação foi constrangedora".

Contudo, o generoso autor de *Sargento Escobar* prefere não julgar o ex-colega. "Durante a ditadura, meu pai foi ameaçado de morte por um capitão só porque visitou na cadeia um colega acusado de ser comunista. Eu mesmo cheguei a ter um cano de metralhadora encostado no peito", recorda Guinga, dizendo desconhecer o que de fato ocorreu com o autor de *Caminhando*. Embora afirme nunca ter sido torturado, Vandré ficou detido por vários dias, tão logo retornou do Chile no calor dos anos de chumbo. "Ninguém sabe o que se passou com ele." Alguns acreditam que sua aproximação com militares das três armas seria um sintoma da síndrome de Estocolmo, a dependência psicológica desenvolvida por reféns em relação a seus algozes. Outros pensam que tudo não passa de mera excentricidade.

O que muitos desconhecem, no entanto, é que Geraldo começou a se aproximar da FAB em 1982, quando procurou o aeroclube de São Paulo querendo se matricular na escola de pilotagem. Como todo candidato, ele teve de ser examinado na tentativa de obter o brevê. Os exames geralmente duram uma semana, mas, no seu caso, levaram em torno de um mês. Foi quando ele passou a frequentar o hospital de base para se tratar dos problemas psíquicos agravados nos tempos de exílio. Doze anos depois, foi liberado do tratamento, mas sem a licença de piloto.

Nessa época, Geraldo ficou amigo do médico e de outros oficiais do alto-comando. Com os aviadores, aprendeu a máxima de que "o piloto tem que estar pronto pra voar". E acrescenta: "Como sou sozinho, fiz da aeronáutica minha família". Casado duas vezes, ele não tem filhos nem sobrinhos – apenas a irmã Geise – e realmente mora sozinho, revezando-se entre São Paulo, Rio e Teresópolis. Também homenageou a marinha e fez o hino *A casa do sol nascente*, para a FAB. Em entrevista a Thales Guaracy, o psiquiatra José Gabriel – comandante do hospital de base que chefiaria o Centro Médico Espacial, no Rio – admite ter estranhado o paciente à primeira vista. Mas afirma que, na convivência, "se pode ver que ele é, na verdade, uma pessoa gentil, educada, inteligente e livre de algumas de nossas convenções sociais".

Essa tal liberdade permite ao compositor jamais acertar seu relógio pelo horário de verão e se agasalhar exageradamente no inverno. Ele também costuma surpreender os fãs e admiradores com atitudes inusitadas. Em

1º de janeiro de 1993, em São Paulo, um cidadão de óculos escuros chama atenção dos presentes à solenidade de posse do prefeito Paulo Maluf, do PDS, ex-aliado do governo militar. Nas fotos do evento, o sujeito aparece ao fundo, observando o político e sua antecessora, Luiza Erundina, do PT. Trata-se de ninguém menos que Geraldo Vandré, numa de suas aparições em ocasião e local dos mais improváveis. Interrogado pelos repórteres sobre o motivo de sua presença na cerimônia, o ex-artista dispara à queima-roupa: "Vim garantir a posse".

Não às homenagens

Em 8 de dezembro de 1994, o Brasil perde o maestro Antonio Carlos Jobim. Internado no hospital Mount Sinai, em Nova York, o coautor de *Sabiá* fazia uma angioplastia após a retirada de um tumor maligno da bexiga. Seu corpo é transladado para o Rio, para ser enterrado no cemitério São João Batista. Ali descansa seu parceiro Vinicius de Moraes – morto em 9 de julho de 1980 – e vários outros nomes da canção nacional, como Carmen Miranda, Clementina de Jesus, Donga, Francisco Alves, Vicente Celestino e Ronaldo Bôscoli, falecido no mês anterior. Entre outras homenagens, Tom emprestará seu nome ao aeroporto internacional do Galeão.

Em 1997, para a satisfação dos fãs de Vandré, o Quinteto Violado de Marcelo Melo (voz, viola e violão), Toinho Alves (voz e contrabaixo acústico), Roberto Medeiros (voz e percussão), Dudu Alves (teclados) e Ciano (flauta e violão) – com a participação especial do percussionista Kiko Oliveira – lança o disco *Quinteto canta Vandré*. A apresentação é assinada pelo crítico Mauro Dias, que destaca um "Geraldo Vandré mais messiânico, mais para Antônio Conselheiro do que para revolucionário".

O CD reúne doze canções que representam diferentes fases na obra do compositor. Entre as parcerias estão *Disparada* (com Théo de Barros), *Canção da despedida* (com Geraldo Azevedo) e *O plantador* e *Ventania* (com Hilton Acioli). Além dessas, foram gravadas *Na terra como no céu*, *Cantiga brava*, *Fica mal com Deus*, *Hora de lutar*, *A canção primeira*, *Vem, vem*, *Pra não dizer que não falei das flores* (*Caminhando*) e a inédita *República brasileira*. Mais tarde, o grupo lançará um DVD com o mesmo repertório. Trata-se da única coletânea gravada por terceiros, dedicada à obra vandreana, que se mostra definitiva e atemporal. Se outras gravações não são feitas, isso se deve muito mais às dificuldades oferecidas pelo compositor – que raramente autoriza novos registros de suas canções – do que por falta de interessados. Apesar disso, Saldanha Rolim e Saulo Laranjeira percorrem o país com o *show Forró arrumado*, cujo repertório inclui músicas do velho amigo e também de Luiz Gonzaga.

Embora insista em não retomar a carreira, algumas vezes o próprio Geraldo se vê tentado a gravar ou produzir um disco. Numa dessas recaídas, ele procura Jair Rodrigues, propondo-lhe a gravação de um álbum só com músicas de sua autoria. Depois de alguns encontros para mostrar canções inéditas, nunca mais fala no assunto – que seria literalmente sepultado. Para tristeza dos brasileiros, Jair sofrerá um enfarto fulminante em 8 de maio de 2014, sendo enterrado no cemitério Gethsêmani, bairro do Morumbi, em São Paulo.

No Carnaval de 2000, durante as comemorações dos 500 anos da chegada dos portugueses ao Brasil, Geraldo Vandré é o grande homenageado da União da Ilha do Governador. Trata-se da mesma escola de samba em cuja ala de compositores destacou-se seu ex-colega de faculdade, Gustavo Adolpho de Carvalho Baeta Neves, o famoso Didi, morto quatro anos antes. O título do enredo é *Pra não dizer que não falei das flores*, de Franco, Nina e Marquinhos do Banjo. O ex-artista é convidado para desfilar no último carro alegórico da escola, mas diz não ao convite. Coerente com suas escolhas, é quase certo que nem tenha assistido ao desfile pela televisão. Tanto melhor, pois a Imperatriz Leopoldinense sagrou-se campeã, enquanto a União da Ilha teve de se contentar com o oitavo lugar.

Em 9 de janeiro de 2008, em João Pessoa, o bloco Muriçocas do Miramar inaugura sua nova sede na avenida Tito Silva. O bloco se apresenta na "quarta-feira de fogo", uma semana antes da quarta-feira de cinzas, homenageando artistas paraibanos. Vandré – que residiu por um tempo em Imbituba, litoral sul de Santa Catarina – sempre recusou os convites e nunca subiu no trio elétrico, que esse ano apresenta algumas de suas composições. O líder do bloco e autor do seu hino é o ex-vereador pelo PSB, Flávio Eduardo Maroja Ribeiro, vulgo Fubá. Na vereança, ele chegou a apresentar o projeto de construção de um monumento com a escultura de Vandré, que deveria ser inaugurado no parque Sólon de Lucena, perto do local onde ficava a casa da infância do compositor. Aprovado na Câmara e transformado na lei municipal nº 11.342, assinada em 10 de janeiro de 2008 pelo prefeito Ricardo Coutinho, o projeto nunca saiu do papel.

No mesmo ano, outra homenagem notável é a gravação da música que leva seu nome – parceria do maranhense Zeca Baleiro e com o paraibano Chico César. Trata-se da última das doze faixas do CD de Zeca, intitulado *O coração do homem-bomba – volume 1*. Bom lembrar que Chico é natural de Catolé do Rocha, cidade onde fica o singelo Centro Estudantil de Cultura Geraldo Vandré.

Amigos leais

Apesar do gênio difícil apontado por alguns, Geraldo mantém amizade com antigos parceiros como Alaíde Costa, Carlos Lyra, Di Melo e Heraldo do Monte, com os quais costuma se encontrar. Do período anterior à carreira artística, uma grande amiga é a dra. Célia Castilho, colega dos tempos de faculdade. Fiel a ele e ciente de sua antipatia por jornalistas e biógrafos, a advogada se recusa a prestar qualquer depoimento sobre sua pessoa. Outra amiga leal é Telé Cardim, sua ex-chefe de torcida nos grandes festivais da canção. No *hall* das relações mais constantes destaca-se, desde 1978, o conterrâneo Assis Angelo – jornalista, poeta e pesquisador de arte popular, parceiro do cantor, e o violeiro Téo Azevedo no choro *Caminhando com Geraldo Vandré*.

Ao contrário do que possa parecer, o ex-artista também faz novas amizades – desde que não sejam pessoas inoportunas. Segundo Nelson Angelo, o truque é não se aproximar dele perguntando o que foi feito de Vandré, por que é que ele não quer mais lançar discos ou se foi torturado pelos militares. Afinal, esse repertório de perguntas já se desgastou tanto, que dr. Geraldo Pedrosa poderia gravar as respostas para não perder tempo ou gastar saliva dando velhas explicações.

Em meados da década de 1980, o cantor, compositor e escritor piauiense Jorge Mello se apresentava numa casa chilena chamada Peña Don Fernando, no município paulista de Carapicuíba, quando foi avisado da presença de Geraldo Vandré na plateia. "Fiquei muito feliz e anunciei o fato ao microfone. A casa inteira aplaudiu", lembra o artista em 2014. "Depois do *show*, fui até ele para agradecer e cumprimentá-lo. Foi assim que o conheci pessoalmente. O dono da casa perguntou se ele não gostaria de subir ao palco. Vandré ficou calado, olhando fixo o ambiente, sem olhar pra mim. Em seguida, levantou-se e saiu sem se despedir."

Mello, que é parceiro de Belchior e tem vários discos gravados, não sabe dizer se é propriamente amigo do ídolo, mas lembra de que estiveram juntos outras vezes. Recentemente, amigos em comum vêm lhe falando que Geraldo teria interesse em contratar seus serviços de advogado especialista em direitos autorais, atividade que desempenha paralelamente à carreira artística. "Sempre me coloco à disposição dele para orientar no que ele precisar, mas o encontro para tratar desse assunto ainda não aconteceu", ressalta.

Um contato relativamente recente é o jornalista João Paulo Soares. No prefácio da biografia escrita por Vitor Nuzzi ele conta que conheceu o compositor pouco depois do ano 2000 e garante ser quase impossível andar ao lado dele sem bancar o ator coadjuvante: "Na rua, na padaria, no ponto de táxi, na recepção do hotel, no restaurante e até quando dirigia, Vandré estava o tempo todo dramatizando. Naquela época, ele ostentava uma longa barba branca e um rabo de cavalo, igualmente longo e branco, preso por um elástico cor-de-rosa. Eram espetáculos quase diários em praça pública, em que ele assumia um gestual agressivo e um discurso fragmentado, cheio de metáforas, parábolas, citações e provocações".

No mesmo texto, João Paulo lembra que certa vez foi buscar o amigo para uma sessão de entrevistas e percebeu que ele estava "agitado, como de costume". Conversam tranquilamente no elevador, mas quando chega ao saguão do prédio, Geraldo percebe que o velho porteiro deixara sua bancada de trabalho para andar atrás deles rumo à calçada. "Está vendo? Ele quer escutar nossa conversa... Ele é um informante", exclama, voltando-se para o pobre homem que aparenta ter setenta anos: "Vocês mataram Cristo! Traidores! Víboras! Víboras! Raça de traidores! Raça de traídos e traidores". Não bastasse isso, caminha até lá fora e grita as mesmas palavras para os pedestres, que obviamente não fazem a mínima ideia do que está se passando. "Pedi que tentasse se acalmar", escreve João Paulo. "Não estou nervoso", foi a resposta. "Tu não entendes? O que tu vês é um personagem... Essa barba, essa loucura, eles me olham e não entendem nada...

Não entendem nada! Ouviste? É isso que a tua sociedade merece de mim! Essa é minha verdadeira música de protesto."

Em 9 de setembro de 2008, numa rara aparição pública, dr. Geraldo Pedrosa vai sozinho a um bar da Bela Vista, em São Paulo, para assistir a uma apresentação do amigo Sargento Lago, policial militar que também canta e escreve poemas. Quando o cantor interpreta *Caminhando* e anuncia sua presença, o compositor se dirige ao pequeno palco para cumprimentá-lo, acena para o público discretamente e desce a escada em direção à rua.

Segundo-tenente da reserva da PM de São Paulo, Samuel estudou jornalismo e gravou quatro CDs com o nome artístico de Sargento Lago. Começou a cantar ainda criança, na igreja evangélica que frequentava com os pais. Na juventude, afastou-se da religião e passou a cantar pagode. Mais tarde, começou a compor músicas que falam do universo militar, com elogios e críticas à corporação. "Conheci Geraldo Vandré em 1995", recorda em 2014. "Eu frequentava o curso de jornalismo e ia participar de um concurso literário promovido pelo *Estadão*, sobre a morte de Vladmir Herzog. Foi então que fiz uma música para homenageá-lo. Eu a gravei em 2005 com a participação do Jair Rodrigues, no CD *Profissão coragem*. Procurei o Vandré, que morava na Martins Fontes, e mostrei a ele. Assim teve início a nossa amizade."

Mesmo sendo da PM paulista, Lago nunca se incomodou com os versos de *Caminhando*. "Sou fã do Vandré e, em relação ao regime militar, sou contra a ditadura e contra os militantes. Ambos cometeram arbitrariedades", ressalta. A amizade com o ex-artista nunca resultou numa parceria: "A única vez que ele pegou num violão perto de mim foi durante um almoço na minha casa, quando tocou algumas canções inéditas". Quando perguntou por que ele não gravava, Lago ouviu do amigo a resposta de sempre: "Vivo em outro país".

Outro músico que sempre admirou Vandré é Osmar de Lima Sabiá. Aos quinze anos, ele tomou coragem e foi procurá-lo na sua casa. Por duas vezes o porteiro o informou que o ilustre morador não estava. Na terceira, teve a sorte de encontrá-lo saindo do prédio. Aproximou-se e se apresentou. O ídolo mandou que ele voltasse na terça-feira à noite, quando costumava receber visitas. De lá para cá, tornaram-se cada vez mais próximos e fizeram várias parcerias. "Ele sabia que estava numa guerra e, como ele mesmo diz, guerra é guerra", diz Sabiá. "Geraldo não tem mágoas por tudo o que lhe aconteceu, mas para uma pessoa nacionalista e de personalidade forte, é duro ver o povo mergulhado na cultura de massa e na perda de valores."

Sabiá se recorda que o amigo "ficou durante anos fotografando o desfile de 7 de setembro em São Paulo. Durante determinado período, ele e eu íamos de manhã ao IV Comar para acompanhar o hasteamento da bandeira. Mas tem aí outra óptica: no período da ditadura, a aeronáutica era considerada um dos órgãos mais repressores e o Geraldo reaparece no Brasil, com essa corporação cantando sua música e ele com um atestado de saúde no bolso emitido somente para os pilotos aprovados nos exames de capacitação física e mental. Sabe aquela coisa de nordestino turrão?" Em outras palavras, é como se o autor de *Caminhando* quisesse dizer: "Eles não eram os mais repressores? Pois bem, estão aí perfilados, cantando a minha música". Ou seja: não foi Geraldo que se rendeu às forças armadas, foram elas que se renderam a ele.

Um dos amigos mais próximos do ex-artista é o compositor e produtor musical Darlan Ferreira. Ambos foram apresentados por Assis Angelo. "Aconteceu em São Paulo, há cerca de dez anos, na manhã de um sábado ensolarado", recorda Darlan em 2014. "Encontramos o Geraldo na porta do seu apartamento e descemos para o térreo. Fomos com ele xerocar alguns documentos e depois entramos numa padaria ali perto para conversar.

Na Martins Fontes com a São Luís ele me perguntou: qual a sua ocupação? Respondi que sou produtor artístico. Atravessamos a rua e continuamos conversando com o Assis. De lá para cá nos tornamos amigos e nos falamos com certa frequência."

Darlan se tornou uma espécie de secretário do novo amigo, cuja idade já exige certos cuidados. "Sempre que ele se encontra em São Paulo, procuro dar a ele certa assistência", comenta. "A gente conversa muito, ele me fala de suas necessidades do momento e eu procuro ajudá-lo dentro das minhas possibilidades. Faço companhia a ele, vamos ao teatro, a museus... Lembro que fomos juntos a um *show* do Julio Iglesias. Se aparece alguém querendo tratar de algum assunto, ele passa pra mim."

O jovem produtor dedicou ao ídolo a *Canção de amor e paz*, gravada em CD por Jordana, que também canta *Rosa de metal*, de Vandré e Di Melo. Foi o primeiro a falar ao amigo sobre a gravação caseira de *Caminhando* por Zé Ramalho e Joan Baez. Mostrou-lhe o raro registro e Geraldo ficou surpreso. Redigiram um *e-mail* a quatro mãos, que Darlan traduziu para o inglês, e enviaram à cantora. Na verdade, ela tentou gravar a música quando de sua primeira passagem pelo Brasil, em 1981. "Considero Geraldo Vandré um poeta ímpar", declara Darlan. "Talvez o maior patriota que eu já conheci. Ele ama a pátria. Não essa de hoje, mas aquela que no passado mereceu suas músicas. Mesmo longe da cena, ele segue compondo. São letras tanto ou mais bonitas que aquelas do passado. Espero que o público possa ouvi-las um dia."

Esfinge indecifrável

Em 2008, numa entrevista por telefone ao repórter Leandro Colon publicada no *Correio Braziliense* no dia do seu aniversário, o ex-Vandré afirma que só votou para presidente da República em 1960. Interpelado sobre os motivos de ter interrompido a carreira, ele responde: "Porque é outro país, não é o meu. Mudou demais. Naquele tempo não tinha presidente. Agora você tem, não tem? Pois bem. Eu não tenho. Não tinha e continuo não tendo... O que você chama de governo cobra impostos sobre o meu crime. Sou advogado de outra época, do tempo em que se estudavam leis nesse país".

Quando o jornalista pergunta o que ele acha do presidente Lula, o compositor dispara: "Não conheço". Interrogado sobre o porquê de sempre dizer que não existe governo no Brasil, Geraldo é ainda mais enfático: "Porque não sou filho de revolução. Não tenho nada a ver com isso". Dias depois, ele aparece na gravação de um programa da Rádio Record, acompanhado de sua ex-líder de torcida, Telé Cardim. Bem-humorado, na presença da apresentadora Lilian Loy e do jornalista Goulart de Andrade, declara-se "um liberal radical conservador". Em seguida, surpreende os ouvintes declamando os versos de *Fabiana*.

Em 24 de março de 2009, o jornal *Cidade de Itapetininga* publica um artigo intitulado *O Vandré que eu conheci*, no qual Celso Lungaretti descreve um reencontro com o amigo ocorrido por volta de 1980: "Reparei que ele continuava lúcido, ao contrário das versões de que teria ficado xarope por causa das torturas. Mas perdera a concisão e clareza. Seus raciocínios faziam sentido, mas davam voltas e voltas até chegarem ao ponto. Para entender a lógica do que ele dizia, eu precisava ficar prestando enorme atenção. Era exaustivo. O mais importante que ele disse: estaria na mira de organizações de extrema-direita, inconformadas com o gradual abrandamento do regime".

Em 12 de setembro de 2010, data do seu 75º aniversário, o advogado Geraldo Pedrosa ressuscita Vandré e aparece na televisão depois de passar trinta e sete anos longe das câmeras. Apresentado *in of* pelo locutor Sérgio Chapelin como "o maior enigma da música brasileira", ele concede entrevista ao jornalista pernambucano Geneton Moraes Neto, no programa *Dossiê Globo News* (disponível no YouTube).

Quem se habituou a cultuar a imagem do ídolo jovem e viril certamente se surpreende ao vê-lo envelhecido, de barba e cabelos brancos. Vandré usa um boné verde-oliva e camisa branca de gola polo com o escudo da FAB no lado esquerdo do peito. Um brigadeiro, seu amigo, foi quem intermediou o encontro. O compositor atende à equipe de reportagem nas instalações do clube da aeronáutica, ao lado do aeroporto Santos Dumont, onde costuma se hospedar quando vai ao Rio para cuidar da mãe. Dona Maria Marta morreria em 1º de julho do ano seguinte, aos noventa e cinco anos.

Dizendo-se "fora dos acontecimentos", o entrevistado afirma que vive em outro Brasil e explica que não volta a cantar porque o tipo de música que sabe fazer não teria lugar num país dominado pela cultura de massa. Contudo, anuncia que pretende gravar num país vizinho músicas com letras em espanhol e que está trabalhando numa série de estudos para piano, "com vistas à composição de um poema sinfônico". E ironiza: "Porque aí já é subversão total. Não existe nada mais subversivo que um subdesenvolvido erudito". Numa súbita reflexão que mistura realismo e desencanto, declara: "Arte é cultura inútil, mas eu hoje consegui ser mais inútil que qualquer artista. Eu sou advogado em um tempo sem lei. Quer coisa mais inútil que isso?".

Entre seus contemporâneos, Vandré diz reconhecer o talento ascendente de Chico Buarque. Perguntado sobre o que acha do trabalho dos tropicalistas Gilberto Gil e Caetano Veloso, responde: "Parece que eles continuam na mesma", e logo desconversa, dizendo-se distante de tudo. Em seguida, comenta que certa vez o ex-parceiro Gil lhe disse que fazia qualquer coisa em música e que alguma teria que dar certo. "Eu não faço qualquer coisa", pontua. Ironicamente, cita o palhaço Tiririca como a novidade musical do momento. Depois, falando sério, elogia o trabalho do Movimento Armorial, fundado no Recife por seu conterrâneo Ariano Suassuna.

Confuso nas palavras, mas lúcido no pensamento, Vandré se comporta feito uma esfinge indecifrável da canção brasileira. Declara que nunca se arrependeu do que fez, que jamais foi antimilitarista e tampouco fez parte de qualquer grupo político. Reafirmando o que já havia dito em outras entrevistas, garante nunca ter sido preso ou torturado. Em outro momento, declara que "protesto é coisa de quem não tem poder". Demonstrando não estar tão distante da realidade, comenta que a situação do país piorou muito e que os versos de *Caminhando* estão mais atuais do que nunca. "A massificação destruiu a urbes", constata e depois acrescenta: "Quando fui para São Paulo, a cidade tinha quatro milhões de habitantes. Hoje, são 16 milhões de amontoados. É um genocídio! Tiraram todo mundo dos campos para produzir e exportar".

Ainda em setembro de 2010, artistas de João Pessoa realizam o evento *Caminhando com Vandré*. São três dias de *shows*, palestras e exposições celebrando o seu aniversário. Mais uma vez coerente como o personagem de sua *Disparada*, que aprendeu a dizer não, o compositor declina da homenagem. No ano seguinte, é aguardado no Festival Aruanda de Audiovisual Brasileiro e novamente dá o bolo nos conterrâneos.

Como o poeta Carlos Drummond de Andrade – que jamais retornou à sua Itabira natal, no interior de Minas –, para o dr. Geraldo Pedrosa de Araújo Dias a cidade de João Pessoa e o cantor Geraldo Vandré são apenas retratos na parede...

XVIII

SOMOS TODOS IGUAIS

Entre as matérias com Geraldo Vandré no auge da fama destaca-se a do repórter Carlos Cruz, publicada na revista *O Cruzeiro* um mês depois do 3º FIC; também merecem registro declarações feitas por ele em outras ocasiões.

NA IMPOSSIBILIDADE de entrevistar o personagem – que não autoriza publicações biográficas e se recusa a falar com biógrafos – resta ao autor deste livro reproduzir declarações de Geraldo Vandré a outros profissionais da imprensa. Não só no auge de sua carreira, mas também após se retirar da cena musical.

Uma entrevista histórica que merece destaque foi feita por Carlos Cruz e publicada como reportagem de capa na revista *O Cruzeiro*, de 26 de outubro de 1968. Num discurso claro e humanista, Vandré revela total lucidez sobre seu trabalho e o papel do artista numa sociedade competitiva, mas na qual as pessoas almejam viver em paz e com direito à liberdade. Intitulada *Cantando e seguindo a canção*, a matéria traz no *lead* a notícia de que "as gravações de *Pra não dizer que não falei de flores* (*sic*) estão sendo apreendidas em Niterói por agentes do DOPS".

Ao longo do texto publicado em duas páginas com a foto grande de um Vandré jovem e sorridente – feita por Robson de Freitas – o repórter

Carlos Cruz registra a conversa sem quebrar o ritmo do discurso ou a linha de raciocínio do entrevistado. Este, por sua vez, fala com eloquência, analisando os versos da canção que o consagrou e que representaria também sua ruína – palavras de Ricardo Cravo Albin. A reportagem reproduz estrofe por estrofe de *Caminhando*, entrecortada pelos comentários do autor:

"Toda obra de arte traz em si o protesto. Mesmo as de amor carecem dizer alguma coisa", afirma Vandré. "Se a mulher amada não nos dá atenção, a canção pede amor, protesta pela falta de amor. O 'protesto' surgiu nos Estados Unidos e ganhou o mundo nas canções que não falam de amor em particular, mas clamam pelo amor maior... Todo trabalho humano decorre de uma realidade determinada e cria fatos políticos, que são suas consequências."

O compositor ressalta que "a expressão de amor musical tem implicações políticas a partir do momento que representa culturalmente um povo, mesmo no caso do amor individual, de cada um de nós. Arte só pode ser considerada como tal quando se envolve com a vida, entrega-se a ela. O artista recebe então, de volta, a sua comunicação". Para ele, toda obra de arte vem da necessidade de o artista se comunicar: "Essa necessidade, no amor, é a comunicação com a mulher amada. Com a realidade, essa comunicação precisa ser coletiva... A minha canção, em que falo sobre flores e canhões, é uma canção de grande amor; o amor pela paz, pela necessidade permanente que o homem tem por uma vida melhor".

Em determinado ponto da conversa, o autor de *Caminhando* reafirma que não se trata de uma canção belicosa ou de guerra: "É de angústia, com o que vejo e gostaria que fosse diferente. Quando falo em soldados, não falo de todos, ou melhor, talvez fale de todos eles como seres humanos envolvidos em um processo, alguns impossibilitados de partilhar a vida com a gente". E garante que a maior alegria que sua música lhe deu foi a sua identificação com o povo: "Apesar de vivermos num mundo em que as flores valem pouco, acredito que ainda teremos um mundo onde tudo terá o encanto das flores. A maior prova de que o mundo caminha para isso foi a renegação a Hitler, Stalin etc. Por isso acredito na paz, por isso sou um homem pacífico. Mas é preciso não confundir pacifismo com passividades".

Em outro ponto, o entrevistado declara: "A gente faz a canção porque vive e segue a canção, porque acredita nela. A igualdade é uma característica que tenho como a capacidade de um homem entender que não pode ser inimigo dele próprio. Estar junto ou separado não significa nada, a partir do momento que se tem consciência de que a condição humana é que junta todos".

Colocando o violão de lado, Geraldo Vandré explica o verso que fala da fome em grandes plantações e dos indecisos cordões que marcham pelas ruas: "Eu sei que a fome existe e isso me deixa muito triste. Não sabe quem não quer saber ou quem se enriquece à custa da fome dos outros. A indecisão me parece uma condição do momento, não só do brasileiro, mas do mundo inteiro, principalmente da juventude que quer ir, mas não sabe pra onde... Existe uma contraposição entre flores e canhões nestes últimos versos e que existe na realidade... Há equívoco quando pensam que estou dando conselhos com minha canção. Para mim, a juventude não precisa de conselhos".

Sobre a estrofe que teria causado a revolta nos quartéis contra sua música, ele garante que não pretendeu discriminar a condição dos soldados: "Quando falo de soldados perdidos de armas na mão, falo precisamente dos que, não conhecendo o amor, se perdem. A antiga lição é a lição de não amar e se recusar à vida. A canção fala de quartéis, mas as lições de não amar são ensinadas em muitos lugares. Acredito até que em alguns quartéis elas não sejam ensinadas".

Filosofando sobre o seu tempo, Vandré salienta: "A gente vive num mundo em que, desde pequeno, ensinam que ter é mais importante do que ser. Onde se confunde o amor com reduzir a pessoa amada à condição de objeto. A só se sentir amado quando se sabe que a pessoa amada depende da gente. Isso pra mim não é amor, mas necessidade de afirmação... As flores no chão não significam a minha vontade de abandoná-las e atirá-las ao chão, mas deixá-las ali até poder colhê-las, ou simplesmente não colhê-las, pois no chão elas são muito mais bonitas. A certeza é uma coisa de que todo mundo vive, todo mundo põe à frente sua vida. A história na mão. Não quer dizer que me considero dono da verdade. Quer dizer que está à nossa disposição pra gente aprender e, aproveitando o exemplo, acertar mais daqui por diante e acreditar que amanhã haverá menos erros do que agora e no passado".

Depois de cantar a estrofe (*Vem, vamos embora, que esperar não é saber...*), o compositor finaliza sucintamente a entrevista a Carlos Cruz: "Tá explicado tudo. A canção terminou. Com ela eu quis o que sempre quis, com todas as canções que fiz e espero fazer. Devolver às pessoas e à vida tudo o que elas me deram".

Outras declarações

Em 26 de novembro de 1966 – dois anos antes da entrevista a Carlos Cruz – o *Jornal da Tarde* publicou uma declaração de Vandré sobre o desafio de trabalhar na televisão. Já naquele tempo ele se mostrava ciente do risco de se tornar um produto descartável dentro da engrenagem midiática:

"Ela (a TV) consome muito depressa as pessoas. Mas eu tive que aceitar o desafio e enfrentar a massificação, porque acho que já tinha atingido todos os limites possíveis na tarefa de comunicação que me impus e dentro do sentido de minha música. Sei os riscos da televisão, mas acho que devo enfrentá-los. Esse é um passo fundamental de minha carreira. Pretendo continuar dando ao grande público, na televisão, o que vinha dando como compositor."

Por trás das excentricidades e da aparente loucura do personagem Vandré existe o cidadão Geraldo Pedrosa de Araújo Dias, um homem confuso, mas bem consciente do seu papel histórico. Mais de uma vez ele se abriu em conversas com o conterrâneo Assis Angelo – desde que se conheceram, em 1978. Uma delas foi publicada em julho de 1991, no *Diário Popular*. Em certo momento, o ex-artista fala sobre as razões do seu silêncio desde que retornou do Chile, em 1973:

"Há pessoas que cantam por cantar. Eu, além de precisar de motivos pra cantar, ou seja, de não cantar gratuitamente e de, lembrando *Disparada*, não cantar para enganar, já sei também que é preciso, às vezes, não cantar. De algum modo, o silêncio que faço nesses 22 anos é parte da minha canção. Para detalhar, no entanto, razões e motivos que durante todo esse tempo foram compondo a pauta da minha existência cotidiana é preciso muito mais do que o mundo das entrevistas jornalísticas... A vida como um todo é uma canção que tem momentos de grande sonoridade, como também momentos de grandes pausas. É o caso."

Em fevereiro de 2004, num bate-papo com o também conterrâneo Ricardo Anísio, Geraldo explica o motivo de não ter aceitado a anistia:

"Perdoado de quê? De ter escrito uma canção? Ora, eu acho que quem assinou o pedido de anistia decretou que havia cometido um delito, e eles nunca observaram isso. Depois sou eu quem não tem lucidez? Mesmo que eu achasse que tinha sido um delito, feito isso por ideologia, jamais me desculparia... Pela forma como me excluo de tantas convenções dos tempos atuais, certamente sou diferente, e quando alguém pensa diferente o melhor é chamá-lo de louco, para que ninguém lhe dê importância."

Em 2007, na entrevista concedida por escrito à estudante de jornalismo Jeane Vidal, o compositor que abalou o regime militar com a força de seus versos distingue as condições de exilado e asilado político:

"Confunde-se, muito comumente, o conceito e o significado de exílio com o conceito e o significado de asilo. Exilar-se é uma questão e uma decisão de foro íntimo, quer dizer afastar-se, viver distante; não tem estatuto nem regras. Asilar-se é recorrer a uma proteção formal, uma tutela consular e diplomática de direito internacional que a representação de um estado soberano pode conceder a um estrangeiro em seu próprio país ou fora dele. O asilo tem estatuto, normas jurídicas. Eu nunca me asilei e, a rigor, vivo exilado (afastado) ainda de minha vida e de minhas atividades artísticas, no Brasil, desde o dia 13 de dezembro de 1968. No exterior, ganhei a visão de fora que a maioria dos brasileiros não tem."

Dando os trâmites por findos, o advogado Geraldo Pedrosa de Araújo Dias encerra o assunto com os versos de seu poema *Soberana*, que ele declamaria em 24 de março de 2014, antes que Joan Baez cantasse *Caminhando* no segundo dia de sua curta temporada em São Paulo:

"Sou mítico e mitologista. Não sou místico nem mistificador. A mitologia é funcional. Tangencia o materialismo sem se perder na metafísica ou nos paroxismos do espiritualismo. Existe, até, uma assertiva segundo a qual, na Grécia, os Deuses são, todos, funcionários públicos. É antropológica. Na mitologia, o sobrenatural também tem seus limites e sem limites não há história nem possibilidades de entendimento. As sociedades que subsistiram, desde a Antiguidade até os nossos dias, não são místicas e sim míticas e mitológicas, a exemplo de Roma, da Grécia e do Egito. Os Hebreus, que eram místicos, não existem mais, e os cristãos que sucederam-nos degladiam-se (*sic*) entre si, num processo genocida de autodestruição."

Logo após a apresentação de *Fabiana* no Memorial da América Latina, em 1994, Vandré foi criticado por jornalistas e patrulheiros ideológicos que não souberam interpretá-lo corretamente. Ainda na entrevista à jovem estudante, ele desabafa:

"Os canalhas que inventaram aquela história triste, antinacional e malversada em que Geraldo Vandré aparecia como vítima das forças armadas brasileiras enfiaram a carapuça na própria cabeça e, no dia seguinte, jogaram na mídia, controlada por eles, as expressões: GERALDO VANDRÉ TROCOU DE CAMISA, CANTANDO COM SEUS ALGOZES e outros que tais. Assim são eles, miseráveis cães de fila de editores alienígenas que fizeram de *Caminhando* ou *Pra não dizer que não falei das flores* um fruto proibido e, até hoje, ganham tanto dinheiro com ele que não admitem outro sucesso de Geraldo Vandré. Por isso estou, praticamente, fora do mercado, desde o dia 13 de dezembro de 1968... Além, não me faltarão o contentamento e a gratidão para reconhecer e dizer (pra quem for capaz de entender) que não pode existir, pra mim, honra maior do que ser recebido, acatado e estimado pela força aérea brasileira, como seu cantor. E para não perder a deixa e nem a dica e nem a pala, não se confundam, pelo menos aqui, canções com trabalhos, posto que trabalhar vem do latim *trapilare* que significa, literalmente, sofrer. Melhor não misturar, porque o meu cantar não é garapa."

Dando os trâmites por findos, Geraldo encerra o assunto com os seguintes versos, que seriam repetidos por ele em março de 2014, antes que Joan Baez cantasse *Caminhando* no segundo dia de sua curta temporada em São Paulo:

Pra quem queria
O meu cantar,
O meu cantar;
Pra quem pensava
Que podia me calar,
Aquele silêncio
De não se aguentar...

Em novembro do mesmo ano, logo após as eleições e em meio ao escândalo de corrupção na Petrobras, manifestantes que exigem o afastamento da presidente reeleita Dilma Housseff (do PT) cantam na avenida Paulista uma paródia de *Caminhando*. Por incrível que pareça, os mais exaltados clamam pela volta do regime militar.

Gravadas e inéditas*

1. A bala da baladeira (com Alquimides Daera)
2. A casa do sol nascente
3. A maré encheu
4. A rosa do povo (com Alquimides Daera)
5. Amor navegante (com Alquimides Daera)
6. Aruanda (com Carlos Lyra)
7. Arueira
8. Astronauta (com Alquimides Daera)
9. Bandeira branca
10. Bolerito
11. Bonita (com Hilton Acioli)
12. Brisa do azul (com Alquimides Daera)
13. Canção da despedida (com Geraldo Azevedo)
14. Canção do amor sem fim (com Alaíde Costa)
15. Canção do breve amor (com Alaíde Costa)
16. Canção nordestina
17. Canção primeira
18. Canta Maria (com Erlon Chaves)
19. Cantiga brava
20. Canto aberto (com Heraldo do Monte e Carlos Oulie)

* Dizem os amigos que Vandré tem muitas outras músicas, todas inéditas, que não divulga e nem deixa ninguém gravar.

21. Canto do mar
22. Canto geral (com Hermeto Pascoal)
23. Capitania de Wanmar
24. Chaquito
25. Che (com Marconi Campos)
26. Companheira
27. Continuando
28. Coral das águias marinhas (com Alquimides Daera)
29. Das terras de Benvirá
30. De América
31. De serra, de terra e de mar (com Théo de Barros e Hermeto Pascoal)
32. Depois é só chorar
33. Desacordonar
34. Despedida de Maria (com Carlos Castilho)
35. Dia de festa (com Moacir Santos)
36. Disparada (com Théo de Barros)
37. Emarema emaremou (com Manduka)
38. Esfera (com Alquimides Daera)
39. Fabiana
40. Fica mal com Deus
41. Fim de tristeza (com Baden Powell)
42. Guerrilheira (com Hilton Acioli)
43. Hei de ser (com Alaíde Costa)
44. Hora de lutar
45. João e Maria (com Hilton Acioli)
46. Ladainha
47. Levante
48. Levena

49. Lindo, Lindo (com Ely Arcoverde)
50. Lucífera (com Alquimides Daera)
51. Manhanera (com Alquimides Daera)
52. Maria Rita
53. Maria, memória de minha canção
54. Marinera (com Alquimides Daera)
55. Marinha, Marina, marinheira
56. Meu Sertão (com Hilton Acioli)
57. Misturada (com Airto Moreira)
58. Modinha
59. Na terra como no céu
60. Ninguém pode mais sofrer (com Luiz Roberto)
61. Nosso amor (com Baden Powell)
62. O cavaleiro (com Tuca)
63. O ovo (com Hermeto Pascoal)
64. O plantador (com Hilton Acioli)
65. Paixão segundo Cristino
66. Pátria amada, idolatrada, salve, salve (com Manduka)
67. Pequeno concerto que ficou canção
68. Porta estandarte (com Fernando Lona)
69. Pra não dizer que não falei das flores – Caminhando
70. Pra que mentir (com Gilberto Gil)
71. Presença (com Toquinho)
72. Quem é homem não chora (com Vera Brasil)
73. Quem quiser encontrar o amor (com Carlos Lyra)
74. Rancho da rosa encarnada (com Gilberto Gil e Torquato Neto)
75. República brasileira
76. Réquiem para Matraga

77. Rosa de metal (com Di Melo)
78. Rosa de verão
79. Rosa flor (com Baden Powell)
80. Rosa, Hortência, Margarida
81. Rosa Mundo (com Osmar de Lima Sabiá e Birhú de Pirituba)
82. Samba de mudar (com Baden Powell)
83. Sarabanda – A festa do lobisomem
84. Se a tristeza chegar (com Baden Powell)
85. Tabuleiro de Alquimides (com Alquimides Daera)
86. Tangará
87. Terra plana
88. Tristeza de amar (com Luiz Roberto)
89. Vê (com Fernando Lona)
90. Vela (com Manduka)
91. Vem, vem
92. Ventania (com Hilton Acioli)
93. Você que não vem
94. Vou caminhando

Álbuns em LP

Geraldo Vandré – Audio Fidelity, 1964

Lado A: *O menino das laranjas* **(Théo de Barros)**, *Berimbau* **(Baden Powell/Vinicius de Moraes)**, *Ninguém pode mais sofrer* **(Geraldo Vandré/Luiz Roberto)**, *Canção nordestina* **(Geraldo Vandré)**, *Depois é só chorar* **(Geraldo Vandré)**, *Samba em prelúdio* **(Baden Powell/Vinicius de Moraes)**

Lado B: *Fica mal com Deus* **(Geraldo Vandré)**, *Quem é homem não chora* **(Geraldo Vandré/Vera Brasil)**, *Tristeza de amar* **(Geraldo Vandré/Luiz Roberto)**, *Só por amor* **(Baden Powell/Vinicius de Moraes)**, *Pequeno concerto que ficou canção* **(Geraldo Vandré)**, *Você que não vem* **(Geraldo Vandré)**

Hora de lutar – Continental, 1965

Lado A: *Hora de lutar* **(Geraldo Vandré)**, *A maré encheu* **(Geraldo Vandré)**, *Despedida de Maria* **(Geraldo Vandré/Carlos Castilho)**, *Dia de festa* **(Moacir Santos/Geraldo Vandré)**, *Ladainha* **(Geraldo Vandré)**, *Asa Branca* **(Luiz Gonzaga/Humberto Teixeira)**

Lado B: *Samba de mudar* **(Baden Powell/Geraldo Vandré)**, *Canta Maria* **(Geraldo Vandré/Erlon Chaves)**, *Aruanda* **(Carlos Lyra/Geraldo Vandré)**, *Vou caminhando* **(Geraldo Vandré)**, *Canto do mar* **(Geraldo Vandré)**, *Sonho de um Carnaval* **(Chico Buarque de Hollanda)**

5 ANOS DE CANÇÃO – SOM MAIOR, 1966

Lado A: *Porta estandarte* **(Geraldo Vandré/Fernando Lona)**, *Depois é só chorar* **(Geraldo Vandré)**, *Tristeza de amar* **(Geraldo Vandré/Luiz Roberto)**, *Réquiem para Matraga* **(Geraldo Vandré)**, *Canção do breve amor* **(Geraldo Vandré/Alaíde Costa)**, **Fica mal com Deus (Geraldo Vandré)**

Lado B: *Rosa flor* **(Baden Powell/Geraldo Vandré)**, *Pequeno concerto que ficou canção* **(Geraldo Vandré)**, *Se a tristeza chegar* **(Baden Powell/Geraldo Vandré)**, *Canção nordestina* **(Geraldo Vandré)**, *Ninguém pode mais sofrer* **(Geraldo Vandré/Luiz Roberto)**, *Quem quiser encontrar o amor* **(Geraldo Vandré/Carlos Lyra)**

CANTO GERAL – ODEON, 1968

Lado A: *Terra plana* **(Geraldo Vandré)**, *Companheira* **(Geraldo Vandré)**, *Maria Rita* **(Geraldo Vandré)**, *De serra, de terra e de mar* **(Geraldo Vandré/Théo de Barros e Hermeto Pascoal)**, *Cantiga brava* **(Geraldo Vandré)**

Lado B: *Ventania – De como um homem perdeu seu cavalo e continuou andando* **(Geraldo Vandré/Hilton Acioli)**, *O plantador* **(Geraldo Vandré/Hilton Acioli)**, *João e Maria* **(Geraldo Vandré/Hilton Acioli)**, *Arueira* **(Geraldo Vandré)**, *Guerrilheira* **(Geraldo Vandré/Hilton Acioli)**

DAS TERRAS DE BENVIRÁ – PHILIPS, 1973

Lado A: *Na terra como no céu* **(Geraldo Vandré)**, *Das terras de Benvirá* **(Geraldo Vandré)**, *Vem, vem* **(Geraldo Vandré)**, *Canção primeira* **(Geraldo Vandré)**, *De América* **(Geraldo Vandré)**

Lado B: *Sarabanda – A festa do lobisomem* **(Geraldo Vandré)**, *Maria, memória da minha canção* **(Geraldo Vandré)**, *Bandeira branca* **(Geraldo Vandré)**

78 Rotações

RGE, 1961

Lado A: *Quem quiser encontrar o amor* **(Geraldo Vandré/Carlos Lyra)**
Lado B: *Sonho de amor e paz* **(Baden Powell/ Vinicius de Moraes)**

Audio Fidelity, 1962, com Ana Lúcia

Lado A: *Samba em prelúdio* **(Baden Powell/ Vinicius de Moraes);**
Lado B: *Você que não vem* **(Geraldo Vandré).**

Compacto simples

Audio Fidelity, 1962, com Ana Lúcia

Lado A: *Samba em prelúdio* **(Baden Powell/ Vinicius de Moraes)**
Lado B: *Você que não vem* **(Geraldo Vandré)**

Audio Fidelity, 1963

Lado A: *Canção nordestina* **(Geraldo Vandré)**
Lado B: *Fica mal com Deus* **(Geraldo Vandré)**

Philips, 1965

Lado A: *Réquiem para Matraga* **(Geraldo Vandré)**
Lado B: *Fica mal com Deus* **(Geraldo Vandré)**

Som Maior, 1966

Lado A: *Porta Estandarte*, com Trio Novo **(Geraldo Vandré/Fernando Lona)**
Lado B: *Rosa Flor*, com Trio Novo e Os 3 Moraes **(Baden Powell/Geraldo Vandré)**

Discos Chantecler, 1966

Lado A: *Porta Estandarte*, **com Tuca (Geraldo Vandré/Fernando Lona)**

Lado B: *Você que não vem* **(Geraldo Vandré)**

RCA Victor, 1966

Lado A: *Disparada* **(Geraldo Vandré/ Théo de Barros)**

Lado B: *Canto aberto* **(Heraldo do Monte/ Carlos Sodile/Geraldo Vandré)**

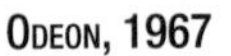

Odeon, 1967

Lado A: *Arueira* **(Geraldo Vandré)**

Lado B: *João e Maria* **(Geraldo Vandré/Hilton Acioli)**

Odeon, 1968

Lado A: *Maria Rita* **(Geraldo Vandré)**

Lado B: *Companheira* **(Geraldo Vandré)**

Som Maior/RGE, 1968

Lado A: *Pra não dizer que não falei das flores – Caminhando* **(Geraldo Vandré)**

Lado B: *Se a tristeza chegar* **(Geraldo Vandré/ Baden Powell)**

Vogue, França, 1968

Lado A: *Che* **(Geraldo Vandré/Marconi Filho)**

Lado B: *Porta estandarte* **(Fernando Lona/ Geraldo Vandré)**

Banco Benvirá Edições, Geraldo Vandré no Chile, 1969

Lado A: *Desacordonar* **(Geraldo Vandré)**

Lado B: *Camiñando* **(Geraldo Vandré)**

Le Chat Du Monde, França, 1971

Lado A: *Na terra como no céu* **(Geraldo Vandré)**

Lado B: *Benvirá* **(Geraldo Vandré)**

RGE, 1979

Lado A: *Pra não dizer que não falei das flores – Caminhando* **(Geraldo Vandré)**

Lado B: *Fica mal com Deus* **(Geraldo Vandré)**

Compacto duplo

Audio Fidelity, 1963

Lado A: *Rosinha* **(Jonas Silva) e** *Só por amor* **(Baden Powell/Vinicius de Moraes)**

Lado B: *Depois é só chorar* **(Geraldo Vandré) e** *Marcha do amor sem esperança* **(Walter Santos/ Luis Carlos Paraná)**

Tecla, Portugal, 1966: Festival da Música Popular Brasileira

Lado A: *Disparada* **(Geraldo Vandré/Théo) com Geraldo Vandré e** *Ensaio geral* **(Gilberto Gil) com Elis Regina**

Lado B: *Amor, paz* **(Maysa/Vera Brasil) com Maysa e** *Um dia* **(Caetano Veloso) com Maria Odette**

Marfer, Espanha, 1967: ***Festival da Música Popular Brasileña***

Lado A: *A banda* **(Chico Buarque) com Chico Buarque e** *Disparada* **(Geraldo Vandré/Théo) com Geraldo Vandré**

Lado B: *A banda* **(Chico Buarque) com Niños Cantores de São Paulo e** *Jogo de Roda* **(Edu Lobo/ Ruy Guerra) com Elis Regina**

1968

Lado A: *Sabiá* **(Tom Jobim/Chico Buarque de Hollanda), com Cynara e Cibele e** *Caminhando* **(Geraldo Vandré), com Geraldo Vandré**

Lado B: *Andança* **(Edmundo Souto/Danilo Caymmi/Paulinho Tapajós), com Beth Carvalho e Golden Boys e** *Passacalha* **(Edino Krieger), com Grupo 004**

Som Maior, 1968

Lado A: *Rosa flor* **(Geraldo Vandré) e** *Canção nordestina* **(Geraldo Vandré)**

Lado B: *Porta estandarte* **(Geraldo Vandré) e** *Fica mal com Deus* **(Geraldo Vandré)**

Continental, 1980: Canto do Povo

Lado A: *Ladainha* **(Geraldo Vandré) e** *Canta meu povo* **(Marília Medalha)**

Lado B: *Tocaia* **(Sérgio Ricardo) e** *Negro negro* **(Edu Lobo)**

Coletâneas em fascículo

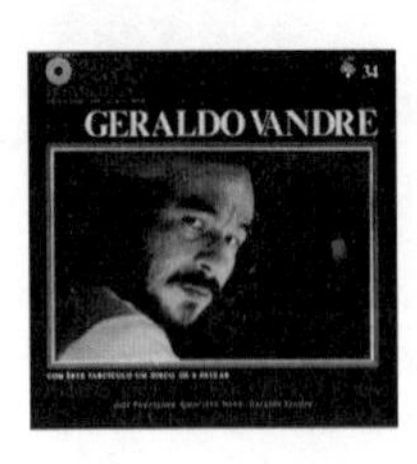

***Geraldo Vandré*: fascículo 34 da série *Música Popular Brasil* – Abril Cultural, 1971.**

***Geraldo Vandré*: fascículo 31 da série *MPB Compositores* – Abril Cultural, 1976.**

***Geraldo Vandré*: fascículo da série *Nova História da Música Popular Brasileira* – Abril Cultural, 1979.**

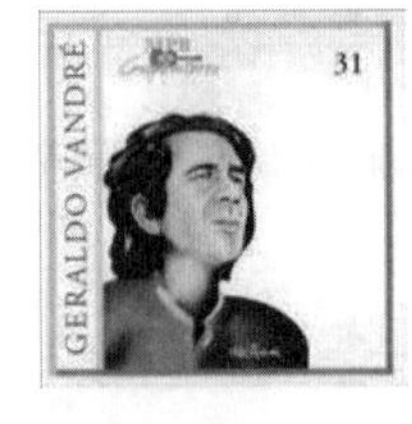

COLETÂNEAS EM LP

MPB ESPETACULAR: BETHANIA, GIL, GAL, VANDRÉ E CAETANO – RCA VICTOR, 1970.

CANTO ABERTO: GAL, BETHANIA, VANDRÉ, PITI, TOM ZÉ E LUÍS CARLOS SÁ – RCA VICTOR, 1973.

GERALDO VANDRÉ: VOLUME 1 DA SÉRIE *RETROSPECTO* – RGE/FERMATA, 1979.

GERALDO VANDRÉ – SOM MAIOR, 1979.

A ARTE DO ENCONTRO: GERALDO VANDRÉ E CHICO BUARQUE, ÁLBUM DUPLO – RGE.

JUNTOS: GERALDO VANDRÉ E SÉRGIO RICARDO – FONTE, 1980.

PAIXÃO SEGUNDO CRISTINO – FUNDAÇÃO CULTURAL DE CURITIBA, 1984.

JUNTOS: GERALDO VANDRÉ, VICENTE BARRETO, ALCEU VALENÇA, BELCHIOR E TOM ZÉ – GEL, 1988.

Coletâneas em CD

Geraldo Vandré: série *Mestres da MPB* – Continental/Warner Music, 1994.

Geraldo Vandré: série *Prestígio* – RGE, 1994.

Convite para ouvir Geraldo Vandré – RGE, 1996.

Geraldo Vandré – RGE, 1996.

Geraldo Vandré: 20 preferidas – Som Livre, 1997.

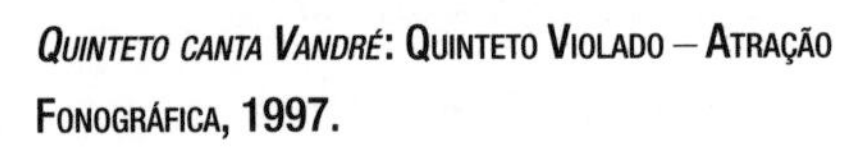

Quinteto canta Vandré: Quinteto Violado – Atração Fonográfica, 1997.

Geraldo Vandré: série *Pérolas* – Som Livre, 2000.

Geraldo Vandré: volume 12 da série *Enciclopédia Musical Brasileira* – Warner Music, 2000.

Grandes sucessos: Geraldo Vandré e Zé Geraldo (gravadora e ano não identificados)

ENTREVISTADOS

Alaíde Costa
Alquimides Daera
Birhú de Pirituba
Carlos Lyra
Celia Mazzei
Celma Mazzei
Chico Mendonça
Chiquito Braga
Cynara de Sá Leite Faria
(Quarteto em Cy)
Darlan Ferreira
Fahid Tahan Sab
Francisco de Assis Angelo
Geraldo Azevedo
Guinga
Heraldo do Monte
Hildebrando Pontes Neto
Jeane Vidal
Joan Baez
João Batista da Silveira
Jorge Mello
José Maria Rabelo
Léa Pinheiro Loivos
Marcelo Melo
(Quinteto Violado)
Marcos Valle
Maria Alba da Silveira
Maurício Santiago
Miúcha
Nelson Angelo
Nilce Tranjan
Osmar de Lima Sabiá
Pacífico Mascarenhas
Paulo César Pinheiro
Petrônio Souza Gonçalves
Regina Echeverria
Ricardo Cravo Albin
Roberto Menescal
Rogério Romano Bonato
Ruth Bolognese
Saldanha Rolim
Sargento Lago
Sérgio Ricardo
Solano Ribeiro
Sula Kyriacos Mavrudis
Thales Guaracy
Thiago de Mello
Wilson Sá Brito
Xico de Carinho

FONTES DE CONSULTA

Bibliográficas

AGUIAR, J. *A poesia da canção*. Coleção Margens do Texto. São Paulo: Scipione, 1993.

AGUIAR, R. C. *Almanaque da Rádio Nacional*. Rio de Janeiro: Casa da Palavra, 2007.

ALBIN, C. *Dicionário Cravo Albin da Música Popular Brasileira*. Rio de Janeiro: Instituto Cultural Cravo Albin, 2001.

ALEXANDRE, R. *Nem vem que não tem*: a vida e o veneno de Wilson Simonal. Rio de Janeiro: Editora Globo, 2009.

AMARAL, E. *Alguns aspectos da MPB*. Rio de Janeiro: Esteio Editora, 2008.

ARAÚJO, P.C. *Roberto Carlos em detalhes*. São Paulo: Planeta, 2006.

AVELAR, I. *Alegorias da derrota*. Belo Horizonte: Editora UFMG, 2002.

BOJUNGA, C. *JK: o artista do impossível*. Rio de Janeiro: Objetiva, 2001.

BORGES, M. *Os sonhos não envelhecem* – histórias do Clube da Esquina. São Paulo: Geração Editorial, 2010.

CABRAL, R; LAPA, R. *Desaparecidos políticos*: prisões, sequestros, assassinatos. Rio de Janeiro: Comitê Brasileiro pela Anistia, 1979.

CABRAL, S. *Antônio Carlos Jobim*: uma biografia. Rio de Janeiro: Lumiar Editora, 1997.

CASTELO, J. *Vinicius de Moraes*: o poeta da paixão, uma biografia. São Paulo: Companhia das Letras, 1994.

CASTRO, R. *Chega de saudade*: a História e as histórias da bossa nova. São Paulo: Companhia das Letras, 1990.

________. *Ela é carioca*: uma enciclopédia de Ipanema. São Paulo: Companhia das Letras, 1999.

CLARK, W; Priolli, G. *O campeão de audiência*: uma biografia. Rio de Janeiro: Best Seller, 1991.

COTRIM, G; RODRIGUES, J. *Saber e fazer história*: História geral e do Brasil. 9º ano, 5ª edição. São Paulo: Saraiva, 2007.

DREYFUS, D. *O violão vadio de Baden Powell*. São Paulo: Editora 34, 1999.

ECHEVERRIA, R. *Furacão Elis*. Rio de Janeiro: Editora Globo, 1994.

FIGUEIREDO, L. *Ministério do silêncio*: a história do serviço secreto brasileiro de Washington Luís a Lula – 1927-2005. Rio de Janeiro: Record, 2005.

GABEIRA, F. *O que é isso, companheiro?* São Paulo: Companhia das Letras, 1996.

JOBIM, Helena. *Antonio Carlos Jobim*: um homem iluminado. Rio de Janeiro: Nova Fronteira, 1996.

MAMMI, L; NESTROVSKI, A; TATIT, L. *Três canções de Tom Jobim*. São Paulo: Cosac Naify, 2004.

MELLO, Z. H. *A era dos festivais*: uma parábola. São Paulo: Editora 34, 2003.

MELLO, Z. H; BACCARIN, B. *Enciclopédia da Música Brasileira*: popular. São Paulo: Art Editora e Publifolha, 2000.

MORAES, F. *Chatô, o rei do Brasil*: a vida de Assis Chateaubriand. São Paulo: Companhia das Letras, 1994.

MORAES, J. L; narrativa a Aziz Ahmed. *O calvário de Sônia Angel*. Rio de Janeiro: Gráfica MEC Editora, 1994.

NAPOLITANO, M. *Seguindo a canção*: engajamento político e indústria cultural na MPB (1959-1969). São Paulo: Annablume, 2001.

NEPOMUCENO, R. *Música caipira*: da roça ao rodeio. São Paulo: Editora 34, 1999.

NUZZI, V. *Geraldo Vandré*: uma canção interrompida. São Paulo: São Paulo: Scortecci Editora, 2015.

PEREIRA, C. O. C. *Na saga dos anos 60*. São Paulo: Geração Editorial, 2013.

RIBEIRO, S. *Prepare seu coração*: a História dos grandes festivais. São Paulo: Geração Editorial, 2003.

RICARDO, S. *Quem quebrou meu violão*: uma análise da cultura brasileira nas décadas de 40 a 90. Rio de Janeiro: Record, 1991.

RODRIGUES, N. *A cabra vadia*: novas confissões. São Paulo: Companhia das Letras, 1995.

ROLEMBERG, D. *Exílio*: entre raízes e radares. Rio de Janeiro: Record, 1999.

SADIE, S. *Dicionário Grove de música*. São Paulo: Jorge Zahar Editor, 1994.

SILVEIRA, D. *Geraldo Vandré*: a vida não se resume em festivais. Belo Horizonte: Fino Traço Editora, 2011.

SOLER, L. *Origens árabes no folclore do sertão brasileiro*. Santa Catarina: Editora da UFSC, 1995.

SOUZA, T. *Tem mais samba*: das raízes à eletrônica. São Paulo: Editora 34, 2003.

VANDRÉ, G. *Cantos intermediários de Benvirá*. Santiago do Chile: Edição de Matías Pizarro, 1973.

VAZ, T. *Pra mim chega*: a biografia de Torquato Neto. São Paulo: Casa Amarela, 2005.

________. *Solar da fossa*: um território de liberdade, impertinências, ideias e ousadias. Rio de Janeiro: Casa da Palavra, 2011.

VELOSO, C. *Verdade tropical*. São Paulo: Companhia das Letras, 1997.

VENTURA, Z. *1968: o ano que não terminou*. A aventura de uma geração. Rio de Janeiro: Nova Fronteira, 1988.

VIDAL, J. *Vandré*: tempo de repouso. Trabalho de conclusão do curso de Jornalismo da Universidade Cruzeiro do Sul. São Paulo, 2007.

Cinematográficas

BARRETO, L. *O Cangaceiro*. Ficção, Brasil, 1953.

BRANT, B. *Ação entre amigos*. Ficção, Brasil, 1998.

CALDAS, P; FERREIRA, L. *Baile perfumado*. Ficção baseada em fatos reais, Brasil, 1996.

CAMUS, M. *Orfeu Negro*. Musical adaptado da peça de Vinicius de Moraes e Tom Jobim, França, 1959.

CARRILHO, A; MELO, T. *Urânio Picuí* – Produto brasileiro tipo exportação, 2009.

COSTA-GAVRAS. *Estado de sítio*. Ficção baseada em fatos reais, França, Alemanha e Itália, 1973.

__________. *Desaparecido*. Ficção baseada em fatos reais, EUA, 1982.

DUARTE, A. *O pagador de promessas*. Ficção baseada na peça de Dias Gomes, Brasil, 1962.

FARIA, M. Jr. *Vinicius de Moraes*. Documentário musical, Brasil, 2006.

FARIAS, R. *Pra frente Brasil*. Ficção, Brasil, 1982.

GOULART, D. *Princesa do sertão*. Documentário da TV Senado, Brasil, 2010.

JARDIM, J. *Getúlio*. Ficção baseada em fatos reais, Brasil, 2014.

NAPOLI, A; WOLFENSON, H; BIAGIOLI, W. F. *O que sou nunca escondi*. Documentário, Brasil, 2009.

NORONHA, L. *Aruanda*. Documentário, Brasil, 1960.

RATTON, H. *Batismo de sangue*. Baseado no livro de Frei Betto, Brasil, 2006.

REZENDE, S. *Lamarca*. Baseado no livro de Emiliano José e Miranda Oldack, Brasil, 1994.

RUAS, T. *Brizola*: tempo de luta. Documentário, Brasil, 2007.

SANTOS, R. *A hora e vez de Augusto Matraga*. Ficção adaptada do conto de Guimarães Rosa, Brasil, 1965.

TENDLER, S. *Os anos JK*: uma trajetória política. Documentário, Brasil, 1980.

________. *Jango*: como, quando e por que se depõe um presidente da República. Documentário, Brasil, 1984.

TERRA, R; CALIL, R. *Uma noite em 67*. Documentário, Brasil, 2010.

Jornalísticas

Caros Amigos
Cidade de Itapetininga
Correio Braziliense
Correio da Manhã
Diário do Litoral
Diário Popular
El Clarín
Estado de Minas
Estado de S. Paulo
Ex-
Folha de S.Paulo
Globo News
IstoÉ
Joia
Jornal da Tarde
Jornal do Brasil
Jornal do Commercio
Jornal dos Sports
Manchete
O Cruzeiro
O Globo
O Pasquim
Playboy
Rádio em Revista
Rádio Nacional
Realidade
Rede Bandeirantes
Rede Globo
Repórter
Revista de História
Revista do Rádio
Tribuna da Imprensa
Trip
TV Record
TV Tupi
Última Hora
Veja
Vip Exame

Radiofônicas

Radiodocumentário: *Pra não dizer que não falei de Geraldo Vandré*. USC/Bauru, 2012.
Show ao vivo: *Socorro – A poesia está matando o povo*. Rádio da UFG/Goiânia 1968.

Fascículos

Música Popular Brasileira, nº 34, Geraldo Vandré. Abril Cultural, 1971.
MPB Compositores, nº 31, Geraldo Vandré, Abril Cultural, 1976.
Nova História da Música Popular Brasileira, Geraldo Vandré, Abril Cultural, 1979.

Internet

http://assisangelo.blogspot.com.br
http://blogdowilsonpessoa.blogspot.com.br
http://www.diariodecuiaba.com.br
http://www.dicionariompb.com.br
http://www.dosp.jusbrasil.com.br
http://festivalesdempb.blogspot.com.br
http://www.folha.uol.com
http://www.jb.com.br
http://www.jornaldaparaiba.com.br
http://www.jornalistasecia.com.br
http://www.kalender-365
http://www.oglobo.globo.com
http://www.pe-az.com.br
http://www.radio.ufg.br
http://revistadehistoria.com.br
http://www.ritmomelodia.mus.br
http://scholar.google.com.br
http://www.toque-musical.com
http://www.tudosobretv.com.br
http://turismoruralnaparaiba.blogspot.com.br
http://uol.com.br
http://vandretempoderepouso.blogspot.com.br
http://veja.abril.com
http://www.vladimirpalmeira.com.br
http://www.youtube.com
mhn.uepb.edu.br

ÍNDICE ONOMÁSTICO

B

C

D

L

M

N

O

P

Q

R

S

T

U

V

W

X

Y

Z

INFORMAÇÕES SOBRE A

GERAÇÃO EDITORIAL

Para saber mais sobre os títulos e autores
da **GERAÇÃO EDITORIAL**,
visite o site www.geracaoeditorial.com.br
e curta as nossas redes sociais.

Além de informações sobre os próximos lançamentos,
você terá acesso a conteúdos exclusivos
e poderá participar de promoções e sorteios.

geracaoeditorial.com.br
/geracaoeditorial
@geracaobooks
@geracaoeditorial

Se quiser receber informações por e-mail,
basta se cadastrar diretamente no nosso site
ou enviar uma mensagem para
imprensa@geracaoeditorial.com.br

GERAÇÃO EDITORIAL

Rua Gomes Freire, 225 – Lapa
CEP: 05075-010 – São Paulo – SP
Telefax: (+ 55 11) 3256-4444
E-mail: geracaoeditorial@geracaoeditorial.com.br